CARBOXY

CB062001

David Souza

CARBOXY

EDITORA
Labrador
são paulo
2016

Copyright © 2016 David Souza
Todos os direitos desta edição reservados à Editora Labrador.

Coordenação editorial
Beatriz Simões Araujo

Projeto gráfico e diagramação
Antonio Kehl

Capa
Thiago de Barros

Revisão
Ana Lucia Sant'Ana dos Santos
Fernanda Marcelino

Dados Internacionais de Catalogação na Publicação (CIP)
Andreia de Almeida CRB-8/7889

Souza, David
 Carboxy / David Souza. — São Paulo : Labrador, 2016.
308 p.

ISBN 978-85-93058-06-6

1. Literatura brasileira 2. Ficção brasileira I. Título

16-1388   CDD B869.3

Índices para catálogo sistemático:
Literatura brasileira : Ficção

Editora Labrador
Rua Dr. José Elias, 520 – sala 1 – Alto da Lapa
05083-030 – São Paulo – SP
São Paulo – SP
Telefone: +55 (11) 3641-7446
Site: http://www.editoralabrador.com.br/
E-mail: contato@editoralabrador.com.br

A reprodução de qualquer parte desta obra é ilegal e configura uma apropriação indevida dos direitos intelectuais e patrimoniais do autor.

Para Caro, Vini e Leo.

Agradecimentos

Adelaide Filippini, Alex Silva, Ana Lúcia Ribeiro, Ana Obara, André Filippini, Angela Filippini, Antônio Machado, Angelita Machado, Carlos Filippini, Carlos Souza, Carolina M. Vera, Cinthia Bueno, Cíntia Dai, Daniel Normanha, Doraci Moraes, Dr. Beatriz Netter, Dr. Hélio Borges, Dr. Luís Arenales, Dr. Roy, Eduardo Shimabukuro, Eduardo Silva, Eraldo Silva, Eugênio Zappa, Eunice Souza, Evanira Filippini, Felipe Alves, Fernando Delatorre, Francisco Costa, Gabriela Souza, Henrique Souza, Hilton Lúcio, Humberto Aquino, Isabel Leli, Jefferson Martins, José Stevaux, Jorge Herbach, Juliano de Carvalho, Júlio Grego, Katty Minte, Laurindo Filippini, Lúcia Machado, Luís Alves, Luís Machado, Luzimar Pereira, Lyssandra Zappa, Maju Ribeiro, Marta Leli, Maureen Lee, Manoel Souza, Marcelo Ruas, Matheus Solano, Olavo Leonel Ferreira, Otto Silva, Pancho Minte, Patrick Tomlinson, Pedro Alves, Polyana Zappa, Regiane Souza, Ricardo Fraguas, Roberto Ramalho, Rodrigo Moura, Rodrigo Souza, Rogério Malagoli, Ronaldo Francini, Rosana Ribeiro, Rosana Bueno, Sandra Gomes da Costa, Sérgio Brandão, Sérgio Souza, Thiago Reis, Valmir Brugnaro, Vera Machado, Vinícius Souza, Walter Silva, Washington James e Wellington Damazio.

Sumário

Parte I	Carboxy 2038	11
1	Movendo-se	13
2	Na linha norte-sul	19
3	Seres de Carboxy	23
4	*Nanogeeks*	27
5	Visionário	31
6	Locomovendo-se nas ruas de Carboxy	37
7	A musa	39
8	O anti-herói	41
9	A vida acontece!	47
10	De volta para casa	55
11	Uma bala "perdida"	63
12	O quarto poder	67
13	*Drug lord*	73
14	No pátio de destroços da Marginal Tietê	75
15	Edifício Palace	79
16	Mercados *online*	85
17	Verônica tenta ir para casa	89
18	Descanso	93
19	Na UTI de um hospital público	97
20	Conflitos	103
21	Teo nas ruas	109
22	Walkíria vai ao trabalho	113
23	Agt. Haldo descobre uma importante pista	117

24	Agt. Baltazar	119
25	Agt. Lílian	123
26	Agt. JK	125
27	Agt. Jota	127
28	Na Marginal	129
29	A busca	137
30	Breves memórias de Verônica	141
31	O clube	143
32	Agentes no topo da redoma	153
33	Cap. Tiburcius continua sua missão	155
34	De volta à festa	157
35	Agentes na pista	161
36	Buscas	173
37	Refúgio na Jureia	179
38	Velhas e novas amizades	189
39	Revelações e descobertas	195
40	Nova doutrina	201
41	Verdades ao público	205
42	De volta à cidade	215
43	Ninguém presta	227
Parte II	O presente era a chave do passado	233
44	La Jolla, Califórnia 2016	235
45	Nos laboratórios da UCSD	243
46	O começo da mudança	245
47	Revendo velhos amigos	251
48	De volta à terrinha	255
49	Operação cupido	261
50	Operação ativar o caos	265
51	*Threshold*	271
Parte III	Epílogo	279
52	De volta à revolta	281
53	Uma nova lição estava no ar	295

Parte I
Carboxy 2038

1
Movendo-se

Teo se pendura para mais uma jornada de volta para casa. Às sete horas da noite, dentro do metrô lotado, pessoas estocadas como salames seguem imóveis para seus diversos destinos.

São Paulo não existe mais. A conurbação uniu todas as cidades em um raio de duzentos quilômetros. Baixada Santista, Campinas, São José dos Campos, as cidades do Vale do Paraíba e até a cidade do Rio de Janeiro agora unidas em uma só megalópole. População estimada em trezentos milhões de habitantes. Considerada a maior aglomeração humana na Terra, rebatizada pelos políticos locais de Rio Paul, para dar um ar de internacionalidade. O nome oficial não pegou, o apelido, sim: Carboxy, este cresceu e se popularizou. Uns diriam que o apelido veio dos índices de monóxido de carbono no ar, vinte vezes acima do recomendado pela Organização Mundial da Saúde (OMS). Outros diriam que esse apelido era em razão do fato de os motoristas ficarem presos no tráfego e acabarem tendo de dormir e praticamente viver dentro dos carros, enfileirados nas ruas vicinais de estradas e avenidas principais, parecendo caixas com rodas, que os americanos chamavam de *carboxes*.

Esse processo de explosão demográfica começou em 2018, quando o Brasil abriu as fronteiras para os refugiados das guerras no Oriente Médio e na África. Com o crescimento do grupo autodenominado Estado

Islâmico, muitas pessoas de religiões diferentes do islamismo, principalmente os católicos, eram obrigados a fugir ou eram executados. Com o apelo do Papa Francisco, voltado à maior nação católica do planeta, o governo abriu as portas aos refugiados de guerra. Essa manobra visava a uma tentativa desesperada e populista de manter alguns partidos no *status quo* do poder, principalmente o Partido do Movimento Democrático Brasileiro (PMDB). Assim, o presidente baixou uma medida provisória (MP) liberando cidadania imediata a todos os refugiados. Apesar de o Brasil passar por sérios problemas socioeconômicos e de infraestrutura, a decisão foi bem-vista pela metade do povo católico, comovido em compaixão aos sofridos estrangeiros. A outra metade, mais crítica e sensata, estava insatisfeita, pois acreditava que o país não possuía recursos suficientes para manter tantas pessoas de forma digna. A principal meta do governo daquela época era aumentar a quantidade de eleitores, pois as pessoas que adentravam às fronteiras recebiam como demonstração de cidadania um documento de identidade e um título de eleitor. Mesmo com essa manobra populista, o partido do poder, que realmente comandava a cena desde a volta do regime democrático em 1984, não conseguiu se reeleger. A eleição presidencial de 2018 foi vencida por outra mulher, que representava os interesses da bancada evangélica. Mas seu governo durou apenas seis meses, pois ela infelizmente morrera em um acidente aéreo, um tanto quanto suspeito.

Assim, os problemas socioeconômicos e políticos do país só aumentaram e o povo se revoltou. Exigiram a mudança da Constituição para outro sistema de governo, menos centralizado na figura de um presidente. O regime presidencial fora substituído pelo parlamentar. O novo líder executivo seria eleito de forma indireta dentro dos quatro poderes em comando da nação. Desse modo, os poderes foram divididos entre Congresso Nacional, Senado, Ministério da Justiça e outra instituição, a Polícia Federal (PF). Esta última entrou no sistema de governança por clamor popular, pois as denúncias de corrupção dentro da classe política chegaram a índices intoleráveis, e como a revolução popular quase dividira a nação, a PF se transformara em um poder autônomo de investigação de crimes políticos. A PF entrou para o governo como o quarto poder para dar mais credibilidade e confiança à federação. Dessa forma, a cada quatro anos era eleito de forma indireta um representante vindo dessas esferas.

Agora, no ano de 2038, a situação é bem diferente daqueles tempos de governos populistas que distribuíam bolsas em troca de votos. A moeda foi indexada ao dólar norte-americano, pois o real se desvalorizara tanto que não se podia fazer nenhum tipo de previsões ou contas a longo prazo.

A maior empresa de petróleo nacional, Petrobras, foi vendida pelo novo governo, pois as dívidas já eram maiores que seu valor de mercado. Os compradores: as grandes multinacionais petrolíferas. Eles mantiveram o nome por alguns anos e depois passaram a chamá-la de Bells. O petróleo ainda era a base da produção de energia automotiva no país e em outras áreas do mundo onde não havia preocupação com a saúde pública e onde os ambientalistas tinham perdido espaço político. O *lobby* da bilionária indústria petrolífera, subsidiada pelo poderio bélico norte-americano, ainda imperava no país. Esses dois parceiros de negócio sempre andaram juntos, assim como a Igreja e a Companhia das Índias Ocidentais no final da Idade Média.

A estabilidade política sempre estava por um fio. Havia grandes pressões internacionais sobre a política interna, as velhas multinacionais queriam manter a matriz energética poluidora a qualquer custo no país, pois daí vinham seus maiores lucros, já que o resto do mundo usufruía de matrizes energéticas mais limpas e mais caras pela alta tecnologia empregada.

"Dentro do metrô as pessoas estão empacotadas, com seus rostos a poucos centímetros umas das outras, mas praticamente não se veem", observa Teo.

O metrô era rápido, e de uma ponta a outra a viagem não passava de duas horas, as paradas nas estações duravam apenas trinta segundos. O metrô de Carboxy tivera sua linha norte-sul finalizada em 2025, totalizando quatrocentos quilômetros de extensão.

Nessa época ocorreu a desapropriação de 90% das áreas férteis e cultiváveis do país, era a tão esperada Reforma Agrária, cujo objetivo era matar a fome do mundo com a produção de comida em grande escala, transformando o país no grande celeiro do planeta. Vitória do *lobby* de uma única indústria norte-americana: Monsanto. As negociações começaram lá atrás. Em 2016, os cientistas desta empresa produziram uma nova série de sementes de organismos geneticamente modificados (OGM) altamente resistentes ao herbicida roundup XXX, produto também da Monsanto. Com a maior resistência das novas sementes, aumentaram-se em dez vezes mais as concentrações do glifosato aplicados nas lavouras. O glifosato era encapsulado em micromoléculas e mantinha suas atividades herbicidas no ambiente por um ano, não deixando nenhuma praga crescer nem atacar as lavouras. Entenda-se por pragas todas as espécies sem interesse de crescimento no local das sementes transgênicas, como os insetos locais, polinizadores da flora também local – ou seja, toda espécie nativa estava condenada à extinção. Com o uso descontrolado e em excesso do roundup XXX, houve a dispersão desse veneno pelo ar, pelas águas subterrâneas e pelos rios. Em cinco anos de uso do herbicida, praticamente toda a flora das áreas vizinhas, das produções de soja, de milho e de trigo, foi dizimada. Portanto, quase todas as florestas se extinguiram ou se esterilizaram.

Mas a ministra da agricultura, Cátia Abril, viu nisso uma oportunidade de aumentar o lucro do negócio da bancada do agronegócio. Ela convenceu a presidenta da época a aplicar uma dura multa na Monsanto. Essa empresa seria a responsável pelo reflorestamento das áreas impactadas pelo roundup XXX. Os ambientalistas, em princípio, ficaram felizes, pois era uma forma de a Monsanto pagar pelo estrago que estava fazendo há anos no país. No entanto, a proposta de reflorestamento levada ao Congresso e ao Senado aceitava o uso de espécies exóticas transgênicas para o reflorestamento, com maior resistência ao roundup XXX, assim o veneno não causaria mais nenhum dano à floresta. A Monsanto introduziu suas dezenas de milhares de espécies de organismos transgênicos, trabalhadas por mais de trinta anos de pesquisa em seus laboratórios, ou seja, quase tudo que estava enraizado no solo do país era transgênico e patenteado pela Monsanto. Essa medida extinguiu praticamente toda a fauna nas florestas replantadas. Exemplos das antigas fauna e flora local eram encontrados somente em jardins botânicos, zoológicos ou nas propriedades de alguns milionários alheios a essas mudanças. As pequenas fazendas que produziam alimentos diferentes da Monsanto foram quase extintas, e o êxodo rural, que era de 65% no século anterior, chegou a 98% no início dos anos 2020. No campo, agora, só existiam máquinas e operários. Estes trabalhavam e moravam em vilas contêineres, eram como os antigos barrageiros, operários que migravam de megaconstruções para megaconstruções das grandes barragens construídas na época da implantação das grandes hidroelétricas. No entanto, os ruralheiros não mais mudavam de endereço. Uma vez por ano tinham férias de uma semana entre o ano-novo e o Natal, em contrapartida ganhavam um ISkin2 com conexão ilimitada para se comunicar com a família e uma garrafa de cachaça por semana, que deveria ser consumida somente depois do expediente de trabalho.

As cidades ficaram lotadas de estrangeiros e antigos moradores de áreas rurais. Todo o interior do Brasil virou um deserto verde, com produção em grande escala de grãos, destinados à exportação, e cana-de-açúcar, destinada à fabricação de cachaça, o ópio do povo de Carboxy.

A população se concentrou nas grandes cidades próximas ao litoral. Na Amazônia, em partes montanhosas, ainda houve resistência de povos da floresta. Bem como em cinquenta e duas áreas das reservas extrativistas (Resex), onde cientistas naturais e ambientalistas se uniram aos moradores locais e sobreviviam somente dos recursos existentes ali.

O Ministério do Meio Ambiente foi encampado pelo Ministério da Agricultura, a ministra Cátia convenceu o Congresso e o Senado de que tudo era a mesma coisa, pois o meio ambiente agora era controlado pela indústria de transgênicos e "Nunca mais teríamos problemas com o desaparecimento das espécies naturais. Agora estamos todos respaldados pela tecnologia maravilhosa e com um banco de sementes seguro e protegido!". Esse era o discurso da ministra. Aos donos do agronegócio não era interessante lutar pelas terras das Resex, e a população que resistiu com elas. "Esses pobres vão acabar morrendo nestes lugares, ou se juntarão aos povos das cidades. Eles não vão durar!", assim dizia Cátia a seus pares. Atrás desse vago discurso estava a verdade de que essas terras demandavam altos investimentos para mecanização e uso do solo, e isso não interessava a eles. Nenhum tipo de ameaça poderia surgir desses lugares, assim acreditavam.

2
Na linha norte-sul

Teo observa os casulos à sua volta e isso lhe incomoda. "Como chegamos a esse nível de indiferença?". Ainda faltam vinte e dois minutos para seu destino final.

Dentro do vagão do metrô o ar era filtrado e refrigerado, ficando com razoável condição de consumo. Mas o clima lá fora mudou muito. Com as megaculturas no campo e a retirada da cobertura natural, houve grandes mudanças no regime de chuvas e ventos do país. A temperatura média no inverno abaixou 3 ºC, e no verão subiu 10 ºC. No verão de Carboxy, dias de 55 ºC eram normais.

No metrô praticamente todas as pessoas viajavam suspensas e dependuradas. Inúmeros ganchos se localizavam no teto e casulos eram pendurados nestes. Uniformes de trabalho eram desenhados para conectar-se aos ganchos. A proximidade, uns aos outros, parecia não incomodar, pois todos estavam imersos em seus *nanogeeks* (*smartphones* implantados). Poucas eram as pessoas que não tinham um ISkin, e agora o último lançamento da Apple, o IBrain, começava a ser adquirido pelos mais abastados.

No vagão 42 todos utilizavam o *camel bag and water reciclyng system* (CABWRS), pois esse kit era parte dos equipamentos de proteção e sobrevivência individual (EPSIs). A pequena mochila com duas sondas (uma presa na alça da mochila, na altura do ombro, que podia ser levada à boca a qualquer momento; a outra conectada ao sistema de excreção de líquidos dos humanos, que servia como coletora de urina) armazenava o líquido reciclado por uma pequena máquina, que separava os componentes bacteriológicos e químicos em um processo de osmose invertida, e devolvia água pura à pequena bolsa, que podia ser consumida pela sonda próxima a boca.

A falta de água potável começou há 24 anos. Em 2014, houve uma crise hídrica na antiga cidade de São Paulo. As represas Billings e Guarapiranga, que abasteciam a maior parte da cidade, começaram a receber menos água de seus rios e mananciais. A crise durou quatro anos. Rios foram desviados, e seus cursos, bombeados até as centrais de tratamento de águas. O rio Paraíba do Sul, que cortava todo o vale entre Rio de Janeiro e São Paulo, fora utilizado até sua exaustão, e em 2020 havia somente algumas poças, que eram enchidas em épocas de fortes temporais. A solução encontrada pelo governo foi o uso das águas subterrâneas, pois a cidade de São Paulo se encontrava sobre uma bacia sedimentar do período Terciário, com várias camadas estratigráficas de reservatórios de água em profundidade superior a quinhentos metros. O vale do Paraíba também era uma bacia sedimentar que iniciara sua formação desde a separação continental entre a América do Sul e África, tendo registros sedimentares desde o Triássico, com mais de cem milhões de anos de deposição e armazenamento de água.

A água então se tornou abundante novamente. Entretanto, a água subterrânea estava sendo contaminada havia tempos. Durante quase cem anos de desenvolvimento industrial foram instaladas refinarias de petróleo, petroquímicas, indústrias siderúrgicas e vários segmentos químicos para atender às demandas de pesticidas e fertilizantes do celeiro do mundo, além de três usinas atômicas, localizadas na região costeira entre as duas grandes cidades. Praticamente 90% de toda a indústria do país estava localizada em um raio de duzentos quilômetros, cujo ponto central era o meio do caminho entre Rio de Janeiro e São Paulo, na antiga e pequena cidade de Queluz, hoje o maior centro de logística de Carboxy.

Com a perfuração de milhares de poços subterrâneos, a contaminação que estava concentrada no lençol freático superior foi misturada aos outros estratos mais profundos. Com o bombeamento dos poços, os cones de rebaixamento sugavam mais e mais águas superficiais, misturando-as aos aquíferos antes confinados e puros.

Os antigos testes de potabilidade da água focavam apenas o aspecto bacteriológico, não abrangiam os metais pesados, os organoclorados, os hidrocarbonetos e a radiação. O efeito dos contaminantes só foram percebidos a longo prazo, quando a maioria das pessoas já haviam se contaminado de forma irreversível. O câncer era doença comum na população, na faixa etária de trinta e quarenta anos. Casos de microcefalia começaram a ser comuns nos recém-nascidos. Anomalias e má-formações cerebrais atingiam quase 50% das crianças. A perspectiva de vida caiu de setenta e três para quarenta anos em duas décadas.

O serviço de abastecimento público de água ainda funcionou bem até o ano de 2030 em toda a megalópole. A água, mesmo contaminada, ainda chegava pela rede pública. No entanto, as pessoas com mais recursos importavam água de outros países, onde o controle de qualidade era mais eficaz. O povo, em geral, tomava água contaminada e não sabia dos efeitos e danos a longo prazo. Náusea, vômitos e dor de cabeça eram constantes na vida das crianças. Médicos recomendavam que as pessoas fervessem a água antes de consumir. Entretanto, isso poderia ajudar no processo de volatilização de alguns contaminantes, como hidrocarbonetos, mas concentrava os metais pesados e cianotoxinas.

A água do sistema público, originada dos poços artesianos, já não era suficiente para abastecer a todos, e os poços foram secando. Somente os poços bem profundos, que chegavam às rochas do embasamento da bacia e atingiam as rochas graníticas e gnáissicas da região, conseguiam bombear água de melhor qualidade. No entanto, pertenciam a grupos privados, eram localizados em condomínios e prédios luxuosos espalhados pelos bairros ricos.

A boa notícia é que a comida deixou de ser um problema. Essa era a propaganda do governo. Com a instalação de megacampos de produção da Monsanto, os preços foram reduzidos. A exportação gerava recursos que de certa forma eram distribuídos na geração de empregos. Muitos postos foram criados para que as pessoas tivessem um trabalho e uma renda, chamados de serviços de "secar gelo", na gíria local. As pessoas mais instruídas e educadas, o que quase sempre significava melhores condições financeiras, sabiam dos riscos dos alimentos transgênicos e importavam alimentos ou consumiam orgânicos produzidos em estufas localizadas na região Sul do país, onde, por conta das cadeias de montanhas basálticas e vales estreitos da bacia sedimentar do Paraná, a mecanização e a produção em grande escala ficaram inviabilizadas. Lá, alguns pequenos produtores sobreviveram. Essa era uma das poucas alternativas de alimentos saudáveis. No entanto, a maioria da população comia os transgênicos, que, somados à contaminação do ar e da água, gerava uma nova raça de ser humano: os carboxianos.

3
Seres de Carboxy

Teo está ansioso para descer do vagão 42. Ainda faltam quinze minutos para terminar a viagem. Não traz nenhum *nanogeek* para se entreter na viagem e isso o deixa se sentindo como um peixe fora d'água. O metrô para e muitos dos ganchos liberam os casulos e macacões exatamente na estação requerida na compra do bilhete.

Em Carboxy, as pessoas com mais dinheiro tentavam se proteger da contaminação atmosférica usando filtros de carvão ativado. Os apartamentos possuíam filtros. Nos carros os filtros eram ligados diretamente ao ar-condicionado. Como o transporte em duas rodas era o mais utilizado nesses tempos, capacetes com filtros de carvão ativado também se tornaram comuns entre os *bikers*. Escolas e *shopping centers* faziam propaganda sobre a ótima qualidade do ar em seus ambientes internos, assim atraíam mais consumidores. Nenhum morador das áreas nobres praticava qualquer atividade ao ar livre. Grandes redomas de vidro foram construídas em praças públicas e o acesso foi restrito a moradores locais. Milhares de mendigos e sem teto foram retirados de áreas publicas nobres, pois não eram considerados residentes das vizinhanças e não possuíam os *chips* de acesso, pois não pagavam impostos territoriais. Esse povo era deslocado até as áreas periféricas, localizadas a mais de cinquenta quilômetros das áreas centrais comerciais. Nas periferias, a vida seguia sob o céu cinza escuro em dias quentes. Lá ninguém acreditava nos efeitos nocivos da poluição do ar. E mesmo que soubessem, não tinham recursos financeiros para manter o consumo de equipamentos tecnológicos destinados à sua proteção e altamente descartáveis.

Aos que saíam do metrô, drones traziam pelo ar os pedidos dos lanches e jantares enviados previamente pelo *site* da Amazon. Era expressamente proibido o consumo de comidas dentro do metrô, pois os passageiros, em muitas viagens, não tinham como levar a mão até a boca, em razão da superlotação. Somente podiam se alimentar na rua. Os drones em forma de galinhas voadoras buscavam os passageiros e lhes entregavam a comida: um burrito enrolado em papel-alumínio era a moda gastronômica daqueles dias. Comida rápida, barata e com vários sabores a selecionar, assim o carboxiano podia caminhar e comer até seu destino final, isso se estivesse com muita fome ou pressa.

O Brasil sempre fora conhecido por ser o grande *melting pot* do mundo. Desde seu descobrimento pelos navegadores portugueses a miscigenação com os nativos sempre fora intensa. Nas primeiras décadas de colonização, já era possível ver quase toda uma geração de caboclos, ou seja, brancos com índios. Logo em seguida vieram os holandeses ao norte e franceses ao sudeste, que contribuíram para essa mistura. Depois, com o ciclo do açúcar, vieram os negros escravizados da África, que durante mais de dois séculos somaram cerca de quatro milhões de pessoas que também eram misturadas ao povo brasileiro. No final do século XVIII, vieram os europeus fugidos da miséria e pobreza, estes eram italianos, alemães, russos, húngaros etc. Japoneses também vieram no início do século dezenove em busca de melhores condições de vida e ofertas de grandes áreas rurais no sul do país. E agora os povos exilados pelas guerras no Oriente Médio e na África.

Nessa época, a população estava perto dos quinhentos milhões de habitantes, a maioria concentrada na faixa litorânea do país. E mais da metade se concentrava em Carboxy.

A variabilidade genética nunca fez o brasileiro ter um estereótipo único, mas as pessoas nascidas em Carboxy, nas duas últimas décadas, apresentavam, em geral, aspecto bem similar, independentemente de sua ancestralidade. No geral, os novos carboxianos eram baixos, apresentavam cabeça grande e achatada, narinas dilatadas, cabelos grossos, maxilares curtos, com pequenos queixos. Pescoço curto e grosso, com aspectos de inflamação da tireoide. Tórax alongado e amplo. Barriga proeminente. Braços finos e curtos. Pernas finas e curtas. Nos homens, os órgãos genitais eram longos e finos. As mulheres apresentavam vaginas estreitas e sem pelos. Apesar de uma aparência rústica e rude, os carboxianos eram bem passionais, dóceis e amáveis em momentos ternos. Mas eram agressivos e violentos quando excitados por movimentos coletivos, graças, em grande parte, ao intenso poder de comunicação e à tecnologia, que nesses anos era algo inacreditável. Reagiam em massa a qualquer tipo de convite à participação coletiva das redes sociais. A falta de senso crítico individual era algo marcante naqueles cidadãos, agiam como grandes rebanhos seguidores de alguns líderes, que geralmente também não tinham nenhum propósito, só carisma.

4

Nanogeeks

Teo está quase chegando a seu destino e pensa como se sentiria se também estivesse hipnotizado e submerso no mundo dos *nanogeeks*. Aquela hipótese ainda não o seduzia.

Na década de 2020, aconteceu o *boom* da nanotecnologia. Uma empresa que produzia *chips* para *smartphones*, de San Diego, resolveu quebrar paradigmas e misturar a nanotecnologia com a biotecnologia. *Nanochips*, antes utilizados para *smartphones*, foram utilizados em drones e nanodrones que poderiam ser implantados em seres humanos. A Qualcomm, o Instituto Salk, a Universidade da Califórnia – San Diego (UCSD), a Apple e a Time Warner Cable (TWC) lançaram as primeiras séries de implantes nanotecnológicos. A primeira empresa foi responsável pela criação dos nanocomputadores e nanossensores. A segunda e a terceira ficaram encarregadas do encapsulamento e da metodologia dos implantes na pele dos consumidores. A quarta desenvolveu as telas da lente de contato óptica, onde eram anexados os nanocomputadores. E a quinta empresa era responsável pelo provedor da internet e implante nos consumidores. Assim chegou ao mercado o ISkin.

O ISkin consistia em nanocomputadores que eram implantados em seus usuários. O pacote era composto de uma lente de contato que funcionava como uma tela sensível à orientação e à posição do centro da íris. Quando o usuário encontrava o que procurava na tela, era só piscar – esse ato funcionava como o clique dos antigos *mouses*. Outros *setups* de cliques poderiam ser feitos com o bater dos dentes ao fechar o maxilar, mas o ato de piscar se tornou mais popular, talvez por demandar menos energia corporal. Outros dez nanossensores de movimentos eram implantados nas pontas de todos os dedos das mãos. Esses sensores eram da espessura de um fio de cabelo, ou seja, um décimo de milímetro. Sua função estava relacionada a todo tipo de atividade manual necessária para operação de instrumentos e ferramentas. Toda atividade de trabalho, que exigisse a manipulação de um profissional, agora era realizada por drones, avatares ou outras espécies de máquinas que podiam ser operadas pela internet, sem a presença física do trabalhador. Isso revolucionou o mundo do trabalho. Não se exigia quase nenhum esforço físico para trabalhar. Um nanomicrofone era implantado fora da boca, na altura do queixo, este também comparável à espessura de um fio de cabelo e com dois milímetros de comprimento. Nos dois ouvidos também eram implantados alto-falantes de cerca de dois milímetros e meio, com potência de vinte watts cada um.

O sistema de envio de informações pelas redes de internet ficou a cargo da TWC e era realizado através de ondas curtas de rádio.

Os *nanogeeks* possuíam nanobaterias a lítio recarregáveis pelo sistema desenvolvido por Tesla há quase dois séculos. Um grande dínamo gerava um campo de energia onde todos os aparelhos eletrônicos recebiam suas cargas e recargas, sem precisar de conexão às tomadas de eletricidade.

Estava aí o fim das telas gigantes de ultradefinições, agora tudo era projetado quase dentro dos olhos das pessoas. Com o final do uso de aparelhos elétricos gigantes, como TVs de plasmas, LCD, *smartphones*, *tablets*, uma nova indústria se instalou no mercado: a reciclagem de elementos nobres e terras raras, contidas nesses antigos aparelhos. Os elementos reciclados eram enviados à indústria aeroespacial, que começava o processo de colonização de Marte. Com a descoberta de água em Marte e em mais duas luas de Júpiter, a Nasa e a Agência Espacial Chinesa se uniram para enviar colonizadores a esses corpos celestes.

A nanotecnologia integrada aos implantes assustou as pessoas mais antigas. Elas não entendiam como era possível algo operar dentro de você e trazer informação sem fazer parte do seu corpo. Na verdade, essa era a ideia dos mais ignorantes, pois mal sabiam eles que havia mais células de bactérias que as de seu próprio corpo habitando em seu ser.

Os jovens adoravam a ideia de implantar nanossensores e nanocomputadores em seu corpo. Eram considerados *piercings* inteligentes. No dia do lançamento do ISkin, uma fila com dezenas de quilômetros formou-se em frente à loja da Apple, em São Francisco, e isso se repetia nas outras lojas ao redor do mundo. As *geekpeople* acampavam por meses nas filas para serem as primeiras a ter acesso à nova tecnologia.

O mundo nunca mais seria o mesmo depois do ISkin. A ideia de se transformar em um *ciborgue*, ser meio humano e meio máquina, fascinava os mais jovens desde os anos 1970. Era a chance de se tornarem super-heróis ou obter superpoderes, uma mescla entre Superman e X-men dos quadrinhos antigos, era isso o que todos queriam ser.

O sucesso do ISkin revolucionou o mercado de computadores e extinguiu os concorrentes, que produziam *smartphones*: 95% dos habitantes do planeta Terra usavam agora essa tecnologia. As empresas que trabalhavam com outros sistemas operacionais, como Android e Windows, tornaram-se quase invisíveis, e toda a grande indústria eletrônica, com grandes companhias como a Sony, Samsung e Microsoft, desapareceu.

Nos primeiros tempos de uso do ISkin, o processo de aprendizado do usuário era lento. Todo o sistema ficava em apenas um dos olhos, sobrava só o outro olho para as atividades do cotidiano, e isso, no começo, diminuía a percepção 3D. Erros de cálculos de distância levavam a pequenos acidentes. Em contrapartida, depois de acostumados a utilizar o ISkin, o uso dos dois lados do cérebro aumentou a capacidade cognitiva dos usuários. Agora os dois hemisférios tinham de trabalhar de formas simultâneas. As pessoas ficaram mais produtivas e aptas a multitarefas. Atividades como teclar no Whatsapp usando o posicionamento de ajuste da íris, conduzir o carro, trocar as fraldas do bebê e conversar com um amigo pelo Skype, tudo ao mesmo tempo, tornara-se comum, principalmente nas mulheres. As conexões cerebrais cresciam e sua funcionalidade estava beirando os 80%, coisa nunca antes observada pela humanidade. O cérebro mais parecia um músculo que ao ser estimulado se fortalecia e, com essa alta atividade, aumentava sua quantidade de neurônios. Mas isso não deixava as pessoas mais sábias, porém mais envolvidas em suas conexões com o mundo virtual. Entre os grupos sociais predominava um senso coletivo, que nem sempre estava do lado da verdade e era manipulável por um criador de opinião pública, que resumia melhor a essência de seus pares. Tudo era massificado em determinados modismos e se espalhavam de tempos em tempos de forma viral.

Com a chegada do ISkin e seus nanocomputadores de lente de contato, os usuários quase não dormiam mais. O cérebro ficava em alta atividade até que uma luz vermelha se ligava na tela do usuário, informado que era necessário desligar o sistema por uma hora, no mínimo, para a preservação de sua saúde. Isso era feito automaticamente, sem que o usuário pudesse interferir nesta decisão do sistema. O risco de manter o ISkin funcionando 24 horas por dia poderia levar seus usuários a um *burnout*, ou seja, à loucura. Testes nos laboratórios da Apple, realizados com cobaias humanos, constataram que, após o uso contínuo por onze dias, havia um colapso nas funções mais primitivas do cérebro, levando a paradas cardiorrespiratórias e, assim, à morte do indivíduo.

O ISkin levou seus usuários a intensa atividade cerebral e baixa atividade física. Assim, mais verbas foram destinadas ao desenvolvimento de drogas que poderiam diminuir os riscos à saúde, ocasionados pela falta de sono e de atividade física. O ISkin era parte da realidade de 95% da população do planeta; dos dez bilhões de habitantes, somente quinhentos milhões de pessoas não possuíam esse aparelho.

Após dez anos de hegemonia e sucesso do ISkin, a Apple lançaria algo ainda maior e mais revolucionário: o IBrain.

5
Visionário

Dr. Subogid era o neurocientista especializado na doença de Alzheimer da UCSD. Ele via na tecnologia do ISkin uma forma de auxiliá-lo em suas pesquisas. Pensava que, se unisse as drogas que pesquisava e os estímulos elétricos e visuais dos nanocomputadores, poderia ir além neste novo campo da biotecnologia. Como sua posição e seu laboratório na UCSD eram fomentados por recursos provenientes de fundações que vinham de fora da universidade, estava acostumado a formular detalhadas propostas de pesquisa e escreveu uma nova, à Steve Jobs Foundation. Dr. Subogid sugeria que, em vez de telas e nanocomputadores serem colocados em lentes de contato ópticas, eles poderiam ser implantados diretamente no nervo óptico, na junção deste com o cérebro. A ideia era implantar pequenos nanossensores de *Charge-Couple Device* (CCD) que replicassem o final dos nervos ópticos. Uma forma de gelatina siliconada poderia ser instalada entre os neurônios e projetar os *pixels*, formando todos os tipos de imagem.

"A proposta de implantar nanocomputadores diretamente no limite entre o nervo óptico e o cérebro é uma piada!", disse num primeiro momento o CEO da Apple, cujo apelido era Steve Jobless. Mas a possibilidade desse projeto teve adeptos internos entre os membros do conselho administrativo e o Dr. Subogid foi a várias reuniões para explicar a viabilidade disso. Após um ano de negociação, ele conseguiu verbas quase ilimitadas para investimento em sua pesquisa.

Dr. Subogid recebeu toneladas de dinheiro para desenvolver os implantes para o IBrain, agora também receberia dinheiro para trabalhar no que realmente fazia sentido para ele, uma droga ou um tratamento para estimular o cérebro e quem sabe auxiliar no tratamento do Alzheimer. Ele estava chegando perto de seus objetivos, pois as informações e tecnologias utilizadas pelo IBrain poderiam auxiliá-lo nesse estudo. Fez alguns implantes-piloto em idosos e percebeu o aumento da atividade cerebral e a recuperação da memória quando estímulos musicais eram acessados pelo usuário. Isso seria revolucionário no futuro. Não existiriam mais casos de Alzheimer se o usuário do IBrain estivesse sempre ouvindo uma música. E alguns *apps* poderiam associar os períodos musicais com o tipo de memória que o ouvinte queria acessar.

A Food and Drugs Administration (FDA), órgão federal norte-americano que cuidava da liberação de mercado de tudo que fosse ingerido pelos indivíduos, ficou relutante em liberar a licença das pesquisas, mas como as empresas patrocinadoras do projeto estavam faturando mais que qualquer outra indústria nos EUA, o órgão cedeu à pressão do mercado.

Depois de quinze anos de pesquisas e dezenas de bilhões de dólares em investimentos, em 2037 foi vendido e instalado o primeiro IBrain na loja da Apple no Westfield Trade Center Mall, na cidade de La Jolla, Califórnia, EUA. E nada menos que o herdeiro multibilionário da Qualcomm, Willian Browner, foi o número um a ser implantado.

Canais do mundo todo retransmitiram o feito. Willian sentou-se em uma confortável cadeira, dentro de uma *van* da Time Warner Cable (TWC). Um técnico o cobriu com uma manta fina e levemente prateada. E fez a velha pergunta que todos os técnicos faziam aos consumidores do ISkin:

– Olá, Willian! Se você fosse atirar em alguém, qual olho você usaria para mirar?

– O direito – respondeu Willian. Então o técnico pingou duas gotas de colírio anestésico no olho esquerdo de Willian. Após cinco segundos, retirou de um pacote aluminizado uma cápsula minúscula e transparente. Com o auxílio de óculos com lentes microscópicas, o técnico rompeu a cápsula. De dentro da cápsula saiu um nanodrone do tamanho de um ácaro de vinte micrômetros, que passou a andar pela pele das pálpebras dos olhos de Willian. Esse nanodrone carregava um nanocomputador da metade de seu tamanho. Por meio da câmera do nanodrone o técnico conseguiu acompanhar seu caminho. Enquanto este caminhava sobre o olho esquerdo de Willian, o técnico pergunta atentamente:

– Está sentido algum desconforto, senhor Willian?

– Não... nada! – responde Willian, sem pestanejar.

A câmera do nanodrone retransmitiu as imagens ao ISkin do técnico que, ao mesmo tempo, fez a transmissão em *broadcast* para os canais de TV, que noticiaram tudo ao vivo. Picos de audiência de seis bilhões, novo recorde mundial da CNN.

O nanodrone caminhou no canto do olho de Willian e encontrou um fino canal repleto de líquidos, o canal lacrimal. Adentrou neste canal e o percorreu por três segundos. Fez uma pequena incisão na parede do canal e migrou para a parte exterior do globo ocular. Nesse instante, Willian piscou os olhos, mas continuou insensível à microcirurgia. O nanodrone caminhou por superfícies alongadas do nervo óptico, parecia uma pequena aranha com oito patas. Nas extremidades delas, pequenas lâminas serrilhadas garantiam a adesão à superfície nervosa. Em quatro segundos, o nanodrone chegou ao ponto de união do nervo com o cérebro. Depositou o nanocomputador e sacou duas garras de conexão. Essas garras enviaram os sinais para o gel CCD, que formara uma membrana entre os nervos ópticos e geraram as imagens diretamente na conexão cerebral.

– Oh, MY GOSH!!! – comentou Willian, admirado. As imagens da tela do nanocomputador apareceram sobrepostas às imagens do seu olho esquerdo, mas em questão de segundos seu cérebro conseguiu filtrar e reorganizá-las. Com o ajuste feito pelos neurônios, o usuário tinha a sensação de que a tela era mais um olho orgânico do corpo, ou seja, o cérebro trabalharia com uma terceira geração de imagem.

Milhares de nanossensores eram aplicados em toda a superfície do corpo, assim, simulações do corpo virtual eram transmitidas diretamente ao IBrain.

Isso, para quem possuía recursos financeiros, revolucionou totalmente o campo médico. Pessoas cegas começaram a ver novamente, pois os nanossensores, com nanocâmeras, eram implantados na região dos olhos danificados e retransmitiam as imagens diretamente para o IBrain, localizado no final do nervo óptico. A partir disso, os médicos pensaram que poderiam ir além nos casos de paralisias. Nanodrones cirurgiões eram implantados no cérebro e lá colocavam pequenas estações de coleta de informação. Essas estações decodificavam as ondas eletromagnéticas do cérebro relacionadas aos comandos de movimento dos membros. Essas informações eram enviadas para o *app* Humboldt, instalado no IBrain, que enviava comandos eletromagnéticos a outros sensores instalados diretamente nos nervos dos membros paralisados. Era como se houvesse um *bypass* de informação utilizando o IBrain como um segundo coordenador do sistema motor cerebral. Assim, vieram centenas de avanços biomecânicos. O *app* médico mais utilizado chamava-se Einstein Aid, pacote que incluía centenas de nanodrones que trabalhavam 24 horas dentro de organismos, "arrumando" qualquer tipo de problema. Limpavam poros inflamados, retiravam tecidos mortos da pele e de órgãos internos. Descolavam placas de gorduras das artérias, detectavam células cancerígenas e as retiravam, consertavam cartilagens arrebentadas, microfissuras ósseas. Era como se o melhor hospital e laboratório do mundo estivessem implantados dentro do corpo. Isso tudo contando ainda com uma interface de comunicação com toda a rede médica mundial, que discutia e fazia juntas para analisar os casos mais diversos e inusitados de doenças. Assim, planos médicos e hospitais estavam com os dias contados. Quando todos tivessem acesso ao IBrain, o mundo seria diferente, esse era o sonho do médico indiano Dr. Subogid, o precursor dessa tecnologia ímpar.

Para as pessoas que não conseguiam mais desligar seus nanocomputadores, mas precisavam descansar, foram criados os *apps* especializados em criar sonhos. Mesmo dormindo, havia *apps* de programação de sonhos, como o chamado Cinderela, que projetava imagens quando detectavam que o usuário começava a dormir. Assim, era possível escolher os sonhos, os temas variavam entre contos de fadas infantis, romances medievais etc. Tudo com música e trilha sonora original. Essa foi a saída encontrada pela Disney para não fechar as portas depois que as pessoas pararam de se deslocar até seus megaparques temáticos. Havia *apps* de pesadelos macabros também, como o Halloween, onde o *setup* dava a chance de a pessoa ser o personagem principal ou herói do sonho, o carrasco arrancador de cabeças ou uma simples vítima, que fugiria o tempo todo. As *startups* de todo o mundo cresceram de forma assustadora, e com o desenvolvimento de plataformas simples da Apple qualquer usuário de IBrain poderia criar seu próprio *app* e colocá-lo no mercado pelo custo de apenas cem dólares anuais. Se pessoas comuns tivessem boas ideias, poderiam criar e vender seus *apps* diretamente pelo ITunes, assim, milionários eram criados da noite para o dia.

O IBrain ainda era para poucos, em razão de seu alto custo.

6
Locomovendo-se nas ruas de Carboxy

Teo finalmente chega a seu ponto final, quando é bruscamente despencado de seu gancho, na estação selecionada.

Comunicando-se e prosseguindo em meio à multidão, carboxianos seguiam em seus *roller blades*, *skateboards*, *scooters* ou qualquer outra coisa que rolasse para chegar aos seus apartamentos, escolas ou outros destinos de Carboxy.

Os campos eletromagnéticos, geradores de energia do modelo de Tesla, produziam tanta energia que estas excediam as necessidades dos nanocomputadores. A sobra era utilizada para outros fins, como a alimentação dos utensílios domésticos, *skate rovers* e *scooters* elétricos. Carros e motos eram proibidos de utilizar motores elétricos, nada poderia ir contra o *lobby* dos interesses das multinacionais do petróleo no país.

A crise hídrica que levara ao corte de energia em várias áreas agora era sublimada com o uso do Sistema Tesla. Placas fotovoltaicas solares eram usadas para gerar energia, direcionadas à grande bobina esférica que alimentava o gerador e distribuía a energia de um megawatt para um raio de duzentos quilômetros. Isso era suficiente para suportar milhões de equipamentos, de baixa amperagem, como os *nanogeeks*, a um custo muito baixo. Essa distribuição de energia, quase de graça, levou ao desuso das hidroelétricas, que custaram bilhões de dólares para serem construídas havia poucas décadas; também estas seriam extintas com a falta d'água dos grandes rios. Mas a maior empresa elétrica do Brasil sobreviveu. No entanto, o consumo industrial de energia necessitava de megawatts diários, gerados pelas termoelétricas movidas a *diesel*, o que contaminava mais ainda o céu de Carboxy. Graças a um esforço político gigante, de vários partidos, a Furnas-Copel se manteve como a única concessionária de energia. Bilhões de metros de cabeamentos elétricos entraram em desuso. O cobre agora era o metal mais reciclado do país e utilizado para vários fins, de panelas a telhados de casas.

O que ninguém previa nesse novo modelo de nanocomputadores era a presença de *hackers*. A criptografia no sistema IOS da Apple era a mais segura e à prova de invasão e decifragem, pois os códigos eram renovados aleatoriamente a cada transmissão. Era como se uma nova língua fosse inventada entre duas pessoas a cada vez que elas se encontrassem e, depois desse encontro, a língua simplesmente deixasse de existir.

7
A musa

Walkíria pegara seu jantar logo após descer do vagão 42 e acionara seus *roller blade*s elétricos para percorrer ainda seus dois quilômetros até chegar em casa. Como estava sem fome, jogou o burrito na mochila e foi tranquilamente para casa, assistindo a uma apresentação do Bolshoi Ballet. Adorava balé desde pequena e tentava repetir a coreografia da bailarina principal, enquanto deslizava em suas rodinhas pelas movimentadas calçadas do bairro Morumbi. Um novo *app* do IBrain, chamado Ballet Everywhere, calculava os trajetos e as coreografias exatas ao longo do percurso, montando os cenários de acordo com o percurso filmado pelo nanodrone.

Em Carboxy, o IBrain era para poucos. Custava cinquenta mil dólares e seu implante não era legalizado no país, portanto os usuários tinham de viajar até os EUA, comprar o IBrain e ainda pagar mais cinco mil para o implante ilegal. No Brasil, por causa do *lobby* do setor de serviços médicos, o IBrain não era homologado pela Anvisa. Mas os ricos burlavam as leis e o acesso para esse equipamento era fácil.

As últimas versões do IBrain e do ISkin 10 possuíam drones aéreos. Os drones do ISkin eram do tamanho de uma mosca, que voavam vinte horas ao redor de seu dono, filmando e tirando fotos. Esse drone também podia ser enviado para qualquer lugar na missão de capturar imagens. Ou o usuário poderia adquirir outros drones e enviá-los em missões especiais. Nessa época era comum as celebridades sempre estarem com um enxame de drones-moscas sobre elas o tempo todo. Não porque fedessem, mas porque eram seguidas pelos *paparazzi* de 2038. O IBrain possuía um nanodrone do tamanho de uma mosca da banana, com cerca de dois milímetros, quase imperceptíveis.

    Os drones e nanodrones ficaram tão populares e tão fora de controle que esses tempos ficaram conhecidos como "A era do fim da privacidade". Por todas as partes, drones invadiam casas e apartamentos, tudo isso na missão de capturar imagens de pessoas em seus atos mais íntimos. Os nanodrones iam por ralos de pias de banheiro para saber os tipos de cosméticos utilizados em todas as classes sociais. Até em privadas poderiam surgir os nanodrones anfíbios, isso simplesmente para alimentar o voyeurismo insano de tarados cibernéticos. Somente compartimentos isolados do campo magnético do sistema Tesla eram capazes de ficar sem nenhum equipamento ligado, isso caso as baterias dos nanocomputadores e nanodrones não se esgotassem.

8
O anti-herói

Teo era um rapaz de 25 anos. Filho de um casal simples, de classe média. O pai fora policial, e a mãe, professora. Morava com a mãe e a irmã mais nova. Seu pai infelizmente falecera em serviço no ano em que ele se formara no curso de Arquitetura. Depois de se formar, sofreu um colapso nervoso na mesma época da morte do pai. No período da crise, foi tratado como portador da síndrome bipolar, doença crônica e incurável, em que seus portadores apresentam comportamentos que oscilam entre momentos de euforia e muita alegria, conhecidos como mania, e momentos de extrema tristeza, conhecidos como depressão. Teo passara um mês internado, por conta de um surto psicótico, ou momento de mania, quando, em seu ápice, atentara contra sua própria vida. Depois de trinta dias em meio a todo tipo de enfermo mental, fora liberado para casa, mas sob tratamento médico por tempo indefinido. A droga que lhe receitaram era o Carbolitium, uma forma de sal de lítio que, segundo o velho Dr. Luís, equilibrava as correntes eletromagnéticas do cérebro. Teo nunca mais foi o mesmo após esse episódio. Costumara ser uma pessoa alegre, feliz, cheia de energia e de bem com a vida. Após esse choque, transformou-se em uma pessoa introvertida, calada e sem sorriso. Mas não sofria mais, como sofrera nos dias de surto. As emoções não eram mais tão intensas como antes, a vida ficara morna como um chá esquecido na xícara após um bom jantar. De certa forma, mantinha-se equilibrado e sereno. O médico dizia que esse era o milagre do lítio.

– Dr. Luís, será que eu nunca mais vou viver sem esse remédio? –, perguntara Teo, em sua última consulta. – Nunca mais, é muito tempo. Vamos ver como você vai estar daqui a um ano e, aí decidimos o que fazer –, respondeu Dr. Luís, de forma sempre otimista e serena.

Teo andava cabisbaixo e um pouco triste por não estar correspondendo aos esforços de sua família, que investira tanto em sua formação profissional. Não havia encontrado trabalho, e isso o deixava angustiado. Sua mãe, percebendo a tristeza do filho, preparara uma surpresa. Ela lhe comprara o último modelo do nanocomputador, o ISkin10. Foram anos de economia para conseguir comprar aquele equipamento. Começara a juntar dinheiro logo quando ele entrou na Universidade, não mais gratuita, como era há vinte anos. Esse era para ser o presente de formatura de Teo, mas, com a morte inesperada do pai, as finanças não ficaram bem, e levou certo tempo até que as contas se equilibrassem e ela pudesse comprar o presente tão esperado pelo filho. Quando realizou a compra, pela Amazon e com pagamento por cartão de crédito, a *van* da TWC apareceu em menos de dez minutos e fez os implantes ali mesmo, estacionada na rua de seu edifício, no bairro do Brooklin. Dentro da *van* havia uma cadeira, parecida com as cadeiras de dentistas, e alguns aparelhos para checar a funcionalidade dos *nanogeeks* e a homologação do novo consumidor. O técnico de informática e enfermagem lhe passou uma anestesia no queixo, nos ouvidos, nos dedos e perguntou:

– Se você fosse atirar em alguém, qual olho usaria para mirar?

Teo fechou o olho esquerdo e depois o direito:

– O direito.

O técnico pingou duas gotas de colírio no olho esquerdo e, após cinco segundos, aplicou a lente.

– Você tem de tirar a lente sempre que for dormir e deixá-la de molho na solução de limpeza. Assim ela deve durar ao menos um ano. Se dormir com a lente, ela pode danificar sua retina, e não nos responsabilizamos por isso. Assine aqui – finalizou o técnico, muito despachado.

O contrato previa que, se o uso das lentes fosse indevido, qualquer dano à saúde do usuário seria de responsabilidade dele próprio. Especificava que a lente era de propriedade da TWC e estava sob comodato ao usuário. Caso o pagamento não fosse realizado todos os meses, a TWC teria o direito de resgatar o nanocomputador e seus nanossensores. Quando os técnicos não estavam instalando nenhum sistema, monitoravam os usuários que andavam pelas ruas, e se encontrassem indivíduos que estivessem atrasados com seus pagamentos, eram autorizados a retirar os nanossensores; então disparavam dardos tranquilizantes nos inadimplentes, os colocavam dentro da *van* e lhes arrancavam a lente. Muitas vezes os usuários se esqueciam de retirar a lente durante a noite, e com o passar do tempo essas lentes colavam nas córneas. Os técnicos não se preocupavam em retirar a lente com cuidado, logo, em um misto de displicência e descaso, com o uso de um pequeno alicate, retiravam a lente com parte da córnea, causando aos usuários cegueira em um dos olhos. Tudo isso para chegarem à meta de serviço estipulada pelos gerentes de venda. Essa retirada à força das lentes com os nanocomputadores era prevista no contrato e os danos à saúde não seriam reparados.

Teo assinou o papel, tocou os sensores do indicador por duas vezes e ligou seu nanocomputador dentro da lente. *"Welcome to the ISkin10s world"*, dizia uma voz feminina doce dentro de seus ouvidos. A voz e o *jingle* deram certa sensação de "Uau! Não estou mais sozinho". Essa era a primeira sensação de pertencimento e felicidade trazida pela máquina. Você era parte da rede, ou vice-versa. Tudo era comandado em piscadas dos olhos e outros movimentos sutis. Entre os usuários, os gastos calóricos para a realização das tarefas diárias caíram drasticamente. Oitenta por cento da população começou a apresentar obesidade mórbida. Ninguém mais se preocupava com a forma física, isso não importava, conectar-se era o que todos queriam, afinal de contas os encontros eram quase todos virtuais. Uma boa foto tratada por um bom *software* de edição de imagem, como o IPhoto, já bastava para conquistar fãs, clientes, amigos e realizar romances virtuais. Quando a transmissão das comunicações era feita ao vivo, pelo Skype, um *app* de edição de imagem simultânea, como o After Effects, era usado para manter o mesmo padrão de beleza das imagens.

O primeiro acesso de Teo foi marcado pela busca de amigos da universidade. Desde quando saíra do hospital, havia mais de seis meses, não encontrara nenhum de seus amigos. E nem emprego como arquiteto. Isso lhe deixava bastante deprimido, pois enquanto não realizava seus sonhos como profissional de arquitetura, tinha de trabalhar na sapataria de seu avô. Isso lhe dava ao menos o mínimo de dinheiro para ajudar nas contas domésticas.

"Ok! Ainda estão todos aqui no Facebook, Instagram, LinkedIn e WhatsApp." Todos estavam ocupados com trabalho ou namoradas físicas e virtuais. Mas não encontrou ninguém realmente disposto a se encontrar fisicamente para um bate-papo com os *nanogeeks off*, coisa rara naquela época.

Praticamente ninguém ficava desconectado, nem um minuto do dia. Mesmo dormindo havia os *apps* de programação de sonhos.

Teo conversa um pouco com os amigos no *chat* e desliga seu ISkin10, fechando os olhos por três segundos, conforme indicado no manual rápido de instalação. Sai de seu quarto e encontra sua mãe na cozinha.

– Oh meu filho! Não gostou do presente? – perguntou sua mãe, que trabalhava na mesa, costurando em uma máquina automática Bernina.

– Não, mãe! Gostei muito! Mas não quero viver só em contatos virtuais. Ainda gosto de muita coisa do *old fashion way* (jeito antigo)! – responde, sorrindo, Teo.

A mãe abaixa os óculos e lhe diz:

– Nada substitui um abraço e um carinho das mãos de alguém que se ama!

— Mãe! Eu sei que a senhora ainda é jovem e tem muita vida pela frente. Talvez esteja na hora de começar a procurar alguém para continuar a vida no *old style* (estilo antigo)! – responde Teo, complacente.

— Não sei, filho. Acho que nunca conseguirei alguém tão maravilhoso como seu pai!

— Não pode ficar fazendo comparações. Arrume um e aprenda a gostar, como qualquer início de relação, não há perfeição!

— E o que você sabe sobre relacionamento? – responde Nadir, saindo para o corredor.

No corredor, Nadir chora escondida ao lembrar de Hugo. Fazia pouco mais de um ano que seu marido desaparecera em circunstâncias bem nebulosas, e era dado como morto, pois seu corpo nunca fora encontrado.

Hugo era agente especial da Polícia Federal. Homem de confiança do comandante regional de Carboxy. Quase todo o sustento da família vinha dos proventos dele. Moravam em um confortável apartamento, bem localizado e próximo da antiga sede da Polícia Federal, no Brooklin. Agora a pensão deixada pelo marido mal dava para pagar o aluguel. O condomínio estava atrasado havia mais de seis meses. As contas do cartão de crédito estavam todas estouradas, e o limite, chegando ao fim. Os juros de 150% ao ano eram algo que tirava o sono daquela jovem senhora de 45 anos. Mas ela não deixaria que esses rompantes de desesperos escapassem aos olhos dos filhos. Era forte e arrumaria uma solução. Podia vender as joias da mãe, que não representavam mais nada para ela. Ou arranjar umas aulas extras em escolas particulares. Ou mesmo, em último caso, voltar a viver em São José dos Campos, com seu pai, já que Teo estava com o velho todos os dias. Saídas existiam, mas em certos momentos, ficavam invisíveis.

Teo sentia o desespero da mãe. Mas não estava preparado para buscar a verdade sobre a morte do pai. Lembrava que, dias antes do ocorrido, o pai andava sempre discutindo com Nadir. Mas não queria pensar nisso. O fato era que seu pai não estava mais ali, com a família, e ele precisava ser forte, continuar apoiando as pessoas que agora necessitavam de sua ajuda.

Naquela noite Teo dormira mais cedo. Não ligou o ISkin10. Não queria pensar em nada. Não queria lembrar de que não tinha o trabalho de seus sonhos, como arquiteto. Não queria lembrar de que teria de acordar às cinco da manhã e pegar o trem lotado até São José dos Campos. Não queria lembrar de que ficaria preso ao seu casulo sem poder se mexer por trinta minutos. Não queria lembrar de que passaria o dia todo junto do seu avô, naquele pequeno espaço fétido a chulé e cheio de calçados velhos, de pessoas velhas, que eram as únicas que ainda prefeririam consertar velhos sapatos de couro natural em vez de comprar os chineses sintéticos e baratos. Não queria lembrar de que passaria todo o dia ouvindo as mesmas histórias repetitivas de seu avô, de quase oitenta anos, e quando não eram as histórias do velho, eram as histórias da *Bíblia*, que seu Bonifácio decorava com orgulho, depois de lê-la por mais de vinte vezes. Não queria lembrar de que no almoço comeria o mesmo burrito encomendado e entregue pelos drones da Amazon, com o mesmo gosto de camarão e sem camarão, pois nas batatas transgênicas já vinham os sabores de sua proteína preferida.

"Meu Deus! Será que existe esperança pra minha vida? Ou essa rotina vai acabar comigo, antes que minha vida aconteça?" Teo falava em Deus, mas não entendia nada disso. Repetia algumas palavras que o avô dizia por pura imitação. Tomou suas duas pílulas noturnas de Carbolitium de 300 miligramas cada uma e um sentimento de vazio tomou conta de seu ser. Sem perceber, caiu em sono profundo, escuro e sem sonho. Não havia nenhum sentimento de esperança ou alegria para os outros dias que viriam.

9
A vida acontece!

Cinco da manhã:
— *Good morning, master! How was your night? Did you sleep well?*

Siri, um dos aplicativos mais antigos da Apple, lhe acorda com sua voz doce e gentil. Teo esquecera que havia realizado o *setup* do ISkin10 para despertá-lo logo na manhã. E se assustou com a voz e a nova imagem de Siri em sua lente. Siri era uma jovem apaixonante, loira, de cabelos escorridos, que vestia uma malha acetinada colada em seus corpo escultural. De forma educada, Teo responde a Siri:

— Good morning, Siri!

"Que merda estou fazendo! Respondendo a um holograma", pensa Teo ao responder, sem pensar direito, na verdade.

Por alguns segundos, fica observando aquela linda mulher virtual... que dedicaria uma vida inteira para ele, de forma simples e gentil. Teo namoraria facilmente aquela gata.

— *Excuse me, Siri!*

— *As you wish, my master!*, responde cordialmente Siri.

"Que *nerd*! Os caras botam logo uma gata dessas para te despertar de manhã! Como não querer ficar o dia inteiro ligado em um brinquedo desses?", Teo sorri e meio dormindo desliga o ISkin10. Ao fazer isso, percebe que é a primeira vez que sorri nos últimos tempos.

Teo tomou o café da manhã com sua mãe. Panquecas de queijo e presunto, comida feita em casa, com os ingredientes mais autênticos possíveis. E após isso foi em direção ao metrô. Dentro do trem, dependurou-se em seu casulo-cadeira. No metrô, em direção a São José dos Campos, Teo tem um tempinho para ligar seu ISkin10 e fazer novos *setups*. A primeira coisa que fez foi ajustar seu ISkin10 para a língua portuguesa; gostava do inglês, mas não ficava muito confortável em falar outra língua em seu próprio país, achava isso falta de respeito com a nação. "Esquisitices de Teo", coisas que alguns amigos sempre falavam. Ele era fluente em inglês, pois havia sido alfabetizado naquela língua. Ao terminar o *setup*, percebeu algumas interferências em seu ISkin10. Notou que as imagens na tela de seu olho esquerdo estavam perfeitas, sintonizadas no telejornal matutino de Carboxy, e alguma reportagem falava sobre o clima e a nova tempestade de calor que assolaria o vale no final daquele dia. Seu olho esquerdo estava aberto, mas desligado de seu cérebro, pois estava a menos de vinte centímetros de uma boca aberta de alguém que dormia no casulo-cadeira vizinho. E algo curioso começou a acontecer. Uma nova imagem de outro canal de TV, CNN, se formou em sua testa, em meio aos dois olhos. O canal em questão mostrava os atuais índices da bolsa de valores e as ações mais valorizadas. Por alguns instantes, pensou que poderia ser um sonho, mas de alguma forma parecia muito real e presente. Após alguns segundos, desligou e ligou o ISkin10 novamente.

"Que droga! Essa merda já veio com defeito! Será que é do Paraguai? Vou devolver essa parada quando voltar do trabalho!", Teo amaldiçoou o ISkin10, agora teria de dormir ou ficar olhando os vizinhos babando ao lado.

Mais um dia se passou dentro da sapataria. Velhos entravam e saíam, cheios de vitalidade e sem nenhum *nanogeek*. Esse povo era avesso à tecnologia. Viviam em outro mundo. "Parecem mais felizes que os jovens, ao menos mais felizes que eu, com certeza", pensava Teo.

Os velhos se recusavam a comer transgênicos e cultivavam suas próprias comidas, tinham galinheiros e tanques de peixes, trocavam suas produções, sementes, e mantinham uma rede de contatos alternativa que se comunicava por rádio, telégrafos, cartas e até pombos-correios. Eles se intitularam "Os resistentes". Não comiam carne vermelha, pois não tinham espaço para criar gado. Mas ao menos uma vez por ano faziam um belo churrasco com carne de vaca orgânica. O quilo custava o salário de um mês inteiro. Teo não entendia essa gente. Recusavam-se a carregar uma CBWRS e quase não tomavam água, só cerveja e vinho, feito por eles mesmos, é claro.

– Vô, como você e seus amigos podem ser tão felizes? – perguntou Teo, depois que a sapataria ficara vazia, sem os clientes usuais.

– Áa? O que você disse, meu filho? – perguntou Bonifácio, meio distraído, com uma bolsa de couro na mão, que estava sendo costurada.

Um dos segredos dos antigos era desconsiderar o que o novo mundo havia trazido. Eles não se importavam com os novos costumes e com o jeito estranho das pessoas andarem, sem falar umas com as outras, sem se olharem, sem dizer "bom-dia!". Esse tipo de pessoa formava um gueto de milhares, enquanto os mais velhos, que sempre viveram no mesmo local, não, eles se sentiam pertencentes ao lugar, não importando as mudanças que esses tempos modernos haviam trazido. Os resistentes também haviam se adaptado àquele novo estilo de vida. Eles sempre se reuniam para achar uma alternativa para os problemas que apareciam. Esse movimento de resistência começara quando os gastos ficaram maiores do que suas rendas. Contas de água, energia, gás e combustível subiram 100% em menos de dois anos na década de 2010; os planos de saúde particulares, já que o sistema público fora extinto em 2018, passaram a dobrar de preço a cada dois anos. A comida também passara por um processo de "evolução" nessa década, ou seja, com o advento dos produtos transgênicos, os preços dos alimentos se mantiveram estáveis, mas os produtos orgânicos custavam até dez vezes mais caros. E como o Ministério da Agricultura, que controlava e fiscalizava a produção de orgânicos e transgênicos, parou de fiscalizar e classificar os alimentos, o cidadão comum já não tinha mais certeza do que estava pondo em sua mesa. Comerciantes de má índole vendiam tudo como se fossem orgânicos e, como os produtos não apresentavam mais nenhum tipo de rótulo, era impossível saber o que se comia. Os resistentes tiveram a ideia de trabalhar *off the grid*, ou seja, fora do sistema convencional. Esse grupo transformou suas casas em verdadeiras células de produção autossuficientes. Não importava o tamanho de sua propriedade. Trabalhavam em mutirão e juntos faziam todas as mudanças para aquele lar se tornar uma unidade viva.

    O primeiro passo dos resistentes era desconectar todos os serviços provenientes das megacorporações. Cortavam os cabos da rede elétrica e em troca fixavam painéis solares, geradores eólicos e baterias. Esse investimento era proveniente de um *crowdfunding* organizado pelos resistentes: cada um doava um pouco e assim ajudava a todos que queriam viver de forma alternativa. A rede de esgoto era desconectada e um tanque de decantação era instalado com três níveis de depuração. Os dejetos mais sólidos eram bombeados para painéis de dessecação, que eram colocados no telhado das residências, próximo aos painéis fotovoltaicos solares. Com a atividade bacteriana anaeróbica, em pleno vapor, dentro do sistema de dessecação, por causa do calor proveniente do sol, havia a geração de metano, que era bombeado e estocado em cilindros que alimentavam o fogão e o sistema de aquecimento do chuveiro. Exaurida a produção de gás, metade do rejeito sólido era utilizada como adubo orgânico ou para alimentar o tanque de peixes. Dentro de pequenas estufas de aproximadamente dez a quinze metros quadrados um microecossistema era construído. No nível mais alto eram plantados pés de tomates, grãos de feijão, lentilhas, grão-de-bico, raízes como beterraba, cenoura, batata e inhame. Pés anões de frutas como laranja, limão e abacate eram plantados em grandes vasos na base da estufa. Abaixo dos plantios ficavam as gaiolas das galinhas e, ainda abaixo destas, o tanque de peixes. As galinhas se alimentavam dos vegetais, os peixes se alimentavam das fezes das galinhas e, no final, os humanos se alimentavam de tudo um pouco.

A água era o maior desafio para os resistentes. Eles possuíam cisternas que acumulavam a água das chuvas. Para o consumo humano, essa água passava por um sistema de filtros de carvão ativado e enriquecimento de sais minerais feito com rochas basálticas provenientes da Bacia do Rio Paraná. Mas essa água nem sempre era suficiente para a manutenção de uma família média, com três pessoas. Havia décadas que o consumo de água recomendado pela Organização Mundial da Saúde (OMS) era de cem litros/dia, por pessoa. Depois da grande seca de 2016, a média a ser alcançada teria de ser de dez litros/dia por pessoa. Os chuveiros vaporizadores permitiram a redução de 95% do uso da água em banhos diários. Assim, em comparação com os antigos banhos, que consumiam quarenta a cinquenta litros de água, nos banhos vaporizados, onde o que limpava mesmo era a pressão do ar, a água era somente um aditivo, gastava-se em média de três a quatro litros nesses banhos. No entanto, essa água, acumulada no ralo, passava direto para o segundo tanque de depuração e era utilizada para a irrigação das plantas. Portanto, sabão, sabonete e xampu tinham de ser biodegradáveis. A água também era acumulada no teto das estufas e, ao se condensar, caía como chuva nas plantas. O sistema de casas-células funcionava tão perfeitamente que as casas começaram a ter excedente de água. Então os resistentes tiveram a ideia de produzir bebidas fermentadas, pois os fungos e as leveduras ajudavam na descontaminação das águas, já que eles não acreditavam na eficiência de 100% dos filtros de carvão ativado. Assim, eles inventavam suas próprias receitas de cervejas e vinhos. Os excedentes da produção agrícola eram deixados de molho, fervidos e adicionados de açúcares e leveduras, e após fermentados eram engarrafados. Toda a produção excedente virava moeda de troca entre os resistentes e alguns normais que adoravam vinhos e cervejas caseiros.

As casas-células eram poucas, mas muito destoantes naquela paisagem metropolitana de Carboxy. As células eram rodeadas de prédios de apartamentos, e o sol quase não as tocava. Graças ao fato de a maioria dos prédios apresentar vidros em suas fachadas, a luz do sol podia ser refletida até as placas de energização solar. As células não apresentavam nenhuma beleza arquitetônica ou estética, pois os residentes se preocupavam mais com a funcionalidade do que com a aparência. Na frente das células era comum encontrar muros de vidros com cercas elétricas no topo. Cabos, tubos, caixas e tanques de armazenamento de água eram muito comuns também. Além de pilhas de matéria orgânica coletada pelos residentes para ajudar no processo de reciclagem dos adubos. Mas internamente as células eram organizadas, arrumadas, limpas e aconchegantes. A deselegante aparência de sua fachada era uma tática para afastar a curiosidade dos vizinhos e deixar os novos imigrantes sem interesse de invasão e ocupação.

Sempre havia tentativas de invasão em propriedades públicas e privadas. A repressão desses movimentos poderia ser feita com o uso de armas letais, e pela própria população civil, pois a polícia não apresentava contingente suficiente para atender a todos os moradores de Carboxy.

A justiça era feita com as próprias mãos, sim. As provas de crimes tinham de ser documentadas em forma de vídeo, e caso o criminoso estivesse em ação, ele poderia ser coibido e reprimido ali mesmo. Se fosse pego em flagrante, poderia ser alvejado por um cidadão de bem, e também poderia ser finalizado, o que significava executado. Caso o cidadão não finalizasse o criminoso, ele seria responsável pelo transporte e tratamento médico do infrator. Os hospitais públicos atendiam somente quem desse entrada com cartão de crédito ou plano de saúde. Criminosos geralmente não possuíam nenhuma das duas ferramentas do capitalismo. Assim, se um criminoso não fosse executado pela vítima, ele teria o direito de ser tratado e a vítima seria responsável pelo pagamento da conta. E não adiantava abandonar o criminoso, pois em todas as partes havia câmeras e drones, monitorando praticamente o movimento de todos em Carboxy. Então, o criminoso poderia recolher provas de sua ação e adentrar a um hospital para tratamento médico. A vítima era identificada e a conta enviada para seu cartão de crédito.

Não havia advogado que conseguisse contestar esses gastos e recuperar o dinheiro do cliente. A legislação sofrera tantas mudanças que o código de responsabilidade civil e criminal fora simplificado e capitalizado. A vida humana, de certa forma, perdeu valor, mas também a criminalidade diminui, pois ninguém queria correr o risco de uma execução sumária.

Teo volta a indagar seu avô:

– Perguntei como vocês são tão felizes, vô!?

– Você acha isso? Eu não vejo dessa forma. Nós nos relacionamos diretamente uns com os outros. Nessa idade sempre reclamamos dos nossos problemas de saúde. Reclamamos da diabetes, pressão alta, do câncer que chega depois dos 80 anos na próstata dos homens. Mas seguimos vivendo em comunidade e dividindo nossas felicidades e tristezas. Até nossa partida! – filosofou um pouco Bonifácio, ao dar atenção ao neto.

Teo admirava muito seu avô e ficou ruminando o que ele disse. "Melhor ouvir seus pensamentos do que histórias da *Bíblia*", concluiu, sorrindo. Após os quinze minutos de almoço teve oportunidade de ligar o ISkin10. Tudo funcionava perfeitamente. Sem duplas imagens nem interferências. Enquanto comia a sobremesa e jogava uma partida rápida de xadrez com seu avô, pôde dar uma checada em alguns *sites* de relacionamento, alguns vídeos do YouTube e os telejornais da cidade.

Acabou a partida de xadrez e voltou ao serviço manual da sapataria. No canto da loja havia uma pilha de sapatos e botas para serem limpos e engraxados.

– Malditos trabalhadores da resistência! – falava baixo Teo ao ver aquelas sapatos sujos de esterco e terra.

Não bastasse ter de limpá-los, Teo ainda tinha de varrer o chão e juntar aquela sujeira, que depois era ensacada e vendida ou trocada por Bonifácio. E sabe que muitas madames encomendavam aquele solo, para colocar em suas estufas de plantas ornamentais raras? Havia coleções de orquídeas, que eram adubadas por aquele esterco e que custavam mais que um apartamento. "Quanta estupidez!", pensava Teo.

Assim, com seu ISkin10 funcionando perfeitamente, realizava sua tarefa e surfava na internet. Esteve no LinkedIn e atualizou suas informações e contatos para a busca de um trabalho como arquiteto, pois era isso que ele queria fazer, trabalhar em uma grande construtora e fazer *design* para melhorar a vida das pessoas. Também organizou seus arquivos pessoais nos IClouds disponíveis para seu ISkin10.

As oito horas de trabalhos diários se passaram e lá se foi Teo mais uma vez com seu *skateboard* elétrico até a central de São José dos Campos para pegar o metrô até o Brooklin. Antes de sair seu avô disse:

– Toma, filho, desconecta sua sonda e coloca essa água no seu CBWRS!

– Não precisa, vô! Já tô acostumado a tomar dessa água!, disse Teo, com seu desânimo usual.

– Não, filho, tome essa que você vai se sentir melhor e ver que a vida pode ser mais prazerosa!, disse o velho.

– Vô, o senhor não está tentando fazer de mim mais um de seus amigos bêbados da resistência, né? – falou Teo em tom sério, mas bem-humorado.

– Não, só quero que você não seja mais um desses carboxianos sem alma que existem por aí. Beba e amanhã a gente conversa! – disse o velho, despejando um litro e meio de um líquido inodoro e incolor dentro da CBWRS de Teo.

10
De volta para casa

Quando os carboxianos andavam em lugares abertos, a atmosfera era densa e saturada de gases tóxicos como CO_2 (dióxidos de carbono), BTXE (benzeno, tolueno, xileno e etilbenzeno) e poeiras vindas de todos os lugares, tanto que muitas pessoas usavam máscaras com filtros de carvão ativado. Mas a troca dos filtros, que deveria ser realizada a cada dois dias, era muito cara. Assim, as pessoas usavam as máscaras com filtros vencidos ou uma pequena máscara para reter os particulados. Com isso, a garganta sempre estava irritada e seca. O consumo de água constante, nesses momentos de caminhada, ajudava a diminuição da retenção dos contaminantes no sistema respiratório, em contrapartida essas substâncias químicas eram carregadas para o sistema digestivo e circulatório e acumuladas nos ruins. Seus efeitos nocivos eram percebidos somente depois de dez anos de exposição a esses contaminantes. Assim, problemas renais ou pulmonares eram a causa da maioria das mortes dos cidadãos de Carboxy. A maioria deles não chegava a se aposentar, já que a média de longevidade das pessoas era de quarenta anos.

Já a caminho da estação, Teo começa a beber a água ao sentir sua garganta arranhar. Seu filtro de carvão ativado fora trocado havia uma semana, portanto já estava fora de validade. Alguns camelôs vendiam filtros reciclados ou faziam isso na base de troca. Mas sem padrão de qualidade nesse serviço, era praticamente como pagar para ser enganado.

Teo liga seu ISkin10 e localiza em seu *backup* alguns clipes que ele gostava de ver em sua adolescência. Algumas bandas que nunca fizeram sucessos no *mainstream*, mas faziam partes da sua trilha sonora. Sons que lhe relembrara momentos felizes, no tempo em que Carboxy ainda não existia e onde a vida era bem mais simples.

Dá o primeiro gole na tal água que o avô lhe colocara no CWRS. "Filho da mãe! Aquele velho colocou algo na água." O gosto era de alguma erva refrescante e um pouco amarga! Teo sorri.

Sua mãe, como era de costume, faz uma chamada via Skype para saber se tudo está bem.

– Oi, filho, como foi o dia?

– Oi mãe, tudo ótimo! Estou a caminho do metrô e chego em mais ou menos uma hora! – responde Teo, enquanto atravessa a antiga estrada Presidente Dutra a poucos metros da estação de São José dos Campos.

– OK, filho! Te espero para o jantar.

– Beijo, mãe!

Ao desconectar de sua mãe, Teo começa a observar uma nova tela em meio aos seus dois olhos, na parte superior da testa. Dá uns tapas na cabeça para ver se a imagem desaparece. Mas nada acontece. Ele se distrai com essa terceira imagem e tromba com a banca de um camelô que vendia drones antigos importados da China, e cai sobre ela. O dono da banca, um chinês baixo e gordo, se irrita e xinga Teo de um monte de nomes irreconhecíveis. Teo pede desculpas e desliga seu ISkin10. Entra na estação e logo no vagão 42, suspende seu casulo e fica quieto, colado aos seus vizinhos.

"Que droga! Vou acionar o atendimento ao consumidor e pedir ajuda." Teo religa o ISkin10 e a terceira imagem volta aparecer em sua fronte. "Meu Senhor!" Dessa vez, a terceira tela apresentava um vídeo de uma criança brincando com um cachorro. E essa criança era extremamente parecida com a mulher que estava no casulo a menos de meio metro à sua frente. Focou o olho esquerdo, utilizado para as tarefas reais, e verificou que realmente elas eram parecidas. Após dois segundos teve outra surpresa: a própria mulher que estava à sua frente apareceu no vídeo e brincava com o cachorro e a criança.

Teo arregalou os olhos e sussurrou: "Caralho!". A mulher percebeu e arregalou os olhos. Acanhado, Teo desviou seu rosto, e as imagens foram sumindo. Começou a olhar ao redor e focou o olho esquerdo em pessoas que também usavam o ISkin. Algumas versões mais antigas exigiam que o usuário piscasse os olhos para clicar nos ícones desejados. Assim Teo pôde distinguir quem estava usando o ISkin de quem fazia outra coisa. Pôde observar vários usuários com o mesmo padrão de comportamento. Via as dezenas de piscadas por poucos segundos. Aos olhos dos antigos, esse povo parecia estar com tique nervoso ou com cacoetes. "Como alguém poderia ficar abanando os braços, piscando e se movendo sem sentido por aí. Chama o SAMU!", dizia sempre seu avô.

Mas ao olhar as outras pessoas nada aconteceu. Voltou seu olhar para a moça à sua frente. E aí reconectou as ações da vizinha. Agora ela já não olhava mais vídeos, no entanto eles estavam abertos em uma pequena janela dentro da janela grande. Ela estava trabalhando no preenchimento de um banco de dados. Buscava em janelas distintas números de vendas de produtos de estética e associava a planilhas de vendedores. Montava gráficos e tabelas e uma possível apresentação que estava sendo endereçada a um tal de CEO Nick. "Nossa, esse trabalho é mais chato que o meu de arrumar sapatos!", pensou Teo. No entanto, percebeu que, mesmo trabalhando, a mulher não fazia nenhum movimento com as mãos nem com as pálpebras dos olhos para piscar. Apenas sutis movimentos com os olhos eram notados. Teo percebera que aquele sistema não era o mesmo dos vizinhos e lembrou que o IBrain já havia sido lançado nos EUA havia cerca de dois meses. Correu para o Google e fez uma rápida pesquisa, para ter certeza. Assistiu a um *teaser* de lançamento sobre o estilo de operação do IBrain. O curioso é que o *slogan* dizia: "*Be natural, be IBrain*". O único inconveniente do IBrain ainda era seu valor, que mesmo para a maioria do povo norte-americano ainda era caro.

A mulher percebera novamente a indiscrição de Teo ao observá-la. Mas deu um leve sorriso. Contatos físicos ou troca de olhares não eram mais muito comum naqueles tempos. A maioria dos encontros, se é que alguém se encontrava naquela época, era arranjada por meio de *sites* de relacionamento ou ambientes de extrema segurança. Ninguém saía por aí arrumando parceiros sem ao menos checar todas as credenciais da pessoa e sua linhagem. Conhecer alguém na rua e conversar era algo inimaginável para aquela época.

Teo era um rapaz atraente e simpático. Com um metro e oitenta, era alto para um carboxiano e baixo em comparação aos antigos. Mas tinha os olhos azuis, que chamavam bastante a atenção. E um sorriso franco e brilhante. Mas esse sorriso era raro de ser visto.

Ao ver o sorriso da mulher e perceber que ela poderia dar brecha para uma conversa real, Teo abaixou a cabeça e desconectou seu ISkin10. A mulher entendeu aquilo como uma forma de rejeição e voltou a trabalhar.

Teo ficara com a cabeça baixa durante os quase vinte minutos que faltavam para a chegada em sua estação final. Estava confuso. Sentia-se impotente para se comunicar com seus pares. Inseguro quanto à postura profissional. Além de se sentir inútil por não trabalhar na área em que seu pai e sua mãe tanto se esforçaram para que ele se formasse. Além da morte precoce de seu pai e da falta de provas para achar os culpados, a mãe sempre infeliz e sua irmã que mal saía do quarto e trancara o curso de enfermagem, que preocupavam Teo, ele se sentia incapaz de amar, ou melhor, pensava que, para ter esse sentimento, necessitava conquistar coisas e estar estável profissionalmente na vida. Era imaturo em sentir e saber se expressar.

O vagão 42 para na estação Brooklin e Teo olha para a mulher, que segue além de seu destino. Ela observa Teo saindo do vagão. Ele sobe em seu *board* para mais 20 minutos de jornada. E de repente um sentimento de curiosidade se instala em seu pensamento. Já estava longe do vagão 42 e ia em direção à saída da estação. Mas resolve ir atrás da mulher e tentar saber mais sobre ela. Ao ouvir o sinal de fechamento das portas dos vagões, Teo mergulha no primeiro vagão que ele encontra, o de número 18. Conecta o macacão em um gancho e segue sem fechar o casulo. A velocidade média do metrô era de duzentos quilômetros por hora. Em uma viagem completa, o trem ficava mais tempo parado nas estações que em movimento. Até o final da linha norte-sul havia ainda mais quatro estações. "O que eu tô fazendo, seguindo uma pessoa?", perguntava Teo a si mesmo, pois sabia que cometia um crime ao fazê-lo. Se alguém o descobrisse, poderia sofrer graves consequências, a mais branda seria uma multa por sair de seu perímetro usual, e a máxima, pena de execução sumária, por acharem que ele poderia colocar em risco a vida daquela mulher. Mas Teo não se importava, uma imensa coragem tomou conta de seu ser. E uma intuição dizia que deveria seguir aquele instinto.

O metrô para na estação Morumbi. Ainda havia mais três estações pela frente. Teo se desconecta de seu casulo e tenta passar entre a multidão, que desce dos vagões e anda em direção oposta a ele. Teo encontra Walkíria em meio à multidão. Ele fica paralisado ao ver aquela linda mulher, um pouco mais velha que ele, caminhando em sua direção. Dá alguns passos de lado e deixa Walkíria passar. Ela não percebe a presença dele, pois está conectada com seu IBrain em uma ligação com sua filha de cinco anos, além de checar o menu da Amazon e buscar o jantar.

Teo caminha atrás dela e a segue a poucos metros de distância.

Walkíria sai da estação e usa um *roller blade* elétrico. Inicia sua jornada de dez minutos até seu apartamento. Teo liga seu ISkin10 e foca na terceira tela, que se forma em sua fronte. Consegue observar um *app* de coreografia de balé com *roller*, como um *game* onde o usuário tem de imitar os movimentos do Avatar que segue em uma floresta a deslizar. O caminho do jogo era montado com o auxílio do nanodrone aéreo de Walkíria. O *app* capturava as imagens do nanodrone e os obstáculos reais eram substituídos pelos obstáculos do *setup* do jogo; como Walkíria escolhera voltar pela floresta, pessoas se transformavam em árvores, ruas em rios, carros em animais etc. Como as imagens eram sobrepostas diretamente no olho direito de Walkíria, seu cérebro quase não distinguia as imagens reais.

Atrás de Walkíria, Teo acompanhava os movimentos, pois capturava as imagens do IBrain dela e as transmitia diretamente em sua fronte.

"Como é possível eu estar recebendo essas imagens?", Teo se perguntava. "Será que eu consigo abrir outras janelas do IBrain dela?" Aproveitou que Walkíria estava entretida com o *game* e puxou um ícone que dava acesso a arquivos pessoais. "Uau, posso coletar os arquivos que ela nem detecta! Sou o homem invisível dentro de seu IBrain". Assim Teo coletou várias pastas de arquivos pessoais, copiando tudo para seu ISkin10. "Mais tarde posso ver quem é esta mulher. Agora tenho que tentar acompanhá-la nessas manobras dançantes!"

A cerca de duzentos metros do edifício onde vivia, Walkíria abre uma conexão Skype com o porteiro:

– Reginaldo, tô chegando, pode abrir?

O sistema de câmeras de seguranças do edifício ainda era um pouco antigo. Mas com o auxílio do infravermelho da câmera central, posicionada no alto do edifício, Reginaldo percebe que Walkíria está sendo seguida.

– Dona Walkíria, tem um camarada seguindo a senhora! Vou mandar bala! – fala Reginaldo, já se preparando com o rifle de longo alcance AK-47. Ele abre a janela, prende a respiração e encaixa a imagem do carboxiano que segue Walkíria.

Walkíria desliga o *game* e se concentra agora nas imagens que são enviadas pelo Skype, provenientes da câmera central. Ao mesmo tempo, olha com seu olho esquerdo para atrás. No escuro da noite, ela não consegue identificar quem é a pessoa que está a cerca de dez metros atrás dela, naquela rua vazia e escura. Reginaldo tem seu alvo perfeitamente na mira:

– É só a senhora autorizar!

— Passa fogo! — responde Walkíria, acostumada com as tentativas de roubo e assalto nessa época de Natal.

Ela acelera os passos com seus patins e corre para dentro do portão do edifício, já aberto, esperando sua chegada.

Teo monitorava a operação durante os últimos segundos. Pôde ver a chamada para Reginaldo e a partir disso desacelerou seu *board*. Viu também o momento em que sua imagem se instalara na ligação Skype e as imagens que Walkíria recebia do ISkin de Reginaldo.

Reginaldo mirou no centro do tórax de Teo e puxou lentamente o gatilho. Os três acompanhavam essa ação. A distância de Reginaldo a Teo era de quase sessenta metros. A adrenalina tomou conta de Reginaldo, não gostava de matar, mas como a ordem do síndico era essa, não tinha escolha: se desrespeitasse, perdia o emprego. Simultaneamente ao disparo de Reginaldo, Teo consegue girar seus ombros e se jogar no chão. Walkíria também estava assustada, pois já fazia meses que ninguém a seguira. Teo se levanta do chão, pega seu *skate* e corre na direção de volta ao metrô.

— Matou, Reginaldo? — pergunta Walkíria, ao passar rapidamente pelo porteiro.

— Não sei patroa, acho que sim! — disse Reginaldo, procurando o corpo do carboxiano.

Walkíria olha para os monitores instalados na cabine do porteiro e procura o corpo. Checa as imagens em infravermelho e não encontra nada.

— Que incompetência, Reginaldo. O cara agora deve estar agonizando por aí! Vai lá e finaliza isso! — Walkíria dá a ordem e segue para o *hall* do elevador.

Reginaldo coça a cabeça e se prepara para sair do prédio. Coloca capacete, colete à prova de bala, uma pistola no coldre em seu peito e o fuzil engatilhado nas mãos. Anda em direção ao ponto onde o carboxiano foi visto pela última vez, ajeita seu *app* de segurança para a tela sensível ao calor, para rastrear possíveis marcas de sangue fresco no chão. Não identifica nada quente na escuridão, somente alguns ratos que andam nos cantos das paredes. A rua segue vazia e ao longe pode-se ver algumas pessoas a passar. Se o carboxiano que ele perseguia estivesse entre os outros, a essa altura seria impossível saber quem era o indivíduo que seguira Dona Walkíria. "Que merda! Agora só falta esse infeliz dar queixa de mim ou ir para um hospital. Danou-se!", sussurra Reginaldo, que volta para a portaria. "Aposto que vão me descontar o dinheiro da bala!". Ele se senta, relaxa e volta a assistir à novela das oito em seu ISkin2.

11
Uma bala "perdida"

A bala do fuzil AK-47, que não acertara Teo, prosseguiu por mais dois quilômetros até atingir seu alvo de forma aleatória, como todos pensavam, na movimentada Marginal Pinheiros.

A Marginal Pinheiros era a via mais rápida da região. Uma dúzia de anéis viários foi construída para desafogar o trânsito norte-sul, mas as marginais ainda eram o caminho preferido para quem queria transitar pelas áreas mais nobres de Carboxy Sul. Os rios Tietê e Pinheiros, que antes margeavam as pistas, secaram no final da década de 2010 e seus antigos leitos viraram pistas rápidas, geralmente usadas por motocicletas e pequenos carros esportivos, pois para andar a alta velocidade era exigido reflexo rápido e movimentos precisos, coisa para quem tinha estômago também, pois os acidentes, frequentes ali, levavam à morte centenas de pessoas diariamente. As margens dos antigos rios foram asfaltadas e a pista central mais parecia um grande canal, com as bordas elevadas a quase seis metros do leito. As ultrapassagens eram feitas pelas laterais elevadas, onde o grau de inclinação chegava a 75º. Andar ali era uma verdadeira aventura, adrenalina para os "cachorros loucos", que amavam o perigo.

Mas o projétil disparado por Reginaldo não atingira um cachorro louco qualquer. Sgt. Vestrepo do 5BI (Batalhão de Infantaria) era um homem alto e atlético. Era bem conhecido na corporação e tinha várias ambições, dentro e fora de sua instituição, o exército. Mantinha seus turnos de trabalho militar das cinco da manhã a uma da tarde. Após isso, juntava alguns de seus homens, subordinados a ele, e partia para seu segundo expediente: monitorar a venda de drogas nas ruas de Carboxy. Essa pequena milícia trabalhava para os bandidos locais, à frente da segurança dos mafiosos. No entanto, eles nem conheciam seu chefe. Recebiam as missões diárias por um antigo mecanismo, chamado *e-mail*. Junto às ordens havia a localização do pagamento do dia, que era escondido em lugares sem acesso às câmeras de segurança da cidade, geralmente locais desertos, como latas de lixo em meio a estradas, bueiros em ruas escuras etc. Essa organização, que pode ser chamada de máfia, estava envolvida em todo tipo de negócio ilegal e criminoso, coisas antigas como jogo do bicho, prostituição, drogas, interceptação de objetos roubados, tudo que era ilegal tinha o dedo desse pessoal. E seus cães de guarda passaram a ser os militares, pois as antigas polícias militar e civil, que ocupavam esse nicho de serviços, foram unificadas pela Polícia Federal, que não mais tolerava o trabalho de bicos de seus agentes. Assim, houve uma grande mudança na estrutura corrupta dessas organizações. Na unificação entre as polícias, quem tomou a liderança do novo poder foi a Polícia Federal, logo os padrões e procedimentos de trabalho do bom profissional passaram a ter alta qualidade. Os corruptos das antigas corporações ou eram presos ou pediam para sair. O policial se tornou exemplo de trabalhador honesto e exemplar. Já as Forças Armadas, principalmente o exército, que estavam mais à mercê da corrupção e subordinada ao primeiro-ministro e seus parceiros políticos, começaram a ter mais pessoas dispostas a trabalhar em negócios exclusos e ilícitos, pois seus rendimentos eram baixos e, trabalhando para a máfia, conseguiam enriquecimento rápido.

Naquela noite, o Sgt. Vestrepo estava com mais dois militares, cabo Bruno e soldado Leão. A missão era acompanhar a entrega de cem mil cápsulas de uma nova droga que eles não sabiam nem o nome. A droga estava vindo direto de São Francisco, Califórnia, EUA. Era algo que uns executivos e jovens ricos consumiriam para utilizar com a nova versão de nanocomputadores da Apple. A droga prometia 100% de uso das capacidades de processamento cerebral por 24 horas ininterruptas, além de não ter nenhum efeito colateral ao organismo. E segundo seu inventor, as cápsulas poderiam ser tomadas diariamente, por tempo indeterminado. Era a nova sensação do mercado. Seria colocada à prova aqui no Brasil, pois o FDA não aprovava o uso nem as pesquisas nos EUA, pois encontraram em seus compostos as mesmas drogas usadas em metanfetaminas. Mas o laboratório responsável, Bayer, continuou a pesquisa, de forma alternativa, contratando especialistas de Berkeley e investindo milhões nesse projeto paralelo. As primeiras cobaias, jovens orientais que trabalhavam no Vale do Silício, na Califórnia, adoravam essa droga. Conseguiam operar seus IBrains de forma extremamente rápida e precisa, além de estarem sempre se sentindo relaxados e tranquilos para continuar realizando outras tarefas prazerosas, como se socializar e jogar *games*. Eles realizavam trabalhos de programação e criação de novos *apps* dez vezes mais rápidos, quando estavam sob o efeito da droga. Assim, a droga começou a se espalhar de forma viral por lá. Mas a Bayer queria testá-la no Brasil, pois a legislação era mais branda e caso houvesse problemas de saúde com algum tipo de efeito colateral, não haveria a pressão dos advogados norte-americanos pedindo indenizações milionárias, somente uns sequelados a mais no país do samba e do futebol. Pois bem, as notícias se espalharam entre os *yuppies* de Carboxy e o primeiro carregamento chegaria à zona sul naquele dia.

    A Polícia Federal sabia desse movimento, pois tinha homens infiltrados pela Interpol, em São Francisco, acompanhando o carregamento, que ocupava duas malas grandes. A máfia de Carboxy era a dona do carregamento e recebera dois milhões da Bayer para distribuir a droga. A Bayer queria distribuí-la como amostra grátis, mas como a notícia despertara muito interesse no mercado informal, os mafiosos resolveram vendê-la e aumentar o lucro do negócio. Mas havia um problema: apesar de a Polícia Federal ser exemplo de honestidade e seriedade, havia ainda alguns indivíduos de dentro dessa corporação que eram susceptíveis à corrupção e também trabalhavam para a máfia.

12
O quarto poder

A Polícia Federal era totalmente autônoma em suas investigações. Seu líder para aquela operação era a Agt. Verônica, uma mulher de personalidade forte e comprometida até a alma com a justiça. Ela liderava uma equipe de outros cinco agentes: JK, Haldo, Baltazar, Lílian e Jota. Sabia que alguém ali era informante da máfia, pois em todas as operações eles sempre conseguiam, de certa forma, despistar o grupo. Mas dessa vez era diferente, a droga chegaria por mar, em algum ponto da costa, e seria entregue a Fritz, um famoso traficante que morava no Morumbi.

O carregamento seria de fácil reconhecimento, pois os batedores do exército estariam juntos. E estes estavam sendo monitorados desde a saída do 5BI. Um nanodrone do IBrain do Agt. Jota se instalara no capacete do Sgt. Vestrepo logo que ele ligara sua moto.

Vestrepo e seus dois homens viajaram até o litoral norte de Carboxy e no pequeno porto de São Sebastião pegaram uma balsa para Ilha Bela, um dos paraísos tropicais da região, que não sofria muito os efeitos da poluição e se tornara o reduto dos milionários de Carboxy. Em Ilha Bela havia megacampos de barreiras eletromagnéticas, o que interferia nos nanodrones e nanocomputadores, de forma que o Agt. Jota perdeu o contato de localização e imagens do *nanobug* que transmitia a posição dos investigados.

Depois de duas horas na ilha, os militares voltaram para o porto de São Sebastião. O *nanobug* deu uma pequena volta acima das motocicletas e coletou as imagens atualizadas, e nelas foram identificadas duas grandes bolsas laterais.

Os motociclistas viajaram por uma hora a altas velocidades e no começo da noite chegaram à Marginal Tietê. Lá o grupo da PF os esperava. A Agt. Verônica seguiu em uma Maserati com a Agt. Lílian; os outros três agentes seguiram em Ducatis de 1000 cc, todos os veículos sem nenhuma identificação, já que a operação era secreta. Os três militares entraram na pista central do antigo leito do Tietê a 250 km/h, e com o trânsito logo foram para as partes laterais. Os agentes da PF que estavam a 160 km/h nas partes centrais da Marginal observavam as motos passarem nas paredes laterais e mergulhavam para a parte central em meio ao caos do rápido trânsito. O mínimo de velocidade da Marginal Tietê era de 140 km/h, e o máximo era a potência total que o veículo poderia alcançar. Uma placa com um crânio de caveira desenhado indicava o alto índice de acidentes fatais naquele trecho. No entanto, outro veículo os seguia, agora a Maserati das agentes da PF. Esse veículo era um Bentley negro, modelo esportivo.

A missão dos militares era entregar os alforjes para Fritz. A missão da PF era agir somente quando a droga chegasse às mãos de Fritz, assim poderiam prender ou executar aquele antigo criminoso. A missão do terceiro veículo era assegurar a pontualidade da entrega.

Os agentes da PF de motocicletas chegaram próximos às motocicletas dos militares. Nesse momento uma mensagem de texto avisou que o Sgt. Vestrepo deveria acelerar ao máximo sua *bike* e levar a mercadoria até Fritz, a qualquer custo. As motocicletas, que andavam a 180 km/h, depois das mensagens aceleraram até sua velocidade final, que era de 325 km/h. O trânsito estava congestionado, obrigando os pilotos a fazerem zigue-zagues entre a pista e as paredes. A Agt. Verônica, em seu *app* de conferência com seus subordinados, ordenou:

– Aproximem-se dos suspeitos, mas mantenham certa distância!

– Positivo, comando! – respondeu o líder, Agt. Jota, de sua motocicleta. As Ducatis só chegavam a 300 km/h, assim, aos poucos, os militares aumentavam a distância. Próximo ao antigo Minhocão, por causa do congestionamento, todos tiveram de diminuir a velocidade. Assim, os agentes tiveram a chance de se aproximar. No entanto, os militares, sabendo que poderiam ser abordados a qualquer momento, começaram a tentar de toda forma desviar das áreas mais congestionadas, dirigindo sob as laterais inclinadas da Marginal.

Quando o Agt. Jota se aproximou do Sgt. Vestrepo, uma explosão no pneu traseiro da Ninja de Vestrepo fez com que seu condutor se desequilibrasse. Sgt. Vestrepo não entendeu como todo o sistema de alerta e temperatura dos pneus não acusara nenhum superaquecimento ou indício de mau funcionamento. Com a explosão, ele tentou frear a roda dianteira. A Ninja neste momento estava a 290 km/h. Com o rompimento do pneu, os pedaços de borracha se enroscaram no quadro, na parte traseira da moto, e travaram a roda. A motocicleta, que balançava de um lado para o outro, travou em um movimento lateral e lançou o corpo do Sgt. Vestrepo em um voo descontrolado pelo ar. Ao se desprender da moto, o sistema de inflagem dos coletes salva-vidas foram acionados. No entanto, o voo foi demasiado alto e o sistema não previa a queda de cabeça direto no asfalto.

O corpo de sargento voou por cerca de cinco segundos e percorreu uma distância de sessenta metros, chegando a quase dez metros de altura. Ao pousar de cabeça, toda a massa de 85 kg de seu corpo, mais a aceleração de 250 km/h, imprimiu em sua C1 (cervical um), primeira vértebra da coluna, uma força de 6.000 kN, ou seja, seria como se um vaca caísse em cima de sua cabeça, diretamente do quarto andar. Com a destruição da C1, houve o total rompimento e deslocamento da medula. Levou mais de seis segundos para seu corpo parar sob o asfalto. Seu *app* Hibernem, que ficava alerta em ações de alta velocidade, ativou automaticamente o *app* médico. Nanossensores indicaram a extrema pressão na coluna e em várias partes do corpo. Em menos de dez segundos após o primeiro trauma, os nanodrones implantados em seu corpo no pacote do *app* médico começaram seu trabalho. Parte dos nanodrones que estavam na base, localizada atrás da orelha do Sgt. Vestrepo, havia se soltado e desaparecido com o choque de seu corpo contra o solo. No entanto, os nanodrones que sobraram, após as análises do *app* médico, foram todos ordenados a adentrar na área da C1 e reposicionar a medula, sustentando, se possível, essa vértebra. Mas a tentativa foi em vão. Nos nanodrones não havia recurso e número suficiente de material para a reconstrução da C1. Com o rompimento da medula, as funções mais primitivas do corpo, que exigem comando cerebral, como respiração e batimento cardíaco, foram interrompidas. O corpo do Sgt. Vestrepo estava no solo sem nenhuma atividade cardiorrespiratória. Os dois militares que vinham poucos metros atrás pararam imediatamente ao ver o que acontecera com Vestrepo. O cabo Bruno e o soldado Leão desceram de suas motos e se acercaram do corpo retorcido ao chão.

— Vamos arrumar isso, *boss*! — disse friamente o cabo Bruno que, ao chegar junto ao corpo, tratou de esticar os membros e retirar o capacete do sargento. Ao mesmo tempo que Bruno acertava o corpo, o soldado Leão abria a jaqueta do colete e, ao tocar o corpo do sargento, seus nanossensores buscavam os sinais vitais.

— Sem pulso, sem respiração: tecnicamente morto! — responde o soldado.

— Calma aí, Leão! Não é só porque essa maquininha disse que ele não respira que você vai acreditar que ele tá morto. Vamos fazer do jeito antigo! — disse o cabo Bruno, ajoelhando-se sobre a cabeça do Sgt. Vestrepo e iniciando uma respiração boca a boca.

— Vai aí você agora!

Ao receber essa ordem, o soldado Leão inicia a massagem cardiopulmonar no tórax do Sgt. Vestrepo.

O trânsito, a essa altura, já estava bem lento. Os quatro agentes, que também vinham em suas motos, pararam perto do corpo, mas não o tocaram. A Ninja com os alforjes estava caída a cerca de cem metros do corpo. O Agt. Jota foi até ela. Com a explosão do pneu, o voo e a queda descontrolada da Ninja negra, um dos alforjes havia se rompido. Por mais de duzentos metros pôde-se ver pequenas cápsulas espalhadas pelo asfalto. Com o vento produzido pelos carros, as cápsulas eram espalhadas por toda a parte. O Agt. Jota pegou uma das cápsulas e percebeu que ela estava vazia.

– Cápsulas de vento! Não há nada dentro delas. Repito: estão vazias! Não tem droga nenhuma! – comunica Jota à Agt. Verônica.

– Abortar missão! – comunica Verônica aos outros. Assim, todos seguem em direção à central da PF.

Um grande drone da empresa concessionária das marginais abaixou e centenas de nanodrones cobriram o corpo do sargento Vestrepo e, trabalhando em paralelo com o IBrain do militar, começaram os processos de reconstituição e fixação da medula e de todas as outras partes que sofreram o trauma da queda. Após imobilizarem o corpo, o grande drone o recolheu para o único hospital da região sul de Carboxy. Assim, o Sgt. Vestrepo foi transportado tecnicamente morto.

Os outros dois militares subiram em suas motos e seguiram para o destino indicado. O Bentley preto passou devagar e observou a cena, mas ninguém se comoveu com mais um destes "cachorros loucos" subindo ao céus, içados por drones.

Ao mesmo tempo que o drone do hospital levava o corpo do sargento, outro drone pousava na beira da piscina de Fritz, trazendo as famosas cápsulas de Zulun.

Na central da PF, os agentes se reuniram para discutir o que aconteceu.

– Quem derrubou o Sgt. Vestrepo? – perguntou irada a Agt. Verônica.

– Alguém que não queria que ele chegasse ao seu destino! – responde o mais lógico de seus agentes, Baltazar.

– Mas então alguém mais sabia dessa entrega! – responde Lílian, a agente mais intrigante do grupo.

— Impossível! Somente nós e nosso agente de São Francisco sabíamos disso! – disse Jota, o agente mais velho do grupo.

— Ou talvez isso tudo era só uma cortina de fumaça para o carregamento seguir por outros caminhos! – disse a Agt. Lílian.

— Mas é claro, fomos enganados como uns patinhos! – respondeu a Agt. Verônica.

— Mas eles devem ter deixado alguma pista – indagou o Agt. Haldo. – Vou checar a *bike* do pilantra, ela deve estar no pátio dos destroços da Marginal neste momento, pronta para ser reciclada.

— Que pena, aquela *bike* era melhor que as nossas! – replica o Agt. Baltazar.

— Ô, general! Vê se da próxima vez a senhora arruma umas *bikes* mais rapidinhas! Se não a gente vai comer poeira desses bastardos sempre! – disse Baltazar à Agt. Verônica.

Os agentes riem e saem da sala de reunião.

13

Drug lord

Diante da mansão do senhor Fritz, os dois militares chegam e jogam os alforjes, que não foram destruídos, em frente a um grande portão negro. Ali mesmo, dentro de uma boca de lobo, um pacote de dinheiro já os esperava em uma caixa de papelão. De frente para as câmeras de vigilância, o cabo Bruno saca sua Colt 45 e descarrega a arma direto na câmera.

– Nós não seremos bode de piranha pras operações de vocês, seus FDP! – diz cabo Bruno. Uma mensagem enviada para seu *e-mail*, em seu IBrain, cinco segundos depois de seu ato, explica:

– Nós não sabíamos de nada disso! Não fomos nós que atentamos contra a vida de seu colega. Sentimos muito pelo ocorrido! – lê em voz alta o cabo Bruno, para que soldado Leão também ouvisse.

– Vão se ferrar, seus babacas! – diz o soldado Leão, ao lançar uma granada no portão da mansão.

Apos três segundos, os dois já estavam longe, em suas motos. A explosão da granada acionou o sistema de monitoramento da PF, que teve de enviar uma patrulha para averiguar o que aconteceu.

A mansão do Fritz já era bem famosa, e dessa vez o administrador deu como desculpa que uns guris vizinhos estavam lançando balões de São João e um caiu acidentalmente sobre o portão.

– Balão de São João em plena época de Natal? – disse um dos patrulheiros.

– Sim, os vizinhos de vez em quando se confundem com as comemorações religiosas, eles são chineses e querem participar da cultura local, e às vezes cometem erros. Mas não se preocupe, eles vão arrumar e nós não apresentaremos queixas! – falou o administrador, que também era advogado de Fritz.

A patrulha reportou à central o incidente. Todos já sabiam que essa ocorrência seria mais uma para arquivamento.

14

No pátio de destroços da Marginal Tietê

O Agt. Haldo segue até o pátio que era controlado pela PF. Naquele lugar, em meio a sucatas e restos de carros e motos que chegavam diariamente, trabalhavam os policiais desclassificados pela PF, antigos servidores públicos corruptos vindos das três polícias, agora unificadas. Centenas de motos dos "cachorros loucos" quebradas por choques nas marginais eram empilhadas para reciclagem.

A maioria dos "cachorros loucos" não possuía *apps* de seguro médico, sendo assim, morriam antes de o resgate chegar. O Agt. Haldo busca no velho banco de dados MSQL, o sistema de estocagem e logística de veículos, as últimas entradas do dia. Busca também informações entre seus arquivos pessoais, pois havia fotografado e escaneado a moto do Sgt. Vestrepo. Confirma a identificação e requisita a máquina Kawasaki Ninja, totalmente destroçada. Um policial gordo e barbudo aparece e fala:

– Aí, meu *cumpadi*, dá pra deixar um cafezinho pela ajuda?

O Agt. Haldo nem responde, só mostra o dedo do meio para ele! O policial bonachão:

– Ô, meu irmão, você não tem senso de humor! Vai ter um ataque do coração logo, vivendo sério desse jeito!

Em poucos segundos, uma empilhadeira automatizada deposita a Ninja negra, ou melhor, o que sobrou da motocicleta em uma mesa de aço inoxidável. O Agt. Haldo abre seu colete e solta um pequeno drone chamado Farejador. Esse drone possui a forma de um minicachorro, em suas narinas estão presente um miniespectrofotômetro de massa, que realiza mil leituras por segundo. Haldo baixa o banco de dados da Kawasaki, assim pode recolher alguma pista dos materiais originais da *bike* e comparar com algum tipo de material que poderiam ter sabotado o sistema de segurança impecável da tecnologia japonesa, como material explosivo, por exemplo. Após o Farejador percorrer toda a *bike* e depois de todas as análises checadas, somente os hidrocarbonetos poderiam ter alguma relação com explosivos, mas estes foram conferidos especificamente e não apresentaram nenhuma correlação que fugira dos padrões dos compostos dos óleos e combustíveis normais. O Agt. Haldo observa as filmagens do nanodrone que seguia no capacete do Sgt. Vestrepo e, ao diminuir os quadros da filmagem, no momento da desestabilização da *bike*, observa que o piloto tenta olhar para trás e para baixo. Isso poderia ser uma pista. Coloca o Farejador para fazer uma varredura na roda de trás da *bike*. Em meio às informações da composição química dos materiais que formavam as ligas leves da roda traseira, um dado importante: a presença de resíduos de aço inoxidável com traços de tungstênio, na liga de magnésio. Haldo se aproxima do ponto de amostragem do aço inoxidável e pode observar um furo arredondado e outra parte quebrada na roda. Aquilo parecia um buraco de bala de fuzil.

O agente faz o *download* de todas as ocorrências acontecidas em um raio de 5 km e todas as gravações das câmeras de segurança que registram algum disparo de arma de fogo nos dez segundos antes do momento do acidente do Sgt. Vestrepo. "Bingo", fala sozinho.

Com seu *app* de localização de disparos da PF e mapas sobrepostos, pôde traçar os locais e a origem dos tiros ocorridos naquele momento. Eram no total de cinco. Dois de armas leves, pistolas automáticas que acertaram alvos próximos, registradas as ocorrências e finalizadas as vítimas. Dois outros feitos de dentro de veículos estacionados, já concluídos pela perícia como tentativas de suicídio com êxito total de pobres carboxianos fracassados. E um vindo de uma portaria de um prédio, para coibir uma tentativa de assalto, sem finalização. "Aqui está o autor da brincadeira!", fala novamente Haldo para si mesmo. Ele coleta as provas da motocicleta, recolhe seu Farejador, formata os mapas com as provas e os estudos de balísticas, conferidos e acurados pelo seu *app* Nasa Orbit, que poderia calcular qualquer trajetória e de qualquer corpo em qualquer astro ou planeta do universo conhecidos. O resultado da balística apontava com precisão de 99% de chance de a bala ter partido da portaria e acertado a roda da moto. Montou seu relatório e enviou para a Agt. Verônica. Com a localização do disparo, foi fácil identificar o trabalhador que era autorizado a usar o equipamento de repressão letal: Reginaldo Fiel era o encarregado do trabalho de porteiro e segurança do Edifício Palace naquela noite.

Em menos de quinze minutos, após terminada a reunião, a Agt. Verônica, que tomava um chá e se preparava para encerrar o expediente, recebeu as informações. Todos os outros agentes já haviam sido dispensados, somente ela e o *workholic* Haldo continuavam em serviço.

Verônica encontrou com Haldo no estacionamento do prédio da PF, pois o Pátio da Marginal não era muito distante dali.

– Tem coisas que a gente deve fazer pessoalmente! Não quero interrogar aquele cidadão sem olhar direto nos olhos dele! – falou a Agt. Verônica a seu subordinado.

Os dois entraram na Maserati púrpura. Ela era totalmente coberta por nanossensores que mudavam de cor. O *app* Camaleon funcionava da seguinte maneira: um nanodrone circulava o carro, filmando-o de todos os ângulos, depois combinava as imagens ao seu redor, vindas dos lados opostos, e assim enviava as imagens para os nanossensores, que camuflavam o carro na paisagem. Esse processo só era possível se o nanodrone voasse até seu limite de velocidade, que era de 180 km/h. Após essa velocidade, ele era conectado direto ao carro, para não ser deixado para trás, e não conseguia processar as imagens de forma exata, pois nessa velocidade só alguns borrões poderiam ser identificados na paisagem. A Maserati, quando estacionada e desativado o *app* Camaleon, apresentava a cor púrpura. Cor preferida da Agt. Verônica.

15
Edifício Palace

Foram vinte minutos de viagem até o prédio antigo da alameda Morumbi. Ao chegarem, os agentes se identificaram e Reginaldo abriu os portões e os recebeu em uma pequena sala no *hall* de entrada do prédio.

– Reginaldo, poderia nos entregar as gravações pessoais de seu ISkin no momento de seu disparo? – questiona o Agt. Haldo.

– Mas por quê? O tiro nem acertou o carboxiano. Ele nem foi ferido! – respondeu Reginaldo, que suava frio em suas mãos e sentiu um aperto no estômago. Ele antecipara que algo de ruim deveria ter acontecido, principalmente pela aparição de dois agentes da PF. "A merda poderia ter sido grande", pensava Reginaldo, que mantinha um sorriso amarelo no rosto.

– Reginaldo, você será acusado de tentativa de homicídio de um cidadão de bem! Sabe o que isso significa? – fala firmemente a Agt. Verônica ao porteiro.

Reginaldo, não entendia nada de leis. Tinha pouca instrução e aquele emprego de dezesseis horas por dia, com direito a um quarto ao lado da sala de máquinas do elevador, era a única coisa que o mantinha feliz. Caso contrário, estaria vivendo nas ruas de Carboxy, em um daqueles carros imundos e fétidos, onde seus pobres amigos moravam.

Nesse instante, ele acionara o Google de seu ISkin e buscara a pena de "tentativa de homicídio de um cidadão de bem". Seus olhos piscavam incessantemente nas buscas. Ele ficou atrapalhado com a quantidade de janelas que tentava abrir ao mesmo tempo. Mal lia uma delas e já pulava para outras. As penas variavam entre uma multa de um milhão de dólares, se a vítima fosse um mero carboxiano, até a execução sumária. Ele ficou desesperado.

— Mas eu nem acertei ele! Ele saiu em direção à Marginal e eu nunca mais o vi!

A Agt. Verônica, ao perceber o estado catatônico do porteiro, dá um tapa na cara dele e diz:

— Desliga essa merda! Vamos conversar!

Reginaldo abaixa a cabeça e dá uma longa piscada com os dois olhos, respira fundo e enxuga o suor do rosto, misturado a lágrimas que já não podia conter.

— Quem era ele? — pergunta objetivo o Agt. Haldo.

— Eu não sei! O sistema de identificação do *app* Hawks não tinha nenhum registro criminal dele, e também no banco de dados do ISkin não conseguia identificá-lo. Pensei que poderia ser um desses novos carboxianos sem registro e prestes a cometer um crime! — responde Reginaldo, mais calmo. — Mas ele estava seguindo a patroa e poderia ser uma ameaça a ela! — continua o porteiro, mais tranquilo.

— Eu pedi autorização para atirar e ela concordou! — responde Reginaldo, mais tranquilo, ao perceber que não era culpado de nada e que somente executava ordens.

— Mas o senhor perdeu o alvo com um fuzil AK-47 de mira telescópica com *locker*? — pergunta o Agt. Haldo. De acordo com o conhecimento do agente, quando a mira infravermelha digital do AK-47 aciona a função *locker*, é impossível perder o alvo, pois, mesmo que o alvo se movimente, ele já está travado na mira, e o *app* Locker, que controla o sistema computadorizado de movimento do rifle, depois que este é acionado, é o mais perfeito de toda a indústria bélica, apresenta quase 100% de chances de sucesso de acertar o alvo.

A Agt. Verônica examina todas as gravações do sistema de segurança local e o sistema do ISkin de Reginaldo. Nas gravações, vê que realmente alguém seguia a moradora do prédio. O vulto que vestia uma roupa preta não pôde ser identificado pelas imagens, pois seu rosto era coberto pela máscara usada por quase toda a população quando estava ao ar livre. O curioso era que o IP de seu nanocomputador era o mesmo IP da mulher que seguia, à sua frente. "Mas como isso?", pensou Verônica. Pela primeira vez em sua carreira de agente da PF observara alguém operando um dublê de sistemas. Ou seja, os dois compartilhavam os mesmos acessos ao mesmo tempo. Ela já ouvira sobre os vírus dos antigos sistemas DOS, da Microsoft, mas nesse sistema, completamente à prova de *hackers*, isso era um tremendo problema. Ela não comentou o achado com seu colega.

– Posso falar com sua patroa? – pergunta a Agt. Verônica.

Reginaldo fecha os olhos e balança negativamente a cabeça:

– Minha senhora! Se eu incomodar a patroa a essa hora e se for a respeito do tiro que eu errei, ela vai me matar! FAZ isso não!

– Reginaldo, você não perdeu o tiro! Você acertou o veículo de um homem de bem e a essas horas ele já deve estar morto! Chama ela agora! – fala firme o Agt. Haldo com o pobre porteiro, que a essas alturas já apresentava lágrimas a correr de seus olhos, mas mantinha um sorriso de serviçal no rosto.

Reginaldo usa o velho sistema de comunicação do prédio e chama Walkíria. Ela desce vestida com seu penhoar negro e olha diretamente nos olhos de Reginaldo. Os agentes se identificam, mostrando suas credenciais. Ela nem observa, pois sabia que algo ruim deveria ter acontecido para que dois agentes da PF estivessem por ali àquela hora da noite.

– Em que posso servi-los? – pergunta Walkíria, sem muita paciência com a visita inesperada.

— A senhora sabia que estava sendo seguida hoje à noite? – pergunta Verônica.

— Não, não percebi nada. Até o Reginaldo me conectar e dizer!

— Alguma coisa diferente aconteceu com a senhora no caminho de casa? – pergunta Haldo.

— Não. Nada diferente do usual!

— Pode me dizer qual sistema a senhora usa, por favor? – pergunta a Agt. Verônica.

— IBrain – responde Walkíria, fechando os olhos, em sinal de cansaço daquele inconveniente interrogatório fora de hora.

— Poderia passar meu contato para a senhora, caso se lembre de algo importante que nos ajude em nossa investigação? – pede educadamente o Agt. Haldo a Walkíria.

— Claro – Walkíria dá uma piscada direto para o olho de Haldo, e assim ele recebe todos os contatos da mulher. E ao mesmo tempo envia todas as formas de contato dele.

— Mas se o Reginaldo não acertou o alvo que me perseguia, qual o problema? – pergunta Walkíria.

— Ele derrubou um cidadão a 2 km daqui, que trafegava naquela rodovia – aponta a Agt. Verônica ao rastro de luzes distante, localizado ao final da rua, em meio a outros altos prédios.

— E ele está bem? – pergunta Walkíria, já imaginando a conta que viria para o condomínio, caso o cidadão estivesse morto ou hospitalizado.

— Acreditamos que não resistirá aos ferimentos! – manifesta-se o Agt. Haldo enquanto caminham para a saída do prédio.

— Boa noite! – despede-se a Agt. Verônica.

— Você está demitido! – fala Walkíria ao porteiro, ao se retirar do *hall*.

Reginaldo passa a mão na cabeça e olha para baixo. "Maldita hora que eu fui bancar o herói pra essa vadia!", pensa. Ele volta para a sua cabine, liga seu ISkin e agora era esperar o dia amanhecer, pegar suas coisas do quartinho quente e barulhento e buscar um *carbox* para viver. Já havia passado por isso antes, logo isso não seria um problema gigante. Ele liga em seu canal de novelas e esquece o que aconteceu em poucos minutos.

Dentro do carro, Verônica pede o contato de Walkíria a Haldo e busca no banco de dados da polícia e das redes sociais públicas todas as informações disponíveis sobre a bela mulher de quadris largos.

16
Mercados *online*

Walkíria era gerente de vendas de uma multinacional de *apps* de cosméticos que se chamava IBeauty. Uma empresa especializada em beleza cosmética que transformava alguns nanodrones em cirurgiões plásticos. E, de acordo com a moda, os clientes poderiam adicionar pacotes que modificavam alguns detalhes do corpo. Walkíria, que seguia todas as tendências da moda ditada por Paris, Tóquio e Xangai, utilizava o pacote inspirado na modelo Naomi Campbell, que tinha quadris largos. Assim, um simples comando em seu *app*, de pequeno ajuste de quadris, faziam os nanodrones transferirem gordura corpórea para essa região, moldando o corpo, injetando sua própria gordura para outras áreas intramusculares. Era possível adquirir praticamente todas as formas de corpos e rostos desejados.

Portanto, a situação econômica de Walkíria não era das piores, imaginou a Agt. Verônica. Filha de humildes comerciantes do antigo bairro do Bom Retiro, na cidade de São Paulo, Walkíria tinha uma filha de 5 anos. Uma garota linda, de olhos azuis. Ela adquirira o sêmen pela *startup* Genius, que possuía o melhor banco de esperma da Dinamarca, somente doadores com porte atlético impecável, altos, olhos azuis, com doutorado e com um histórico de câncer *free* na família poderiam vender seu esperma. Um mililitro de esperma desses caras valia duzentos mil dólares, pois dava para fecundar milhares de óvulos. Dessa forma, esses reprodutores passavam a maior parte do tempo se masturbando e vendendo seu produto fecundador. Walkíria vira somente uma foto do doador do sêmen, no catálogo da Genius. Essa empresa já havia fecundado mais de dois milhões de mulheres com o mesmo doador ao redor do mundo.

No histórico médico de Walkíria, disponível no banco de dados da PF, existia uma cirurgia de retirada de óvulos e o implante de um embrião. Resultado da fecundação *in vitro*. Em sua ficha criminal nada constava. Seu histórico de crédito era perfeito, sem protestos. Seu imposto de renda, um tanto suspeito, segundo a Agt. Verônica. Seu apartamento, avaliado em cinco milhões de dólares, não batia com a renda da gerente de vendas, que ganhava 15 mil dólares mensais. Se estivesse financiado, tudo bem, mas fora quitado havia mais de 5 anos. Isso era uma pista a ser investigada.

Sonegar impostos era uma prática muito comum no país desde os tempos antigos. Mas com todos os *apps* de gestão financeira, era possível rastrear quase todos os gastos de uma pessoa assalariada. Mas o dinheiro vivo ainda existia, e esse era usado para todos os negócios informais. Existiu uma *startup*, a BitCoin, que operava somente com moeda digital, mas não funcionou no Brasil, pois muitos *hackers*, a mando de políticos, tentavam lavar dinheiro pelos meios digitais, e após uma longa investigação os *bitcoins* foram banidos do Brasil. A PF chegara à conclusão de que, se houvesse *bitcoins* em vez do uso do dólar, a corrupção seria coibida. Mas o Congresso Nacional e o Senado lutaram com unhas e dentes para manter o dólar, diziam que o dinheiro impresso era a única forma de manter a liberdade do povo, pois como viveriam as pessoas que não tinham acesso à informática? Esse era o discurso de alguns políticos. Assim, prevaleceu o uso do dinheiro em papel, para a manutenção dos meios operantes da economia informal, ou seja, a manutenção da corrupção.

Com a dúvida da origem do dinheiro para a compra do apartamento de Walkíria, a Agt. Verônica poderia buscar mais pistas sobre como alguém poderia usar o IP e se conectar simultaneamente com o IBrain de Walkíria. E quem seria o carboxiano que podia *hackear* um IBrain?

Verônica decreta encerrado o expediente daquele dia. O Agt. Haldo ainda tinha energia para tentar localizar o carboxiano que seguira Walkíria, pois esse suspeito poderia ser quem arquitetara o plano de tentar tomar um tiro e calcular toda a operação para que esse tiro acertasse o Sgt. Vestrepo. Ele nunca acreditara em coincidências e, a seu ver, tudo tinha uma razão que poderia ser manipulada por pessoas de inteligência superior à sua própria.

– Você está maluco, Haldo! Isso é totalmente impossível de se planejar! Foi um acidente! – comentava a Agt. Verônica, chacoalhando a cabeça.

– Não existem acidentes! Tudo tem um motivo, um porquê, uma resposta lógica! – assim pensava Haldo, desmistificando o acaso, um homem com capacidades intelectuais acima da média e praticante da Cientologia, uma religião fundada no começo do século por alguns cientistas no norte da Califórnia.

– Ok. Se você acredita que isso pode ser uma prova a seguir, vá adiante e tente localizar o carboxiano que seguiu a gostosona! – conclui a conversa Verônica, que dirigia o carro em direção à Marginal Pinheiros, de volta para sua casa, localizada no bairro Casa Verde.

A Agt. Verônica ficou bastante contente com o fato de Haldo se motivar para encontrar o suspeito. Também porque o Agt. Haldo era o mais esperto e meticuloso de todos de seu grupo, era apelidado de Bull Dog, pois, quando pegava um problema para resolver, não largava mais, até solucionar o mistério. Assim, ela tinha a certeza de que ele encontraria o *hacker* e descobriria se ele estava trabalhando junto ou não de Walkíria.

17

Verônica tenta ir para casa

A Agt. Verônica dirigia em direção à Casa Verde quando o Agt. Haldo diz:

— General, pode me deixar na próxima estação de metrô?

— Que foi, Haldo, não vai para sua casa, se juntar à família? Não vai dizer que voltou a beber? – indaga Verônica.

— Não, não tô bebendo não! Só tenho que fazer umas coisas antes de ir para a casa – disse ele, todo encabulado.

Verônica para o carro na estação e se despede do colega. Haldo ficara envergonhado de dizer a verdade à Verônica, mas havia uma semana que sua esposa havia pedido a ele que se retirasse de casa. Exatamente por causa do problema com a bebida, pois todos os dias que voltava para casa parava no bar da esquina e bebia até não poder caminhar e ser levado por alguns companheiros. A esposa já não aguentava mais vê-lo bêbado todas as noites. Eles eram casados havia cinco anos e não tinham filhos, pois queriam ter do jeito antigo, da forma natural, fazendo sexo de verdade. Mas algo de errado havia com um deles. Visitaram vários especialistas, implantaram nanodrones para saber as causa da infertilidade e descobriram que os espermatozoides de Haldo não sobreviviam o tempo suficiente para fecundar um óvulo. Existia uma possibilidade de fazer isso da forma nanodrônica, mas o *app* IBirth era extremamente caro, e Haldo não podia bancar esse suporte técnico naquele momento. Assim a esposa, aproveitando da fraqueza do marido, começou a pensar na possibilidade de fazer uma inseminação artificial com o pacote dinamarquês, quase do mesmo preço, mas com o Super-Homem dos doadores. Isso machucou os sentimentos daquele brilhante agente, que não tinha aparência muito atraente para a sua esposa. Logo, usava o álcool para aliviar esses problemas pessoais. A situação chegara ao ponto em que ele se tornara violento; em uma daquelas noites de bebedeiras, a esposa precisou se trancar no banheiro, mas não chamou a PF, pois sabia que, se chamasse, o marido seria punido com a exoneração do cargo, e isso seria o maior pesadelo na vida deles. Desse modo, no dia seguinte, pediu a ele que procurasse outro lugar para viver, até conseguir parar de beber. Haldo arrumou suas coisas e, como não tinha muito dinheiro para sustentar dois aluguéis, foi morar em um *carbox*. Ele mesmo já tinha um que utilizava para guardar histórias em quadrinhos, tirinhas de jornais e histórias seriadas de mistérios, coisas pelas quais que era aficionado desde criança. Assim, em uma bela manhã, aproveitando a boa qualidade do ar, retirou todas as caixas de sua Kombi 2015, último modelo lançado da Volkswagen naquele país, e, em uma cerimônia de adeus, queimou todos os pedaços de jornais e quadrinhos. Queria que aquele momento fosse marcado por um novo recomeço. Prometeu para si que não mais beberia e conseguiria, de qualquer maneira, o dinheiro para fazer o tratamento de fertilidade e engravidar Jane, sua esposa. Naquela momento de despedidas de seu *hobby*, queimara um exemplar do mais famoso super-herói já criado, a edição número um de Superman, de 1938, algo que valia em torno de dez milhões de dólares. O suficiente para acabar com seus problemas financeiros.

Depois de uma semana sem beber, o Agt. Haldo, ao voltar para seu espaçoso Carboxy, não tinha muito o que fazer e decidiu chamar Jane. Fez uma breve chamada pelo Skype. Ela não o atendia havia mais de uma semana. "Maldita!". Assim, para distrair seus pensamentos, resolveu investigar as imagens do sistema interno do metrô e buscar mais informações sobre o suspeito que seguira Walkíria, o qual acreditava que seria o mentor do atentado contra o Sgt. Vestrepo.

Os carboxianos não usavam máscaras nem capacetes dentro dos vagões do metrô, pois isso era proibido por lei. Porém, no primeiro segundo em que podiam se mexer, colocavam as máscaras, assim a maioria dos carboxianos descia dos trens mascarada, pois ninguém queria correr o risco de respirar o ar contaminado da megalópole. "Portanto, se Walkíria estava sendo seguida desde o metrô, o suspeito deveria estar próximo dela antes que ela de lá saísse. Com o *app* de identificação facial da PF, conseguiu localizar Walkíria no banco de imagens do metrô desde o momento em que ela se adentrou ao vagão 42. Com posse das imagens faciais de todos os passageiros do vagão 42, o Agt. Haldo pôde fazer uma pequena seleção dos suspeitos. Assim foram os números: nos cem metros quadrados do vagão 42 a capacidade máxima era de 450 carboxianos. Desde o momento da entrada de Walkíria nesse vagão, 351 carboxianos entraram e saíram. Mas pela lógica da busca do suspeito, Haldo pensava que não faria sentido investigar todos os carboxianos que desceram antes da estação Morumbi. Também, não fazia sentido investigar todos os ocupantes dos outros cinquenta vagões, somente os que estavam no mesmo vagão de Walkíria.

Então, de uma forma mais simplista, começou investigando os passageiros que desceram com ela na estação Morumbi: 89 mulheres e 52 homens. Cinco com o mesmo biotipo que foi capturado nas imagens de segurança do prédio. Mas nenhum tinha precisão de mais de 90%, assim, não dava para serem considerados verdadeiros suspeitos.

"Mas se o suspeito não viesse da estação e a estivesse monitorando com um nanodrone, e começasse a segui-la em meio ao seu caminho?" Essa poderia ser uma segunda hipótese. Haldo decide seguir com sua investigação no próximo dia. Mas não desiste, fica com a primeira hipótese de investigar todos os cinco mil ocupantes dos outros vagões que desceram na estação Morumbi. "Droga, como eles usavam máscaras, não sei como poderei identificá-los. Talvez tenha de pegar os suspeitos no momento em que eles vestem seus EPI's. Mas ainda assim não é certo de que conseguirei as imagens, pois não há cobertura de todos os ângulos das câmeras do metrô. *Fuck! I am fucked!* Mas eu não vou desistir!" Exausto de pensar em uma solução para a identificação do suspeito, cai no sono e deixa seu IBrain ligado.

18
Descanso

A Agt. Verônica conecta-se com seu irmão Jorge. Um tranquilo pai de família que vive no Canadá. Como era de costume, Verônica contatava o irmão todas as sextas-feiras, quando terminava o expediente. Era seu único membro familiar com acesso à comunicação. Falavam-se sempre, pois era a única forma de ela se manter conectada com algo que não era relacionado ao trabalho, não tinha praticamente nenhuma vida social fora da PF.

– Oi, velho! – assim saudava a seu irmão.

– Oi, generoa! – brincava o irmão. – Essa palavra não existe! – sorria Verônica.

– Como foi o dia? – pergunta Jorge, colocando no colo a filha de seis meses.

– O mesmo de sempre! Um monte de documentos para ler, a burocracia do escritório! Nada excitante! Oi, coisinha linda da titia! – sorri Verônica ao ver a bebê sentada no colo do pai.

– Me engana que eu gosto! Em Carboxy? Um dia sem problemas? Só cafezinho no escritório? Tá bom! – assim dizia seu irmão, que havia deixado Carboxy há cerca de dez anos, quando sentira que seria impossível criar uma família nos moldes antigos naquele lugar.

– É, querido! Carboxy não é para os fracos!

Verônica sempre se referia a ele como um desertor, uma pessoa que desistiu de lutar por sua pátria. Mas ela era forte e daria a própria vida para lutar por seus ideais.

– Ok, mana! Olha, fala aqui com a titia, minha lindinha! – Jorge pega nos bracinhos da bebê, faz movimentos de mandar beijos para a irmã.

– Estou brincando! Você é que está certo, por fazer essa escolha maravilhosa de viver em um lugar limpo e ter descendentes férteis. – diz Verônica, de forma mais complacente.

– Não, Vê! Você é a nossa heroína! Que luta para mudar esse país, tão cheio de bandidos... Torcemos por você, querida! – diz Jorge, sorridente.

– Tchau, meus amores! – finaliza a Agt. Verônica. Jorge manda um beijo.

Verônica para em um bar que só vende bebidas orgânicas. Alguns minutos depois, o Bentley que a seguira na operação da Marginal também para no local. O bar se chama Selva e lá dentro a única exigência é que os clientes desliguem seus *nanogeeks*. O bar também possui um sistema de bloqueios de internet por meio de ondas eletromagnéticas. O lugar quase não apresenta clientes. Ao fundo, uma musica antiga vem da radiola. O velho balconista serve um copo de suco verde para Verônica, uma mistura de abacaxi, hortelã, limão e gelo. A bebida mais maravilhosa que a Agt. Verônica já bebera. Não gostava de nada com álcool, também nunca provara nenhum tipo de drogas pesadas. O sabor daquele suco gelado a fazia relaxar e sentir até um arrepio em suas partes íntimas, entre as coxas. Não tinha a mínima noção do porquê de aquilo acontecer. Mas gostava muito. Ela pinga algumas gotinhas de um remédio que tira da bolsa e toma mais um pouco do suco. Verônica fecha os olhos e tenta não pensar em nada. Fizera o implante do IBrain havia cerca de seis meses, assim como todos os agentes de seu regimento: isso seria mais uma ferramenta de trabalho. Eles eram elite de seu pelotão, portanto, tinham a obrigação contratual de utilizar as ferramentas tecnológicas mais modernas. No começo, quando recebeu a ordem de fazer o *upgrade* de seu ISkin10 para o IBrain, ela relutou. A ideia de ter uma máquina operando dentro de sua cabeça, e com seu corpo repleto de nanossensores, ia muito além de uma simples lente do ISkin10. Foi difícil para o Agt. Hugo convencê-la.

— Verônica, você é minha melhor agente de todos os tempos. Se fizer este implante, darei o melhor grupo para você trabalhar, poderá escolher os cinco melhores agentes e colocá-los em sua equipe — assim disse Hugo.

— Não sei, não, comandante! Implante no cérebro? Isso está muito fora dos meus princípios! — balançava a cabeça negativamente.

— Vamos lá, Verônica! Eu te dou uma promoção e você poderá investigar qualquer grupo que quiser — prometera o Agt. Hugo.

Verônica tinha uma admiração muito grande por aquele homem. Na verdade, era um amor latente, reprimido por saber que Hugo era casado e tinha família. Mas seus melhores momentos eram quando estava ao lado de seu chefe. Ele a apresentara aquele bar e muitas vezes iam com todos os outros agentes ao final do expediente para uma bebida e umas partidas de bilhar. Um lugar onde todos eram obrigados a desligar seus nanocomputadores e focar apenas em um assunto. Coisa quase impossível naqueles dias.

Logo após Verônica aceitar a proposta do Agt. Hugo, ela teve a oportunidade de montar seu grupo especial para investigações livres de ordens de superiores. Hugo seria enviado a uma missão especial fora do país, assunto confidencial entre os amigos. Até que veio o terrível acidente. O pequeno helicóptero que transportava Hugo e mais uma agente explodiu sobre o mar quando voltava da Ilha Bela para o norte de Carboxy. Todos os ocupantes foram totalmente carbonizados na explosão. Um trauma para todos da PF.

A Agt. Verônica fecha os olhos e consegue dormir por quase uma hora. Acorda e lembra que seria bom ir para a casa e tomar uma vaporizada, ou seja, seu banho. Ela paga a conta, despede-se de João, o *barman*, sobe em seu carro e vai a caminho de seu apartamento.

19
Na UTI de um hospital público

O Sgt. Vestrepo recebe os primeiros cuidados dos avatares médicos. O comandante geral do 5BI, ao saber do acidente, ordena que todos os esforços para a recuperação da vida de Vestrepo sejam feitos, não importando o custo dessa operação. Assim, um neurocirurgião foi pessoalmente ao encontro do paciente no antigo hospital. Esse hospital geralmente atendia somente os indivíduos que não possuíam plano de saúde e que não tinham nenhum *app* médico. Esse era um dos poucos projetos sociais que sobraram depois da reforma de 2018, quando a saúde pública foi privatizada. Nessa época, os parlamentares e senadores pregavam que o povo tinha de ter acesso a um sistema de saúde digno e o estado não tinha condições de prover esse serviço, assim, com o dinheiro gasto para bancar o serviço público, contrataram tudo que era privado. No entanto, algo tinha der ser feito com as pessoas que não tinham condições de pagar nenhum plano de saúde, e havia somente um lugar, o Hospital da Beneficência Portuguesa.

O local estava lotado de gente agonizando na sala de espera. Após serem triados por drones que escaneavam a situação do paciente, muitos eram medicados e enviados para casa. Somente os casos mais graves eram internados. Na internação, muito do que se via eram problemas crônicos de tumores em várias regiões dos corpos. Em várias minissalas de cirurgia, drones e avatares auxiliavam na operação de retirada desses tumores. A Unidade de Tratamento Intensivo (UTI) ficava na última ala sul do hospital. Havia muitos leitos vazios, pois a maioria dos pacientes não chegava a necessitar de tratamento intensivo após cirurgias, pois, se o caso fosse muito grave, os avatares dos doutores que operavam a distância geralmente perfuravam o córtex cerebral e interrompiam a vida dos carboxianos, a melhor forma de acabar com o problema: o extermínio. Essa fora uma medida política para cortar os gastos com a saúde, pois os maiores gastos dentro do hospital estavam relacionados à UTI. Com a rara preocupação do alto comando com a saúde de um mero soldado, o poder militar ordenou que todos os cuidados fossem tomados para que a saúde do Sgt. Vestrepo fosse restabelecida. Assim, em razão da importância do caso, Dr. Simon, o mais caro e famoso neurocirurgião de Carboxy, foi acionado e fora pessoalmente ao encontro da vítima.

O doutor estava participando de um pequeno campeonato de golfe com os amigos, em Ilha Grande, localizada na parte nordeste de Carboxy, além de estar trabalhando em seu IBrain em uma análise de liberação de novos equipamentos médicos para o país, quando foi chamado em uma linha especial do diretor geral do único hospital público, que, no entanto, era um dos donos de todas as redes de *apps* médicos legalizados no país.

— Dr. Simon! Como tens passado? – indaga um senhor de cabelos e barba brancos.

— Muito bem, Ronald! E o senhor e a família? – pergunta o médico, interrompendo o trabalho e sua última tacada no *green* do buraco dezoito.

— Tudo em perfeita ordem! Desculpe o incômodo, mas temos uma emergência com um carboxiano de extrema importância para o sistema e gostaria de contar com sua total atenção para o bem-estar desse indivíduo! – fala sério Ronald.

Palavras como "total atenção" e "sistema" só eram utilizadas em caso de urgência entre esses homens de bem, que se organizavam e se ajudavam nos moldes das velhas irmandades.

Dr. Simon estava duas tacadas à frente de todos os outros três jogadores. Sua bola estava a menos de quatro jardas do buraco e se preparava para matar o jogo e receber dos rivais a bolada, apostada em dinheiro, de cinquenta mil dólares de cada um, o que seria cento e cinquenta mil de lucro, naquele começo de noite em Carboxy? No mesmo instante, um helicóptero pousa a menos de trinta metros do buraco dezoito.

— Qual a gravidade do caso? — pergunta Dr. Simon, agora paralisado pelo vento e pelo barulho do helicóptero do exército.

— Rompimento da medula com esmagamento e deslocamento da C1 e risco de desestabilização do sistema! — diz Ronald.

— Ok. Vou agora mesmo! — afirma Dr. Simon, caminhando em direção ao helicóptero, segurando seu *patter* e deixando a última jogada para trás, e seus amigos sem entender o que acontecia. Ao desistir da última tacada, o golfista perdeu a chance de receber seu prêmio. Mas o que era cento e cinquenta mil dólares para quem faturava um milhão por reunião semanal que presidia no conselho administrativo do Ministério da Saúde? "Dinheiro de pinga", como ele dizia!

Nos vinte minutos de voo até o hospital, Dr. Simon pôde ter acesso às informações médicas do Sgt. Vestrepo e tudo que fora feito para sua estabilização. Além do rompimento cervical, havia uma fratura de bacia, fratura exposta de fêmur e deslocamento do pâncreas. O paciente ficara dois minutos sem oxigenação cerebral, por causa da parada cardiorrespiratória, pois todos os nanodrones se concentraram em aliviar a pressão do deslocamento da C1, deixando apenas um nanodrone responsável pela descarga elétrica no coração, para restabelecer o batimento cardíaco, cessado com o corte do comando nervoso central. "Devemos rever a configuração das prioridades de atendimento desses nanodrones", pensou Dr. Simon, que era um das dezenas de médicos acionistas e parceiros da nanoAid *apps*.

Como na subida do voo em direção ao hospital um neurocirurgião já havia sido acionado, ele trabalhava no comando dos nanodrones e tentava reconectar a medula. Dr. Simon se comunica com o jovem neurocirurgião e o ajuda no direcionamento do tratamento.

Dr. Simon chega ao hospital e vai direto à UTI. Lá encontra o avatar de Dr. Felipe, que acompanhava o caso desde três minutos após o acidente. Dr. Simon observa o paciente, que está encapsulado na área de contaminação zero. Pede que o paciente seja rotacionado 180°, de modo que fique deitado, com as costas para cima. Com a conexão de seu IBrain no *app* de cirurgia Mudlife, Dr. Simon se encarrega da cirurgia que estava sendo feita pelo Dr. Felipe.

Microscópicos fragmentos de ossos eram reorganizados pelos nanododrones, como se estivessem montado um quebra-cabeças tridimensional. Essa parte era de competência dos nanodrones, pois seus sistemas de *software* eram os melhores para encaixar peças, isso fora herança do inventor do jogo Tetris e de engenheiros da Lego. Os nanodrones também juntavam os ossos e já os cimentavam com uma supercola proveniente de um tubo guia de entrega de suplementos médicos. Os microfilamentos da medula eram quase impossíveis de serem reunidos, mas os nanodrones faziam um bom trabalho também nesse setor. Dr. Simon empresta um nanodrone para percorrer toda a extensão da lesão. Viajando pelas áreas danificadas da medula, ele percebe que o estrago fora total, não havia nenhum filamento que escapara do rompimento. Caso os aparelhos fossem desligados, o Sgt. Vestrepo faleceria em menos de seis minutos. Os nanodrones rejuntavam fibra por fibra e as soldavam com uma liga de vanádio siliconado, que simulava a mesma condutividade eletromagnética dos neurônios. Assim, ao supervisionar o excelente trabalho dos nanodrones, Dr. Simon refletiu um pouco sobre a fragilidade do ser humano, a descartabilidade de um neurocirurgião nos dias atuais e a maravilha da nanotecnolgia. "Quando essas máquinas pensarem por si, estaremos fritos!", pensou.

Em menos de trinta minutos os milhares de nanodrones que operavam em diferentes áreas de Vestrepo foram, aos poucos, saindo de seu corpo. Alguns teriam de ficar por tempo indeterminado, pois as funções cardiorrespiratórias e motoras tinham de ser auxiliadas por toda a vida do sargento. A liga de vanádio siliconado não tinha a mesma precisão de respostas aos comandos cerebrais, portanto os nanodrones teriam de continuar trabalhando na correção desses comandos. Sgt. Vestrepo só sobreviveria enquanto esses nanodrones trabalhassem em paralelo com seu sistema neurológico. Isso era completamente aceitável, o único problema seria uma possível falta de energia para as baterias desses *nanogeeks*, coisa quase impossível de acontecer no sistema Tesla. Após uma hora e vinte e três minutos, os medicamentos que eram injetados em suas veias faciais, que o induziam ao coma, foram retirados. Em cinco minutos, o Sgt. Vestrepo começa a mexer as pálpebras dos olhos. O monitoramento da atividade cerebral indicava grande atividade do córtex frontal. Vestrepo tenta lembrar o que acontecera. Seu corpo está amarrado e um tubo adentra a sua traqueia. Ele abre os olhos e tenta levantar. Não consegue.

– Calma, Vestrepo! Está tudo bem! – diz o médico, do lado de fora da cápsula.

Sgt. Vestrepo tenta falar, mas não consegue, pois existem tubos em sua boca e traqueia.

– Você sobreviveu a um grave acidente, mas logo sairá daqui! – fala Dr. Simon.

Vestrepo começa a se agitar e sacudir-se na mesa em que está deitado, na tentativa de se soltar de suas amarras. Dr. Simon percebe sua agitação e dá uma dose de Haldol para que ele relaxe e descanse. O paciente responde rápido à dose aplicada e dorme um sono tranquilo, coisa que havia muito tempo não acontecia com esse soldado. Dr. Simon o observa por mais alguns segundos e deixa a UTI. O médico contata Ronald.

– Paciente são e salvo e em recuperação! Trinta dias de internação e ele sai daqui quase novo! – conclui Dr. Simon.

Dr. Ronald atende sorridente:

– Bom trabalho, Dr. Simon!
– Agora você me deve uma, Dr. Ronald! – diz Dr. Simon.
– Pode deixar, meu caro! – Dr. Ronald finaliza a ligação.

20
Conflitos

O atentado contra o Sgt. Vestrepo foi o início de um conflito entre os dois poderes, o Militar e a PF. Desde o dissídio popular, para que a PF estivesse incluída dentro das esferas executivas do poder político, para ajudar no controle e na ordem da nação e diminuir a corrupção vinda do regime presidencialista, a situação começou a mudar dentro deles. O poder militar era baseado na hierarquia das patentes, "Manda quem pode! Obedece quem tem juízo!". Ou "Faça o que eu mando. Não faça o que eu faço!". Esses eram os lemas e as máximas ensinadas dentro dos pelotões.

Esses oficiais já haviam tomado o controle da nação durante mais de vinte anos, subjugando os outros poderes, por isso sabiam a força que tinham em suas mãos. No começo da revolução popular de 2020, pensaram que poderiam voltar à cena como atores principais, mas a população não aprovara os anos de ferro desses senhores e optaram pela inclusão de uma força armada mais inteligente e mais honesta, assim optaram pela criação do Ministério da PF. Mas a base de governança militar no país vinha de séculos atrás, desde a formação da República, em 1889, e esta classe não admitia a derrota, nem que fosse da vontade do povo.

Os oficiais militares faziam parte da alta casta dos poderes da nação. Dentro dessa hierarquia, para se tornar um oficial, o indivíduo teria de entrar por meio de exame físico e escolar, e poderia prestar as provas somente se tivesse de 18 a 22 anos. Como a seleção sempre fora interna e nunca sofrera nenhum tipo de auditoria, entravam somente quem os antigos oficiais aceitassem, ou seja, os filhos e parentes dos próprios oficiais. Esse sistema permitia a perpetuação das mesmas famílias, por várias gerações, nesta instituição, pois as vagas eram reservadas aos filhos de antigos oficiais. Era um serviço com herança de pai para filhos e filhas do tal poder. Ali os homossexuais eram "curados" e se transformavam nos piores tiranos, em razão do intenso *bullying* sofrido pelos seus companheiros, uma instituição onde o estupro era permitido e a subserviência permitia a impunidade dos estupradores. Abaixo dos oficiais estavam os militares que executavam as práticas dos comandantes-oficiais, e esses nunca chegariam às patentes mais elevadas de comando, somente quando chegavam à idade de irem para a reserva, ou seja, ao se aposentarem.

Os militares eram ultraconservadores; um de seus lemas era a manutenção da família e da propriedade. Eram de extrema direita e contra qualquer tipo de ideal comum, pois a ideia de senso comum levava à expansão do comunismo. Por vários períodos da história estiveram no controle da presidência da República. E no último período que dominaram o governo executivo por quase vinte anos, de 1964 a 1983, massacraram a grande maioria esquerdista e os partidos políticos que tinham alguns ideais comunistas. Com o apoio da antiga mídia, conseguiam esconder seus crimes federais, como assassinatos e torturas, transmitindo, assim, uma imagem de bons administradores. A corrupção que existia dentro dessa esfera era feita somente entre o grande escalão, os subordinados só cumpriam as ordens, e, desse modo, os militares passavam os ideais de honestidade e amor à pátria. E grande parte da população clamava pela volta destes ao poder naqueles tempos de corrupção endêmica, mas mal sabiam quão mais astutos e maquiavélicos eles eram quando estavam no poder.

A PF era uma instituição mais democrática. Para iniciar carreira dentro dessa instituição, também era necessário passar por difíceis exames físicos e de conhecimentos gerais. Mas, ao contrário do exército, os candidatos poderiam ter de 22 a 45 anos de idade e serem formados em diferentes áreas do conhecimento, não importando sua história genética e parentesco. Isso permitia que pessoas realmente inteligentes adentrassem a essa instituição. Os que passavam pelos exames tinham orgulho de pertencer a ela, sabiam que estavam ali para lutar por justiça. Mas o comando dessa instituição não era tão idealista. Até pouco tempo atrás, durante o regime presidencialista, os temas das investigações eram filtrados pelo governo, e não havia total autonomia da PF junto ao Ministério Público para suas investigações. Com a mudança para o regime parlamentarista, a PF agora era um poder que trabalhava de igual para igual. E os suicídios, por conta da frustração de não poder realizar o trabalho de combate à corrupção e ao crime organizado, que era o maior responsável pelas baixas da PF nos tempos do presidencialismo, eram quase inexistentes nos tempos atuais. Mas como nada é perfeito, os comandantes dessa instituição agora tratavam dos negócios da nação, trabalhando diretamente com a cúpula dos outros poderes, isso fazia com que eles sentissem muito a presença do lado sombrio da força da corrupção.

Em 2020, quando o caos tomou conta da sociedade, as Forças Armadas foram designadas a tomar conta da situação de estado de sítio em que se encontrava o país. Assim, os militares, que vieram para controlar a população e reinstalar a ordem social das grandes cidades, ao ocupar e interagir com a população nas ruas, puderam aprender o *modus operandi* da criminalidade local. No início se interessaram por negócios que geravam muito lucro e pequeno esforço; como o alto escalão estava preocupado com os grandes acordos, as ruas eram deixadas para os suboficiais e soldados de baixa patente. Esses soldados trabalhavam então em dois turnos, um no exército e outro executando ordens da máfia local. Depois disso, em um período de quase vinte anos de estruturação paralela de poder, essas forças aprenderam que organizar os crimes nas ruas era uma atividade tão lucrativa quanto administrar grandes fundos de pensões para investimentos ilícitos. Além de ser uma forma de corrupção muito mais fácil de se articular, pois só bastava ser dono do poderio bélico intimidador dos cidadãos comuns.

Sgt. Vestrepo trabalhava para a máfia da maior e mais lucrativa cidade do país. Ele coordenava todas as operações de segurança da distribuição das drogas mais caras que adentravam nos bairros mais ricos de Carboxy sul. Uma operação que movimentava milhões de dólares diários. Os militares de alta patente já haviam indicado esse soldado e sua equipe para o trabalho sujo vinculado à máfia e recebiam parte da comissão de cada trabalho de seus homens. Todos ganhavam com esse suporte: os mafiosos tinham a tranquilidade de operar sob o caro apoio do exército, os comandantes militares recebiam parte da venda das drogas e os soldados, que faziam o trabalho sujo, recebiam a menor parte.

A PF, que focava suas investigações em crimes de colarinho branco, começou a investigar também a participação de integrantes das Forças Armadas em crimes comuns do cotidiano urbano de Carboxy. Como em uma gigantesca teia de aranha, começaram por uma pequena ponta. Descobriram que sempre havia conexões entre os pequenos crimes que aconteciam nas ruas e o serviço prestado informalmente pelo segundo turno de trabalho dos soldados militares. E tudo começara de forma aleatória. Alguns meses atrás, agentes da PF apreenderam um carregamento de equipamentos eletrônicos contendo também armas do exército, tudo sob o controle da máfia. Isso colocou alguns agentes a reunir provas e começar uma investigação paralela aos militares. Outro fator importante foi a entrada desses grupos militares em território dominado por policiais da PF; parte desses territórios se sobrepunha, pois não existiam barreiras geográficas na clandestinidade desse trabalho. Desde a união das polícias, muitos dos maus policiais foram exonerados, mas sempre fica uma parte meio podre. Os agentes suspeitavam que alguns outros agentes ainda trabalhavam com os contraventores, mas não tinham nenhuma prova concreta, e o ambiente era sempre de desconfiança entre eles. A região sul de Carboxy era o território favorito para os investidores do mercado clandestino de drogas. Os carboxianos da elite adoravam as novidades que os fizessem ficar chapados e com maior atividade intelectual, assim se sentiam mais inteligentes. Então os rumores de uma nova droga vinda da Califórnia, que custaria muito mais caro que os velhos estimulantes, colocaria em cheque a hegemonia dos velhos grupos apoiados pela PF, e, como os militares estavam junto aos grupos mafiosos apoiados por alguns políticos, iniciou-se uma corrida pelo poder nesta área.

O Gen. Bustamante recebe a notícia sobre o atentado contra a vida do Sgt. Vestrepo, por meio de chamada de um velho telefone físico do Cap. Tiburcius. O general era avesso aos implantes tecnológicos, trabalhava de maneira antiga, com documentos em papel, arquivos de armários de aço e máquinas de escrever, tudo isso provenientes de um velho Palácio do Governo, que era um museu e fora encampado pelo general. Ele dizia: "No dia que toda essa porra de ICloud colapsar, virão até mim aprender como se trabalha com informação secreta!". Apesar de sua rudimentar maneira de trabalhar, ele era o líder do poder militar, e suas ordens eram cumpridas sem nenhum tipo de questionamento, mesmo por outros generais.

– Quem tentou matar um de nossos homens, Cap. Tiburcius? – pergunta diretamente o general.

– Não sabemos ainda, senhor! Mas, o que tudo indica, foram os PF! Segundo um de nossos informantes, eles estavam em uma operação de apreensão de drogas próximo ao local onde nossos homens iriam entregar os alforjes! – falou com a voz trêmula o capitão, que corria em uma esteira com programa simulador de terreno irregular de floresta, ao mesmo tempo que conversava com o general.

– Quero a cabeça desses agentes federais em minha mesa até amanhã de manhã – disse sem pestanejar o general, acostumado a dar ordens de guerra. Ele acreditava exatamente nisso, todos os dias eram dias de guerra, e para conter uma população de quinhentos milhões de habitantes sob controle passivo, tinha de se ter mão de ferro.

– Sim, senhor general!

Tiburcius sabia que aquele comando era algo para valer. Sabia que, se em doze horas não entregasse a cabeça de todos os agentes da PF na mesa do Gen. Bustamante, isso custaria a sua própria cabeça. Mas essa guerra seria diferente, já executara guerrilheiros urbanos, milicianos e policiais, mas agentes especiais da PF seria a primeira vez. Ele sabia que esses indivíduos tinham treinamento de guerra individual e tinham acesso a todas as versões dos *apps* Survivors desenhados pelos melhores agentes da Agência Central de Inteligência Norte-Americana (CIA), além de carregar equipamentos bélicos capazes de dizimar por completo esquadrões de soldados. "Essa não será uma guerra fácil!", pensava o Cap. Tiburcius. "O negócio é pegar o inimigo de surpresa!"

O expediente normal do exército começava às seis da manhã. Sabia que todos os melhores homens de seu pelotão, àquela altura da noite, quase oito horas, estavam em outros turnos, fazendo seu pé-de-meia. Mas ele não podia esperar até o outro dia. Sua vida dependia do sucesso dessa operação. De forma anônima, o Cap. Tiburcius recebe um e-mail em seu IBrain com a ficha dos seis agentes que trabalharam na operação que resultou na derrubada do Sgt. Vestrepo.

Tiburcius imaginou que naquele momento os agentes deveriam estar celebrando a intercepção do carregamento de drogas em algum bar na parte sul de Carboxy. Ele chama quatro de seus soldados e agenda um encontro em meia hora nas dependências do próprio 5BI. Como era considerada uma operação de guerra, eles teriam acesso a todos os armamentos desejados. O Cap. Tiburcius desliga seu simulador de corrida rústica e vai em direção ao quartel.

21
Teo nas ruas

Teo não voltara para casa ainda. Eram mais de oito horas da noite e ele continuava a correr com seu *skateboard* entre as ruas tomadas por *carboxies*. Continuava aterrorizado com a imagem dele enquadrada em um alvo de fuzil e ainda não sabia como tinha desviado da bala. Também não sabia como aquelas imagens se formavam em sua fronte. Cansou de se misturar entre os carboxianos pelas poluídas ruas e adentrou a um café. Ao checar as comunicações, não respondidas nos últimos minutos, encontra duas chamadas não atendidas de sua mãe. Com clima mais calmo resolve chamá-la.

– O que aconteceu? – pergunta aflita sua mãe.

– Nada, mãe, esqueci que tinha combinado de me encontrar com um camarada da universidade e estava aqui conversando com ele num bar, acabei não vendo a hora passar! – mentiu Teo.

– Ok, meu filho, seu jantar está no micro-ondas. Quando chegar é só esquentar! Eu vou dormir, o dia foi cansativo! – despede-se sua mãe, um pouco triste por não ter o filho em casa, mas também contente por ele recuperar a vida social física, e não virtual.

Teo não costumava mentir para a mãe, talvez por isso sabia que ela não ficaria preocupada. Pediu uma Coca-Cola e buscou em seu ISkin10 os arquivos roubados de Walkíria. Olhou para os lados, com medo de alguém estar fazendo o mesmo que ele, acessando informações alheias. Isso não era crime, pois era teoricamente impossível, a não ser que o outro usuário o permitisse. Ficou um pouco constrangido de fuçar nos documentos de Walkíria, mas como arriscara a vida para fazer isso, talvez valesse a pena saber mais sobre aquela linda mulher. Pôde ver todas as informações pessoais de seu perfil social, as informações médicas e seus arquivos bancários. Não encontrou nenhum fato interessante, apenas um grupo secreto com milhares de mulheres que trocavam informações sobre a origem dos doadores de sêmen da Genius. Teo então deduziu que a filha de Walkíria era fruto de uma inseminação artificial. Também ficou curioso ao acessar as informações bancárias de Walkíria e observar contas em paraísos fiscais ao redor do mundo. Não era muito dinheiro, mas o suficiente para ele viver por dezenas de anos, de forma humilde. Acessou algumas contas, pois era necessário somente números e nenhum tipo de identificação corporal. Coisa comum em bancos que não necessitavam muito de programas de segurança, mas de reservas vindas de movimentações ilícitas.

Pelo perfil social, Teo observa as conexões e os amigos de Walkíria. Todas pessoas da classe A de Carboxy. Ali estavam as mulheres mais bonitas da sociedade e talvez possíveis clientes de Walkíria e seus *apps* de beleza. Na agenda social, havia uma festa marcada para as dez da noite no antigo clube Pinheiros. A festa era de lançamento de uma bebida chamada Absinto X e patrocinada por um grupo empresarial dirigido por um alemão chamado Fritz. Ele deu um Google em Fritz e descobriu que este era o patrocinador da maior escola de samba de Carboxy e amigo de celebridades, como o atual primeiro-ministro e outros figurões do mundo. Escola de samba, jogo de bicho e máfia eram praticamente a mesma organização criminosa do poder. O convite de Walkíria era válido para duas pessoas. Teo clonou um dos convites e enviou seus dados para a lista de presença da festa. Em menos de um segundo recebeu uma mensagem de confirmação de sua presença.

— É hoje que o meu destino vai mudar! – sorriu internamente o arquiteto, enquanto saboreava a sua Coca-Cola e fuçava em todas as informações e aplicativos baixados do IBrain de Walkíria.

Teo ficara fascinado com o tanto de informações que rolavam nos informativos dos usuários do IBrain. Havia uma sessão da Apple Vip onde *apps* eram exclusivamente desenvolvidos para seus usuários. Havia o *app* Dreams, onde qualquer *vip* poderia sugerir o desenvolvimento de um *app*. Essa tecnologia, misturada aos nanodrones, fazia dos novos *apps* algo espetacular e elevava a criatividade das pessoas em milhares de vezes. Teo não resistiu e, por meio da senha de Walkíria, sugere a criação de um *app* para substituir as vestimentas normais por tecidos feitos de nanodrones, *app* que ele chamou de ITuxido. Em menos de um minuto, recebeu o novo *app* para *download* em seu ISkin10 e também comprou, com o uso do cartão de crédito de Walkíria, um *kit* de nanodrones pela Amazon. O pacote chegou em três minutos por um drone, ali mesmo no bar, onde ele tomava sua Coca-Cola. Com o ITuxido, Teo poderia buscar qualquer imagem de roupas da internet e, mostrando a imagem ao *app*, os nanodrones eram reajustados e formavam a trama do tecido, com as diferentes texturas, cores e cortes da vestimenta. Como a roupa exigida para a festa era o *smoking*, Teo buscou uma foto de um filme antigo de que sua mãe gostava, de um agente especial chamado 007, e fez uma cópia.

— Adeus, roupas velhas! – disse Teo ao jogar suas roupas de fibras sintéticas no lixo do banheiro onde se trocara.

Teo saiu do bar usando seu novo *smoking*, sua CWRS e seu *skateboard*. Assim foi em direção ao metrô para voltar mais três estações e ir ao clube Pinheiros. Havia ainda uma hora para o início da festa, teria tempo para passar em sua casa, mas não queria correr o risco de encontrar sua mãe e ter de explicar a ela tudo o que havia feito naquela noite.

22
Walkíria vai ao trabalho

Walkíria colocara sua filha para dormir após o jantar, que fora interrompido pela presença dos agentes da PF. Ela não estava muito a fim de ir naquela festa de lançamento de bebidas, mas sabia que poderia encontrar várias clientes em potencial, que ainda não compraram seu *apps* de plásticas instantâneas, e também queria mostrar o lançamento da moda dos quadris grandes. Acessou seu guarda-roupas e escolheu um vestido vermelho brilhante com incrustações de diamantes cor de rosa, feito especialmente para a ocasião, presente de seu maior admirador e nada menos do que o dono da própria empresa em que trabalhava, um senhor de noventa anos chamado Julius.

Julius era apaixonado por Walkíria, mas ela não retribuía seus sentimentos. O vestido tinha sido emprestado para ela "usufruto até a morte de Julius", pois os diamantes naturais cor de rosa valiam milhões de dólares. E ele só passaria o vestido para o nome dela se fosse aceito seu pedido de casamento. Mas Walkíria estava relutante a isso e sempre enrolava aquele senhor. O pequeno amor próprio, que ainda lhe restara, a mantinha esperançosa de encontrar alguém que lhe despertasse o verdadeiro amor. Já tinha bastante dinheiro e a ideia de viver com uma múmia a seu lado somente para ter mais não fazia muito sentido para ela. Tinha um pouco de escrúpulos e um sentimento de liberdade que ainda pairava em seus pensamentos mais ingênuos. Acreditava que venceria na vida com seu talento, e não com seu corpo mutante de moda em moda, e insistia na busca de um verdadeiro amor.

Walkíria se apronta para a festa de Fritz. Ela liga o *app* Nany em seu IBrain e assim pode monitorar no cantinho da tela a noite de sono de sua filha, e caso a menina acordasse, um alerta vermelho seria acionado e ela mandaria uma babá real que vivia em um *carbox* perto de sua casa – esse era um serviço extra que o *app* Nany prestava a seus clientes. Ela poderia ter contratado a babá diretamente, pois esse serviço era muito mais barato que o prestado pelos serviços do *app*, mas não gostava muito de ter pessoas estranhas em sua casa, apesar de a babá Sarah, uma jovem senhora imigrante Síria, ser quase de total confiança.

Walkíria faz todos os *setups* do *app* e aciona o Uber para levá-la à festa. Sairia uma hora antes, assim poderia contar com qualquer imprevisto de atraso pelo trânsito e também poderia, neste tempo, conversar com as amigas e algumas de suas funcionárias. Em um misto de trabalho e prazer, tentaria vender seus produtos. Ao entrar no *selfdrive* Uber, que não possuía motoristas e usava o sistema Google Maps de navegação, seu *app* Angel, especializado em monitorar seus gastos pelo cartão de crédito e todas as suas finanças pessoais, emite um sinal de utilização fora de sua localização. Atividade bem estranha para quem possui um sistema tão seguro de transações. Walkíria confere seus gastos e vê a compra de um novo *app* da Apple. Ao constatar a compra, ela contata a empresa de cartão de crédito, que passa a informação da posição e procedência do IP do uso da conexão responsável pela compra. Assim, descobrira que seu cartão estava clonado. Isso era um crime comum nos tempos dos acessos abertos em computadores de mesa, mas depois da chegada do ISkin e do IBrain, praticamente era impossível clonar qualquer cartão, pois tudo era armazenado dentro de seu organismo e sem acesso a outros nanocomputadores. Isso era o que todos acreditavam até aquele momento. Walkíria faz uma conexão com o 190 da PF e é atendida por um sistema de resposta automática. Ela abre uma queixa e passa todas as informações para que a PF possa apurar o caso. O processo de apuração do caso dava um prazo máximo de 24 horas para uma resposta final de investigação à vítima. A empresa do cartão prometeu devolver o dinheiro, caso a investigação da PF confirmasse a clonagem do cartão. Assim, Walkíria ficara mais tranquila.

Por outro lado, o sistema da Apple, que era parceiro nas ideias e criações de novos *apps*, depositou em sua conta cerca de dois milhões de dólares. Walkíria, ao ver aquilo ficou superfeliz. "Mas como isso aconteceu?", pensou em voz alta. O dinheiro fora depositado por conta do desenvolvimento do novo *app* Tuxido, que ela havia criado, em parceria com a Apple *apps*, e até aquele momento desde sua criação e entrada no mercado, ou seja, 1h23 antes, já havia vendido ao redor do globo quase quinhentos milhões em licenças, sendo o maior sucesso de venda no mercado japonês, onde era sábado e o último final de semana antes do Natal. O *app* já faturava naquela última hora cerca de dois bilhões de dólares em novas licenças, portanto dois milhões eram praticamente uma esmola, mas que a deixara supercontente àquele mulher de Carboxy. Walkíria ficou tão contente que ordenou, pela Amazon Delivery, uma champanhe Moe Chandon, de 1997, a melhor safra dos últimos tempos. A Amazon não conseguiu processar a ordem, pois seu cartão de crédito estava bloqueado. Walkíria ligou novamente para o cartão de crédito e pediu seu desbloqueio, disse que tudo não passara de um mal-entendido. Que tinha realizado a compra enquanto conversava com um amigo na tal localização, e que o IP era dele, pois o IBrain dela estava com o sistema operacional desatualizado, desculpa superesfarrapada para quem usava aquela tecnologia.

A empresa do cartão de crédito pôde desbloquear o cartão, mas ela teria também de dar baixa na queixa da PF. Burocracia necessária naquele sistema. Walkíria então liga para a PF e retira a queixa de investigação. "Se essa pessoa que clonou meu cartão, é a mesma que arquitetou o *app* em meu nome, ela só pode estar querendo me ajudar!", vibra Walkíria ao receber o champanhe ordenada minutos atrás no Uber, diretamente por um drone da Amazon.

Já no recinto da festa, Fritz estoura um champanhe de mais de cem anos de idade ao receber o carregamento das cápsulas de droga da inteligência. Seus possíveis melhores clientes e distribuidores estariam naquele dia na festa de lançamento da bebida, tudo fachada para a divulgação e distribuição da nova droga. Fritz ordena ao piloto de seu helicóptero que se prepare para irem ao clube, gostava de chegar bem antes para assegurar pessoalmente que tudo daria certo no momento de receber os milhares de convidados ilustres de Carboxy.

23

Agt. Haldo descobre uma importante pista

Agt. Verônica dorme tranquilamente sentada no sofá da mesa do bar.

Enquanto isso, o Agt. Haldo cochila em seu *carbox*. Em um misto de sonho e de novas ideias, e com o IBrain ligado, rodando as imagens dos carboxianos que desciam do trem e as comparações com as imagens capturadas pelas câmaras de vídeos de segurança do Edifício Palace, após o processamento de mais de cinquenta mil suspeitos, uma identificação fora confirmada pelo *app* Faces, com a acurácia de 93,01%, em razão da baixa qualidade das imagens das velhas câmeras do edifício. Mas isso era algo a considerar. Haldo levanta a ficha do suspeito e descobre que este se chama Theodoro Lagos e, ao buscar mais detalhes, que o rapaz de 25 anos é filho do falecido Agt. Hugo, seu superior dentro da PF.

"Oh, meu senhor! Isso é muita coincidência!" Nesse instante, abre uma conexão Skype e chama a Agt. Verônica, que não atende. "Vamos, Verônica! Atende essa droga!" Nenhum sinal da comandante. Haldo fica transtornado, sabe que essa pista é importante demais para esperar o reagrupamento dos agentes na manhã da segunda-feira, três dias depois. Ele continua a buscar as informações de deslocamento do IP e do Google Maps registrados no ISkin10 de Teo. A PF tinha acesso total à localização de todos os usuários do ISkin. O Agt. Haldo observa o registro da localização de Teo em um vagão do metrô na direção sul. Haldo poderia dar ordem de prisão e utilizar o sistema de comunicação geral da PF. Isso levaria a ação dos policiais comuns da PF. Ele não queria expor o jovem, filho de um amigo, a essa situação, pois sabia que pessoas suspeitas de qualquer crime ou por qualquer tipo de violação eram totalmente marginalizadas e acabariam vivendo na clandestinidade, como seus vizinhos de Carboxy. Preferiu ir direto a seu encontro e conversar pessoalmente com ele. Outro agente que confiava para fazer essa operação, além da comandante, era o velho Baltazar, bastante experiente em operações de rua. Haldo o contata.

24
Agt. Baltazar

—Ok, Haldo! Te encontro em dez minutos na estação da Luz – disse o Agt. Baltazar, que morava em um antigo prédio no centro de Carboxy.

Ele tinha mais de sessenta anos, boa forma física, pois se exercitava todos os dias. Vivia com duas peruanas que ficaram sem trabalho e sem onde morar, depois que a PF estourou uma fábrica clandestina de calças jeans que utilizava trabalho escravo no antigo bairro do Bom Retiro. As duas mulheres o amavam e isso o fizera bastante feliz, já que era viúvo havia alguns anos e nunca tivera filhos. Era feliz de estar vivo e ativo naquela idade, pois a maioria das pessoas acima de sessenta anos, se não fosse muito rica, já tinha partido daquele mundo. Ele era viciado em suplementos alimentares e energéticos e sempre tomara tudo que era possível para manter a juventude de seu corpo, além de drogas que prolongavam o desejo sexual, à base de zinco e hormônios como a testosterona.

Já se passaram quase três horas desde que o tiro de fuzil havia acertado o pneu da Ninja e poucos sabiam dessa informação. Somente os agentes da operação tiveram acesso ao relatório do Agt. Haldo confirmando o tiro de fuzil, e a Agt. Verônica reportara isso somente a seu superior, o ministro da PF, Agt. Munhoz. No entanto, a notícia já havia chegado ao comando do exército.

Haldo esperava Baltazar na estação da Luz ao mesmo tempo que monitorava todas as informações referentes ao IP de Teo e sua localização. E a surpresa veio quando lavraram um boletim de ocorrência com seu IP, com a queixa de clonagem de cartão de crédito. E a queixa vinha de uma tal de Walkíria Campos. A mesma mulher que ele e a Agt. Verônica haviam visitado duas horas atrás. Após dois minutos, outra entrada sobre o mesmo IP, agora uma retirada de queixa e a confissão da vítima de que realmente conhecia a pessoa e teria apenas se enganado. Isso confundiu muito a cabeça do Agt. Haldo, a lógica e o sentido dos fatos se perderam. Isso só poderia ter duas explicações: ou Walkíria e Teo eram parceiros e fizeram todo o drama para que o porteiro Reginaldo disparasse o tiro para acertar o Sgt. Vestrepo e fosse incriminado, o que indicava que trabalhavam em parceria; ou a mulher estava apaixonada, pois pessoas apaixonadas são passionais e não agem mais com a razão. Isso ainda acontecia raramente em Carboxy. Mas a verdade não cabia apenas nessas duas hipóteses de Haldo, apesar de toda sua inteligência.

O Agt. Baltazar chega com a moto da PF, que executara a operação horas atrás.

— Você não devolve mais os brinquedos de trabalho, não é? – comenta o Agt. Haldo.

— Se eu devolvesse, a gente estaria a pé, querido! Vamos embora! – responde Baltazar.

Os dois usavam o mesmo tipo de máscaras com capacete. Haldo sobe na garupa da moto e vão em direção ao Clube Pinheiros, viagem que poderia durar dez minutos. A pior parte do trajeto era passar entre os *carboxes* do centro; depois disso, ao alcançar a Marginal, poderiam chegar em poucos segundos. O Agt. Haldo, que sempre fora avesso ao uso de motocicletas, agora estava ali, vivendo a emoção de um "cachorro louco". Só não entrara em pânico porque estava mais focado em seu IBrain, monitorando Teo. Este, por sinal, já descera na estação Pinheiros e se deslocava com seu *skateboard* para a entrada do clube pela avenida Brigadeiro Faria Lima. Ele chegaria ao clube em menos de seis minutos.

A Ducati 1200 alcança a Marginal Tietê e Baltazar acelera até o limite da máquina, 300 km/h. Nenhum dos dois agentes faz uso do *app* Bats, um sistema de radares que usavam para prevenção dos movimentos de outros veículos que estavam ao seu redor. Como ambos estavam em uma investigação própria, sem um líder de comando, esqueceram-se de seguir o protocolo. Haldo explicara para Baltazar que o filho do falecido Agt. Hugo era o suspeito de arquitetar o atentado contra o Sgt. Vestrepo.

– Mas o que esse menino tem a ver com esses mafiosos? – perguntara o Agt. Baltazar.

– Isso é o que pretendo descobrir! E acho que a mulher de que te falei, a gostosona, também está envolvida! – disse o Agt. Haldo.

Em uma fração de segundos, o Agt. Baltazar olha pelo espelho retrovisor e observa um vulto cinza que se aproxima à velocidade de 360 km/h. Um Lotus cinza, sem identificação, choca-se com a roda traseira da Ducati vermelha. O Agt. Baltazar tenta controlar a moto, que é arremessada ao ar, mas esse esforço foi em vão. O Agt. Haldo leva sua mão ao coldre onde guarda sua pistola, para tentar alguma reação, mas é enganado pela variação da gravidade e perde o controle de seus movimentos. Em outro Lotus cinza conversível, que chega lateralmente à Ducati, um soldado vestido em trajes de guerra dispara uma rajada de tiros da submetralhadora UZI P50. Uma série de trinta projéteis é disparada em menos de quatro segundos nos agentes, enquanto eles se encontram no ar. Após dez segundos, enquanto estes agonizavam no chão, dois soldados arremessam uma bomba incendiadora plástica sobre os corpos dos agentes. Em menos de quinze segundos seus IBrains perdem a conexão.

Os soldados comandados pelo Cap. Tiburcius receberam do informante da PF todos os dados dos agentes, além de um simples *app* que poderia localizar os IPs destes. Assim, quando se aproximavam do setor sul de Carboxy, localizaram dois dos IPs muito próximos, na mesma rodovia.

O Cap. Tiburcius deu a ordem de fogo, mas como os agentes estavam à velocidade de 300 km/h em terra, não era possível estabilizar os rifles de longo alcance, então a solução foi chegar próximo aos alvos e disparar.

O Cap. Tiburcius elimina da lista dois agentes e ainda tem mais nove horas para finalizar a operação.

– Estamos com sorte, rapaziada! – vibra ao comando de seu grupo.

Ele observa no Google Maps a localização de mais três agentes, mas ainda faltava a localização de outro, pois eram seis o número total de alvos. "O agente escondido deve ser o informante, por isso deve estar entocado em algum canto escuro da cidade", pensou em voz alta enquanto movia as identidade dos agentes em seu IBrain.

25
Agt. Lílian

Os outros agentes da PF que trabalhavam no mesmo grupo receberam um alerta vermelho, com a mensagem de que dois agentes tinham sido vitimados de um atentado na Marginal Tietê. Em menos de dois minutos após o ocorrido, a Agt. Lílian subia em seu veículo pessoal, um Hummer blindado, herdado de seu pai, e partia para o local do acidente. Enquanto dirigia, buscava uma conexão incessantemente com a Agt. Verônica, a única que não havia se comunicado até aquele momento.

Lílian tinha dupla nacionalidade, pois era filha de um soldado da Navy adido da embaixada em Carboxy. Ele se apaixonara por uma mulata dançarina de escola de samba e os dois se casaram. Depois que se aposentou, passou a morar em Miami e deixara todos os bens para a filha, no Brasil. Como bom soldado norte-americano, era fascinado por armas e equipamentos bélicos. Seu Hummer era o mesmo utilizado em operações do exército norte-americano na guerra do Afeganistão. Era blindado e suportava até tiro de P.50 milímetros e mísseis de pequeno alcance. A Agt. Lílian se sentia bem segura dentro desse veículo e sabia que este era o mais apropriado para um possível encontro com quem quer que derrubara os outros dois agentes.

26

Agt. JK

O Agt. JK, após o trabalho, passara em uma casa de massagens para relaxar. Esses lugares quase foram extintos de Carboxy, pois com o aumento da popularidade dos *apps* de encontro sexual virtual, e com pacotes de nanodrones que simulavam penetrações e toques nos órgãos genitais, o contato de pessoas reais era algo que já não fazia sentido para muitos carboxianos. Mas JK era diferente, ele queria contatos orgânicos, não era do tipo que buscava reais relacionamentos, pois não se achava capaz de ter relacionamento único, e manter várias mulheres ao mesmo tempo era algo que demandava muito tempo e dedicação, algo impossível de conciliar com seu trabalho, que ele amava e ao qual necessitava dedicar grande esforço para manter. Assim, sempre comprava pacotes pelo *app* Groupon de massagens feitas à mão.

A maioria das massagens era feita no antigo bairro da Liberdade, na porção centro-sul de Carboxy. Lá o Agt. JK era cliente VIP de um lugar chamado Paradise, uma pequena casa de massagens com mulheres chinesas. JK, nas sextas-feiras, costumava comprar o pacote de duas horas, que lhe dava direito a massagem com *happy end* e um banho vaporizado. Quando estava nas sessões, JK costumava deixar seu IBrain em *standby* e só aceitava chamadas se estas fossem de extrema importância. Quando estava no meio da finalização do serviço de massagem, em meio ao *happy end*, uma mensagem de alerta vermelho veio direto do canal de comunicação exclusivo da PF. JK afastou a chinesa, que fazia um excelente trabalho, e começou a se vestir, com o corpo ainda cheio de óleo de massagem.

– Não quer que eu termine o serviço? – perguntou a chinesa, com forte sotaque.

O Agt. JK se vestiu, pôs a mão no bolso, retirou duas notas de vinte dólares e deu para a massagista.

– Adoraria, querida, mas o dever me chama!

O Agt. JK tem um sentimento misto de raiva e gratidão. Mas sai daquele espaço, coletando as informações do que se passaram nos minutos anteriores, e fica chocado com a notícia do atentado com dois de seus amigos de trabalho. Ele monta em sua Ducati e segue em direção à Marginal Tietê, para o local onde deveria encontrar os outros agentes e coletar provas sobre o que acontecera.

27
Agt. Jota

O Agt. Jota tinha uma segunda profissão, algo que não era bem-visto pela instituição da PF. Na verdade, era pastor de uma pequena igreja evangélica. Como não havia nenhuma restrição quanto à religião de seus agentes, ou proibição para trabalhos voluntários, destinados à aplicação de seu tempo para fé, Jota, que tinha vocação para falar a multidões, fundara sua própria Igreja: Justiça e Fé.

O negócio funcionava como uma pequena *franchising*: o pastor era responsável por alugar um ponto, arrebanhar os fiéis, falar sobre a glória do Senhor, a justiça divina, fazer o bem e dividir o dízimo, conseguido por meio do convencimento de doação dos fiéis. Em contrapartida, a Igreja lhe dava o direito de uso de seus logos e fazia a propaganda em seus *apps* e outros canais de comunicação com os fiéis. Em menos de três meses de pregação, o pastor Jota já tinha uma igreja com mais de 597 membros, e abrira outras duas filiais, colocando seu pai e sua irmã como pastores. Isso lhe gerava uma receita mensal de cem mil dólares, era mais que um ano de salário da PF. Se continuasse assim, pretendia pedir exoneração da PF em breve. Mas enquanto isso não acontecia, tinha de ser fiel aos seus companheiros da PF.

Em meio a um sermão aos fiéis, em que falava sobre dedicação ao trabalho, ele recebe o alerta e, emocionado com a notícia, pede licença aos fiéis e indica a sua esposa – sim, ele tinha uma esposa real, que também era pastora – para continuação do culto em seu nome.

O Agt. Jota também sobe na Ducati da PF e segue em direção ao acidente.

28
Na Marginal

Os soldados sob comando do Cap. Tiburcius se espalharam em diferentes pontos ao redor do local do acidente. Eles conseguiam caminhar entre os carros quase parados. Todos estavam pesadamente armados. E possuíam uma versão do *app* Camaleon, de uso exclusivo das Forças Armadas, que dava a possibilidade de os nanodrones, espalhados pelo corpo dos soldados, se camuflarem com as mesmas cores ao seu redor. Os soldados montaram campana em um raio de duzentos metros em torno da fumaça produzida no encontro.

— Atenção, soldados, ao meu comando função *lock* em cada um dos agentes! Entendido? — assim pergunta o Cap. Tiburcius, que monitorava em seu *app* do Google Maps a aproximação de mais três agentes, tempo estimado de chegada de quatro minutos.

— Entendido, capitão! — responderam em coro os outros três soldados.

O acidente com os agentes da PF, praticamente na mesma via expressa usada somente por veículos de alta velocidade, com taxa de pedágio vinte vezes mais cara que das vias normais, e na mesma via onde trabalharam os agentes poucas horas atrás, indicava que algo de errado estava se passando. O ministro da PF, Agt. Munhoz, ordena que outros grupos de investigação se juntem à área e que grande parte do contingente ajude na investigação desse atentado. Em menos de dois minutos, as marginais foram fechadas. Agentes de rua da PF, como eram conhecidos os policias, fecharam o cerco da região e somente as pessoas autorizadas podiam chegar próximos à área do acidente. O trânsito foi diminuindo até que somente a Ducati ia no canto da pista e mais dois Lotus que estavam encostados na zona de estacionamento emergencial podiam ser vistos por meio das imagens dos drones da PF que monitoravam a cena do acidente. Os Lotus não tinham identificação, isso demonstrava que eram mais que suspeitos.

— Quem quer que esteja dirigindo aqueles veículos são os responsáveis pelo atentado aos nossos homens! — fala o Agt. Munhoz, no sistema de comunicação da PF, aos agentes que se encontravam no cerco da Marginal. — Vocês têm autorização do uso de armas letais para impedir a ação desses meliantes! — encerra a ordem o Agt. Munhoz.

Somente os agentes do grupo de Verônica foram liberados para furar o bloqueio, com perímetro de dois quilômetros, e chegar até a área do atentado. As duas motos vieram na frente, seguidas pelo Hummer da Agt. Lílian. Os agentes de moto reduziram para parar perto dos corpos carbonizados.

— Alvo um locado! — afirma um dos soldados que divide as imagens captadas pela mira telescópica de seu rifle com os demais militares.

— Alvo dois locado! — afirma outro soldado, fazendo o mesmo procedimento.

Cap. Tiburcius ordena ao terceiro soldado que fixe o lançador de granadas no Hummer que se aproxima a cinquenta metros atrás das motocicletas.

— Permissão para disparar concedida!

Quase que simultaneamente duas linhas de disparos certeiros atingem os agentes das motocicletas. Projéteis de 50 mm atravessam os capacetes de Kevlar, sem nenhuma resistência. Os agentes tombam ao chão lentamente. Nos dois indivíduos, há perda de massa encefálica, portanto os nanodrones comandados pelo *app* médico não conseguem restabelecer os sinais vitais. O Hummer que foi alvejado pela granada na região frontal sofre capotamento. Mas, por sorte da Agt. Lílian, nenhum estilhaço dos milhares de miniprojéteis da granada perfurou o carro blindado. Lílian pôde ver seus companheiros sendo alvejados à sua frente.

O Agt. Munhoz, que acompanhava a operação por meio de pequenos drones que filmavam a região, ordenou a imediata ação de helicópteros que estavam sobrevoando fora do perímetro de segurança. Em menos de trinta segundos, outros agentes da PF que sobrevoavam a região deram voos rasantes sob o cinzento e escuro céu que cobria a Marginal naquela noite. Como os soldados usavam o *app* de camuflagem, eram invisíveis pelos *apps* de detecção de calor. No entanto, após dispararem seus rifles e metralhadoras, o calor gerado na ponta das armas os tornaram perceptíveis. Com os pontos vermelhos locados nas miras dos helicópteros, os agentes da PF atiravam em todas as direções no raio de cinco metros ao redor dos pequenos pontos de calor.

Os soldados não perceberam de onde vinham os disparos. Dois deles foram fatalmente atingindos na cabeça. O terceiro, que estava próximo ao Cap. Tiburcius, viu a direção dos disparos e de forma instintiva, sem uso de nenhuma tecnologia de mira, abriu fogo em direção a um dos helicópteros. O que resultou na queda deste.

O segundo helicóptero da PF pôde observar a direção dos disparos aleatórios do soldado e conseguiu locar a mira no ponto que disparava. Os tiros caíam como uma torrencial chuva de verão, direto sobre o terceiro soldado que estava a menos de dez metros de distância do capitão. Um projétil acertou o braço do capitão, que segurava seu fuzil. Com a perfuração do projétil em sua armadura, ele deixou cair o fuzil, e assim foi salvo de outra chuva de balas ao redor do fuzil. Alvejado no braço, o capitão correu em direção ao centro da pista, onde existia um sistema de coleta de águas pluviais.

A Agt. Lílian consegue se desprender do cinto e sair de seu carro. Ela não sofrera nenhum tipo de ferimento. Meio tonta com o barulho e o giro do carro causado pelo golpe da granada, rapidamente recupera os sentidos e corre em direção aos dois corpos caídos à sua frente. Ela ainda consegue ver as últimas rajadas do helicóptero da PF que atira aleatoriamente ao solo.

Agt. Lílian saca de seu coldre lateral uma pistola 45 mm e vai em direção aos corpos. Checa os sinais vitais dos agentes e percebe que parte das cabeças foram destruídas, pois os capacetes já não estavam presos aos pescoços. Ela corre em direção à localização dos últimos disparos com sua arma apontada para um vulto cinza que se destoa no asfalto. Apesar da baixa luminosidade dos postes do local, pôde ver marcas escuras do sangue que fluíam da mancha cinza. O sangue do soldado, que esvaía do buraco do tiro, caía no asfalto em direção ao declive da pista, assim os nanodrones, que ainda funcionavam, mudavam de cor na direção para onde corria o sangue. A Agt. Lílian pôde perceber o uso da camuflagem. Os helicópteros voam mais baixo e com grandes faróis de luz auxiliam a visão da agente.

Ela percebe que o rastro de sangue vai em direção ao centro da pista. O Cap. Tiburcius estava a menos de trinta metros da uma boca de lobo de coleta de água. Ele consegue ver o momento em que a Agt. Lílian observa o rastro de seu sangue e vai em sua direção. Ele saca sua pistola e sabe que tem duas opções: a primeira, acertar a agente e com isso ser alvejado por centenas de projéteis dos helicópteros que o localizaria; a segunda, correr o mais rápido possível até a boca de lobo, se jogar no sistema de drenagem para se salvar e completar a missão mais tarde.

Ele vira seus três companheiros de missão sendo mortos e o medo lhe fez optar por correr. Nunca vira sentido naquela missão e no fundo não aceitava o comando do tirano Gen. Bustamante, pois sabia que aquela guerra só beneficiaria aos mafiosos do poder. Não aceitava ter de lutar contra outra força da própria nação, que de certa forma lutava pelos mesmos ideais que ele. Então, o capitão correu para salvar sua vida. Ele chegou à beira da boca de lobo e percebeu que não conseguiria adentrar utilizando toda a sua armadura e seus equipamentos de guerra. Em menos de três segundos, desarma todos os seus sistemas, só ficando com a máscara de filtro de ar e um pequeno *kit* de sobrevivência. Todas as proteções e os equipamentos pesados ficaram do lado de fora da tubulação. A Agt. Lílian vê um monte de equipamentos e roupas, agora sem camuflagem, e começa a atirar.

O Cap. Tiburcius adentra a drenagem e corre para seu interior escuro. A Agt. Lílian recebe ordens de esperar por reforços para poder adentrar ao sistema de drenagem, e ela aceita a ordem vinda do primeiro-ministro, já que sua comandante, até aquele momento, não havia aparecido, e todas as decisões, tomadas de formas próprias pelos outros agentes, levaram à morte de quase toda a equipe.

Sem a camuflagem especial, Tiburcius sabia que poderia ser facilmente localizado e também sabia que a PF tinha acesso à identificação de IP de todos os usuários de IBrain e ISkin. Ele ainda tinha oito horas para completar a missão, antes que sua cabeça fosse cortada. Já eliminara quatro dos alvos em menos de três horas e só faltavam mais duas mulheres, presumidamente mais fáceis de serem exterminadas, assim pensava o capitão.

Ele corria e pensava no que fazer. Após correr por quase um quilômetro em menos de dois minutos, para e verifica o ferimento do braço. O projétil transpassara sua armadura, cortara sua pele e parte do tecido muscular, mas nenhum dano à estrutura óssea, os nanodronones médicos já trabalhavam intensamente para suturar os vasos sanguíneos e reconectar os pequenos nervos e músculos rompidos. Onde houvera perda de massa muscular, os nanodrones cirurgiões coletavam tecido gorduroso de outras partes do corpo e enxertavam no local do ferimento. Para ajudar o trabalho do *app* médico, o Cap. Tiburcius cola um adesivo de seu *kit* de sobrevivência sobre a ferida. Assim, haveria diminuição da perda sanguínea e maior eficiência dos nanodrones.

Ele sabia que, se continuasse usando seu IBrain, seria descoberto por seu IP. Monitora o serviço médico, mais vital no momento, e tem o diagnóstico prevendo que o estancamento do sangue levaria cerca de 10 minutos para ser completado. Isso era muito tempo, em menos de cinco minutos aquele lugar estaria cheio de agentes e ele seria executado. Então, por instinto de soldado, ordena a suspensão do serviço médico e desliga seu IBrain. Assim ele não seria mais localizado pelo seu IP. De seu *kit* de sobrevivência ele retira um pequeno tecido que era usado somente em último caso para estancar ferimentos e funcionava à base de calor. A malha do tecido apresentava microscópicos filamentos de mangueiras plásticas cheias de álcool, que, ao se incendiarem, cauterizavam e formavam uma crosta sobre as feridas abertas. Ele aplica um anestésico local e não espera pelo efeito: incendeia o tecido em seu braço. Aquela operação foi muito dolorosa, pior que a dor do próprio tiro. Mas assim eram forjados os bons soldados, a ferro e fogo. Ele segue seu caminho em direção a uma ampla galeria. Lá pode ver luzes de vela. Observa que há carboxianos vivendo por ali. Ele se mistura e passa ao meio de outras pessoas. Um misto de felicidade e nojo toma conta de seu ser. Um grupo de agentes da PF desce e faz uma busca pelas galerias de coleta de águas pluviais. Eles buscam em várias direções e encontram o abrigo de centenas de carboxianos que vivem por ali. O rastreador de IP usado por eles não detecta nenhum usuário. Toda aquela gente ali não faz parte do mundo real, ou tecnológico de Carboxy – são considerados quase outra espécie, vivendo paralelamente ao sistema e sobrevivendo do lixo dos outros cidadãos.

Os agentes fazem uma varredura no local e dão uma geral em alguns indivíduos que ali estão, mas não conseguem nenhum tipo de identificação daquelas pessoas, elas estão fora de qualquer sistema de cadastro e somente a amostragem do DNA individual de cada um poderia levar à identificação concreta, operação que poderia levar horas. O comando do Agt. Munhoz ordena que eles abandonem a missão de identificação. Sábia decisão, pois o Cap. Tiburcius já estava longe daquele grupo de carboxianos e encontrara uma saída para as ruas.

Longe do local de encontro com os agentes da PF, o capitão religa seu IBrain e recebe uma mensagem do general: "Bom trabalho soldado! Sinto muito pelas baixas! Mas lembre-se que ainda faltam dois alvos! Continue com seu objetivo!".

"Bastardo!" Fala a si mesmo o capitão, que começava a sentir dor no braço, pois o efeito da anestesia estava passando. Ele retira mais uma pequena seringa do *kit* e injeta próximo ao ferimento. Ao religar seu IBrain, os nanodrones voltam a trabalhar em seus ferimentos. Ele entra em uma Starbucks e tenta se reorganizar, definir um novo plano de ação.

– Onde está a Agt. Verônica? – pergunta o Agt. Munhoz à Agt. Lílian, em um misto de preocupação e de raiva.

Com a chegada dos outros agentes de rua da PF, foi possível identificar os corpos dos indivíduos camuflados. Com os drones do *minilab*, foram coletadas amostras de DNA dos corpos e rodadas as análises – em menos de dois minutos era possível obter a identificação dos corpos. Pelo uso dos sofisticados equipamentos e da tática de operação dos soldados, Agt. Munhoz já tinha quase certeza de que os elementos faziam parte da elite dos grupos de assalto do exército. Quando teve a confirmação da identidade dos soldados, chamou imediatamente o Gen. Bustamante:

– Olá, general, poderia me dizer por que a porra dos seus homens estão atacando o meu pessoal? – perguntou em berros o Agt. Munhoz.

– Não tenho a menor ideia! Aliás, não seria porque seus homens atacaram um de nós há quatro horas? – disse de forma petulante o Gen. Bustamante.

– Isso não faz sentido! Não fomos nós que atacamos seu pessoal, tinha meus melhores agentes deslocado para a missão de proteger seus entregadores e assegurar que tudo corresse bem, quando atravessassem o nosso perímetro. Mas algo errado aconteceu! – disse o Agt. Munhoz.

– Não me venha com desculpas bobas, vocês querem nos derrubar e assumir nosso nicho junto aos nossos clientes! Eu conheço seu jeito de agir, Munhoz! Mas saiba que não foi eu quem deu ordens para que meus homens agissem. Aqui eles vivem como irmãos e têm seus próprios sentimentos. Não posso ser responsável por eles quando estão fora do horário de trabalho.

— Vá para o inferno, general! — disse irado o ministro.

— Passar bem, senhor ministro! — disse o general.

Esses dois homens públicos se acostumaram a conviver com meias-mentiras e meias-verdades. Em seus discursos, sempre tentavam atacar o próximo, sobressaltar o valor de suas instituições e o quão eram importantes para vida social da nação. Mas em suas práticas, sempre estavam defendendo interesses pessoais, seus grupos e formas ilícitas de ganhar mais dinheiro.

29
A busca

Ao desligar a comunicação com o Agt. Munhoz, Lílian vai em busca da Agt. Verônica. As operações especiais do grupo de Verônica eram realizadas com veículos de licenças falsas, de difícil rastreamento dentro do banco de dados da PF. No entanto, o grupo de agentes mantinha o banco de dados das licenças usadas para as operações. A Agt. Lílian lembrou-se desse detalhe e, em poucos segundos, conseguiu a localização da Maserati que ela mesma dirigira há pouco mais de quatro horas. "O carro está na zona sul, próximo à antiga zona de bares orgânicos. Eu acredito que posso encontrá-la!" Lílian solicita um mini-helicóptero que patrulhava a área, o piloto se retira da nave e ela levanta voo em direção à Vila Mariana, atualmente conhecida como Bairro dos Orgânicos.

O percurso durou três minutos. A Agt. Lílian entra no estabelecimento, que além de requisitar o desligamento de todos os *nanogeeks*, funciona como uma estufa eletromagnética, o que impede que sinais internos e externos sejam propagados além de seus limites. Esses equipamentos, ilegais em áreas públicas não cadastradas pelo governo, poderiam ser mantidos, caso o dono pagasse uma pequena "taxa de manutenção de serviço" ao patrão do bairro. Esse patrão trabalhava para a máfia, que também dava parte do dinheiro recebido à banda podre da PF ou das Forças Armadas.

Lílian encontra a Agt. Verônica deitada em um sofá cheio de almofadas, repousando em um pesado sono.

– General! Acorda! – a Agt. Lílian chacoalha os ombros de Verônica que, meio sonolenta, tenta entender o que está acontecendo.

Lílian libera seu drone farejador, que analisa o líquido esverdeado do copo. Lá encontra uma grande concentração de Clonazepam, um remédio sonífero.

A Agt. Lílian faz um reporte do ocorrido nas últimas três horas. Verônica tenta processar toda aquela informação e então pede para elas saírem do bar, pois assim poderia religar seu IBrain e entender melhor o que a Agt. Lílian tentava contar.

Por alguns segundos em silêncio a Agt. Verônica consegue absorver toda a informação vinda pelos arquivos da PF. E uma chamada do ministro Munhoz:

– Que raios aconteceu com você? Estamos sob um conflito com uns mercenários do exército e você desaparece?

– Desculpe, Agt. Munhoz! Eu precisava relaxar um pouco e acabei dormindo! – disse agora, mais alerta, a Agt. Verônica.

– Escute, já tivemos várias baixas essa noite! Mas temos que tentar encontrar quem começou essa guerra e qual o propósito disso! – disse o Agt. Munhoz.

– Sim, senhor, comandante! – disse a Agt. Verônica enquanto ouvia as recomendações, reclamações e examinava todas as últimas informações recebidas de seus agentes.

Ao abrir os arquivos enviados pelo Agt. Haldo, choca-se com as informações que indicavam que o filho do Agt. Hugo era quem planejara o atentado ao grupo que entregaria a droga. Ela examina todas as informações e consegue localizar Teo no Google Maps, pelo IP indicado nas investigações do Agt. Haldo. Teo, naquele momento, entrava no Clube Pinheiros e se misturava aos ricos convidados.

– Sim, senhor, comandante! Já me atualizei sobre todas as informações e estamos a caminho de encontrar o suspeito – Agt. Verônica finaliza a comunicação e segue com a Agt. Lílian em direção ao Clube Pinheiros, agora no mini-helicóptero.

– Agt. Lílian, vamos ter de nos infiltrar em uma festa dos peixes grandes. Prepara o convite e nossos trajes – ordena Verônica.

A Agt. Lílian pesquisa no Google quem era o dono da festa e o motivo e prepara uma estratégia para entrar naquele meio.

30
Breves memórias de Verônica

Verônica, enquanto descansava no bar, sonhava com o Agt. Hugo. Aquele sonho parecia muito real. Ele a tomara pelos braços e a beijara ao som de Caetano Veloso. Os dois bebiam e ele contava coisas de sua infância para ela, ela também queria dividir suas boas memórias e contava do tempo em que vivia na fazenda do pai em Cruzeiro, uma pequena cidade na beira do rio Paraíba do Sul. Os dois tinham muito em comum, viveram no interior, onde a vida passava devagar e as pessoas se conheciam pelo nome. Eles corriam, brincavam pelas ruas, a palavra perigo nunca fora associada a essa tal liberdade de ir por aí. Em seus sonhos, o Agt. Hugo lhe prometera que ficaria com ela. Havia mais de seis meses desde a morte de Hugo, ela não se sentia bem emocionalmente, e com toda pressão que sentia, oriunda do trabalho, visitava a psiquiatra da corporação, que a receitara calmantes e tranquilizantes.

Desde a década de 2010, quando a PF começou a apresentar alto índice de tentativas de suicídios em seu quadro de agentes, teve o início um programa composto de médicos e terapeutas para tentar diminuir esses números. Os agentes, de uma forma geral, apresentavam o mesmo perfil. Quando entravam para a instituição, chegavam cheios de motivação e disposição para consertar os problemas do país. Com o passar dos anos, viam que a instituição não era exatamente o que eles imaginavam, e a frustração começava a aparecer, em razão da falta de autonomia dos agentes. Sentimentos de impotência diante da estrutura corrupta da corporação aumentavam a insatisfação destes. Com isso, muitos agentes, nas horas vagas, preferiam ficar drogados, bêbados, e muitos se suicidavam.

A Agt. Verônica decidira participar do programa de tratamento, pois sentia que precisava de ajuda extra para lidar com seus problemas profissionais e pessoais, pois um sentimento inicial de respeito e admiração se transformara em um obcecado desejo de ficar perto, querer tocar e ser tocada por um de seus colegas de trabalho. Paixão, tesão, seja qual for a palavra verbalizada, era pouco para expressar tamanha vontade de se relacionar com aquele homem grisalho e sedutor. Ela jamais sentira algo assim em seus 32 anos de idade. Já tivera alguns namorados na escola e na universidade, mas alguém inteligente e alucinante como o Agt. Hugo não se comparava a mais ninguém que houvera conhecido. Depois de sua morte repentina, ela, que antes visitava somente uma terapeuta, começara a visitar também uma psiquiatra e lhe pedira remédios para ajudá-la a dormir e relaxar. Como de costume, ia até o Bar dos Orgânicos na sexta, pedia o suco que mais gostava e colocava algumas gotas de Clonazepam, que a fazia sonhar e, quem sabe, receber a visita de seu amado. Esse era o único momento de relaxamento e diversão, durante toda a semana, a que a Agt. Verônica se permitia. O resto do tempo era dedicado ao trabalho de investigações criminais.

31
O clube

Teo cruzou a porta de entrada da grande redoma do Clube Pinheiros. Depois de passar por um rigoroso esquema de segurança com escâner e câmeras de ultrassom, para saber se o indivíduo carregava armamentos ou explosivos em seu corpo, foi liberado. Os milhões de nanodrones que compunham sua vestimenta foi algo que intrigou a equipe de segurança, mas como a tecnologia ali era bem-vinda e todos os nanodrones tinham o selo de fabricação da Qualcomm, ele fora liberado.

Teo ficou maravilhado com aquele lugar, não imaginava que tal beleza poderia estar escondida naquela cinza cidade. Lá dentro da redoma gigante, uma intensa luz iluminava o teto do ambiente, imitando um pôr do sol na região amazônica. O céu projetado na redoma tinha partes azuis, com nuvens semidouradas pela iluminação indireta do sol. Tudo parecia muito real. Uma imensa cachoeira despejava toneladas de água em um poço de rochas negras basálticas. A água, que era um mineral tão caro e cobiçado nessas épocas, era esbanjada para a decoração. Um pequeno arco-íris se formava das gotículas esfumaçadas da cachoeira. Uma densa mata com árvores centenárias bordejavam toda a redoma, no centro de tudo havia um lindo jardim, que se estendia à beira de uma piscina, e um piso de mármore branco, onde um salão de festa se acentuava. Aves raras, como papagaios e araras, que havia séculos tinham desaparecido da Mata Atlântica, eram comuns e abundantes naquele ambiente.

Teo estava maravilhado com tudo aquilo. Só conhecera a beleza da floresta tropical em pinturas, fotos e vídeos antigos do YouTube. Não sabia que existia algo real como aquilo, com cheiro de chuva, mato e ervas – aquilo era um entorpecente natural para ele. Imaginou como ficaria feliz seu avô, ao ver tudo aquilo, e começou a gravar pequenos *clips* para mostrar a ele na próxima manhã. Mas ficou distraído com as novas imagens que se formavam em sua fronte novamente. À medida que se aproximava das pessoas que se aglomeravam, próximas da área da piscina, via que novas imagens iam se formando na parte de dentro de sua fronte.

"Não acredito, estou captando de novo imagens dos IBrains dos outros usuários", pensou Teo. E era exatamente isso o que acontecera. Quanto mais se aproximava, mais janelas se abriam em sua fronte. Era como se sua visão fosse igual à de uma mosca, com centenas e quase milhares de olhos, no caso, as janelas que os usuários visitavam enquanto estavam por ali. Teo ficou tonto ao tentar processar toda informação vinda de tantas fontes diferentes. E tinha de tudo dentro dos IBrains daquelas pessoas. Alguns rapazes que conversavam entre si, jogavam um jogo de guerra *on-line* chamado Call on Duty. Algumas meninas da sua idade comentavam sobre as roupas de meninas de outros grupos ou os outros rapazes que por ali estavam, trocavam informações e a linhagem de cada um, de acordo com as revistas de fofoca e as redes sociais, informações altamente importantes para aquele tipo de carboxianos.

Pensando nisso, Teo fez um rápido *upload* em seu LinkedIn e, em vez de desempregado, colocou em seu perfil profissional "sócio fundador da Universal Architecture", esse nome fora a primeira coisa que viera à sua cabeça. Era formado em Arquitetura e agora, como parecia um vidente com bola de cristal, poderia fazer qualquer negócio. Percebeu que algumas meninas comentavam sobre ele, algumas aprovavam e outras desaprovavam seu visual, diziam que era muito baixo para usar o *smoking*. Ouvindo isso, Teo adicionou quinze centímetros a mais em seu calçado de nanodrones. "Acho que ele devia estar andando na grama! Já não parece mais tão baixo assim!", comentara outra garota. Algumas buscavam seu perfil profissional para saber se era um bom partido ou não. "Parece que ele tem uma empresa", dizia outra mulher, com mais de 26 anos, ao grupo das mais jovens. Mulheres nessa idade queriam ter filhos da velha forma, já estavam quase a ponto de se jogar aos pés de qualquer homem para conseguir uma boa semente. "Não consigo achar nenhuma informação bancária da empresa dele", dizia outra mulher, que era funcionária do Banco Central e tinha o registro de todas as vultuosas movimentações bancárias do país.

"Caraca, em que ninho de cobras eu me meti!", pensou Teo ao observar as conversas paralelas dos *chats* das mulheres próximas. No entanto, quando olhava para as mulheres diretamente com seu olho esquerdo, via as mais bonitas joias à sua frente. Mulheres em vestidos perfeitos e simplesmente lindas. Outros homens assistiam a vídeos pornôs enquanto conversavam sobre negócios com outros homens. Senhores mais velhos deixam seus IBrains ligados, mas sem nenhuma atividade, enquanto conversavam, talvez ainda não soubessem como utilizar aquela ferramenta. Teo se aproxima de um grupo de senhores que conversam sobre a nova política econômica do primeiro-ministro e dos riscos que colocava seu grupo sobre a possível diminuição da pressão nas últimas áreas de recursos naturais do país.

— Se ele pensar em isentar os impostos sobre as terras não produtivas, fará com que esses vagabundos tentem comprar mais áreas pelo país a fora e aumentem suas células! – pregava um senhor mais exaltado. Teo fez um escaneamento nele e descobriu, pelo seu perfil no LinkedIn, que era um senador da república, e ao escanear os outros descobriu que todos eram senadores, deputados, e até o ministro da Câmara dos Deputados se fazia presente.

"Filhos da puta! Essa gente não presta mesmo!!!", pensa Teo, e aproveitando que aqueles senhores estavam se entupindo de comidas e *drinks* sem prestar nenhuma atenção aos seus IBrains, com suas telas de descanso em um leve tom azulado, começa a fazer o *download* de todos os arquivos pessoais daqueles senhores. Contas bancárias no país e no exterior, propriedades, listas de pagamentos de mercenários, capatazes, amantes e prostitutas. Gastos com propinas a outros grupos e até recibos de cafezinhos gastos em aeroportos. Teo ficou fascinado com os números deixados nos bancos do exterior e, acessando a origem dos depósitos, viu que todos vinham de empresas localizadas em paraísos fiscais. Teo não excitou nenhum segundo em direcionar esses recursos para quem os políticos mais amaldiçoavam, os grupos e as organizações não governamentais. Em uma breve pesquisa sobre as ONGs nacionais de defesa da natureza e seus dados bancários para receber doações, Teo começou a transferir todos os fundos dos políticos para essas organizações. Fundação Mata Atlântica, Conservação Internacional, pequenas ONGs e até a WWF receberam, em menos de um minuto, algo em torno de cinquenta bilhões de dólares. Teo limpou as contas desses senhores, representantes do povo, localizadas no exterior. O pequeno *app* de alerta de estranha movimentação, que piscava na tela do IBrain dos políticos bandidos, não foi suficiente para chamar a atenção de seus pobres e analfabetos usuários. Essa seria a maior sensação dos telejornais e *sites* de notícias no dia seguinte: "Líderes da bancada ruralista doam bilhões de dólares para as ONG's conservacionistas". Seria o fim da guerra no campo? Quem ficaria mais furiosa com essa operação seria a ministra Cátia que, por sorte, não fora à tão badalada festa do senhor Fritz.

Após esse ato de bondade, Teo se afasta do grupo e segue em direção à pista de dança. Lá pessoas de todos os tipos se movimentam com seus IBrains. Teo pode observar mosaicos coloridos que se transmutavam em peças de arte de vários séculos. Vários usuários estavam sintonizados no mesmo *site*. Um DJ controlava a música com o seu IBrain e era o gerador das imagens desse *site*. O usuário era bom naquilo, pois muitos ficavam alucinados com a conexão.

Uma jovem mulher, não tão bonita, mas simpática, se aproxima de Teo.
– Olá, forasteiro! – fala Cínthia.
– Olá, senhorita! – diz Teo.
– Cínthia. Cínthia Fritz! E posso saber seu nome? – pergunta a garota, já com a resposta, após pesquisar por cinco segundos sobre a vida de Teo.
– Mas você já sabe, não? – pergunta Teo, ao verificar as janelas abertas da usuária em seu IBrain.

Cínthia movimenta os olhos para cima, como se quisesse ver se suas imagens frontais estivessem vazando de seu cérebro e sendo projetadas para fora da cabeça.

– Desculpe a brincadeira! Sou Teo! E venho em missão de paz! – disfarça Teo ao perceber que a garota iniciara uma chamada aos seguranças.

Cínthia era filha de Fritz e braço direito do pai. Estava sempre alerta a qualquer tipo de movimentação estranha, e quando vira aquele rapaz, que não fazia parte da nata da sociedade carboxiana, mas estava ali desfrutando das companhias mais influentes do país, sentira algo duvidoso e estranho. Começou a checar as credenciais do rapaz. Primeiro verificou qual era a fonte de seu convite, observou que era acompanhante de Walkíria, que chegara ao local havia menos de três minutos. Não querendo ser paranoica nem deselegante, Cínthia pergunta:

– E o que o traz a esta festa, meu querido? Negócios ou prazer?
– Os dois! – responde um pouco assustado Teo, ao observar que Cínthia acelera a pesquisa sobre ele. – Venho com minha parceira de negócios, a senhora Walkíria Maltes.

Ao perceber que as informações estão batendo com que ele diz, Cínthia relaxa e suspende a conexão com seus seguranças.

– Mas também venho conhecer mulheres bonitas e interessantes, como você! – galanteia mais aliviado Teo.

Cínthia o olha indiferente, apesar do elogio. E abre um grande sorriso ao ver que Walkíria aparece atrás de Teo.

– Walkíria! Você está linda com este vestido! – comenta Cínthia, que segue em sua direção e a beija na boca.

Teo fecha os olhos e começa a suar frio. O que faria ao encontrar Walkíria? Como explicaria toda aquela situação? Sentia que ia desfalecer naquele momento e se prepara para ser entregue ao poço de jacarés no final da festa.

Quando chegara à festa, Walkíria havia sido informada que seu acompanhante já havia chegado.

– Que acompanhante? – perguntou Walkíria, sem entender a pergunta do segurança.

Isso gerou um alerta laranja para a investigação do suspeito que chegara dois minutos antes. Assim, o segurança lançou o alerta em seu *app*, que é monitorado por Cínthia, que localizou e foi de encontro a Teo.

O segurança olhou direto aos olhos de Walkíria e enviou a ela via *bluetooth* o convite preenchido com os dados de Teo, incluindo sua foto. Walkíria tomou um susto de surpresa e arregalou os olhos. Aquele era o mesmo rapaz que a olhara de perto no vagão 42 e, conectando as informações até aquele momento, ela deduziu que ele era o mesmo homem que a seguira até seu apartamento, que quase fora morto pelo porteiro, que fora responsável por não receber o tiro e deixar o projétil seguir até a Marginal e alvejar outro homem, que roubara suas informações pessoais e seu cartão de crédito; que arquitetara o *app* na Apple e a fizera ganhar milhões em poucas horas, que agora estava na mesma festa que ela e, para sua surpresa, estava na lista de convidados como seu acompanhante.

"Esse homem deve ser muito interessante!", pensou Walkíria. Ela então responde com uma avalanche de palavras ao segurança:

– Desculpe, é que Teo e eu brigamos há pouco e não pensei que ele viesse mais. Mas se ele já chegou, é sinal que quer reconciliação! Sabe com é, né, eu sou bonita, rica, famosa e tive minha própria filha! O rapaz, em começo de carreira e jovem. Isso assusta um pouco, tanta maturidade e beleza em uma mulher só, poder e tal...!

– Alarme falso! – o segurança retira o alerta do *app*, dá um pequeno tapa nas costas de Walkíria, pede a ela que prossiga e segue a checar os convites dos demais convidados.

Walkíria, de posse das informações do convite de acompanhante de Teo, aperta a função *sort* em seu *app* de localização de imagens de pessoas e, com o auxílio de seu nanodrone voador, encontra Teo conversando com Cínthia e corre em sua direção. Ela conhecia muito bem aquela pequena viúva negra. Cínthia adorava se relacionar com pessoas de todos os gêneros e, depois de usá-los, costumava exterminá-las na manhã seguinte. Uma verdadeira psicopata com muito dinheiro e influência para encobrir todos os seus crimes. Cínthia sabia até que casta da sociedade poderia aplicar seus fetiches de saciar sua sede de sangue corriqueira. Ela não se meteria com Walkíria, pois esta representava um grande grupo do setor de cosméticos, e isso seria um tiro no pé para quem sempre quis ser bonita.

No caminho de encontro a Cínthia e Teo, Walkíria pôde buscar toda a informação pública sobre ele. Ao chegar próximo dos dois, Cínthia vem a seu encontro e, como de costume, lhe beija a boca com um doce beijo. Walkíria, mesmo não gostando, retribuía. "Quando se está no inferno, é melhor abraçar o capeta!" Esse era o lema de Walkíria para aquela ocasião. Enquanto sentia a língua áspera e quente de Cínthia circular em sua boca, Walkíria observava aquele rapaz, que de forma lenta virava em sua direção.

Teo já aguardava a sentença de morte e não sabia se corria ou se se entregava como um homem. "Mas correr para onde?", pensava. E então ele teve a brilhante ideia de roubar todas as informações de todos os IBrains dos usuários que estavam a seu alcance. Durante os cinco segundos que durou o beijo entre as meninas, Teo fez uma varredura geral e pegou todos os arquivos pessoais de centenas de participantes da festa e os colocou em seu ICloud. Recebeu um aviso de excesso de arquivos e aumento da tarifa de uso, mas isso não o incomodou, pois sabia que as informações concentradas ali valiam bilhões ou até trilhões de dólares.

— Estava justamente perguntando de você para seu acompanhante! — disse Cínthia, ao acabar o beijo.

— Olá, Teo! Que bom que veio, mesmo estando magoado comigo! — disse tranquilamente Walkíria, como se fossem íntimos.

Teo, por um segundo, não entendeu como Walkíria não o entregaria, mas participou do jogo:

— Como ficaria magoado com você, minha querida! Só por você tentar me dispensar do planeta há umas horas? — disse Teo, referindo-se ao tiro autorizado por ela.

— Mas você sabe que bem merecia. Garoto malvado! — encerra um assunto sem nexo com Teo.

— Queridos, tenho que ir, o dever me chama. Mas logo volto com uma surpresinha pra vocês! — Cínthia vai em direção ao segundo andar do clube, em uma área VIP.

Teo fica olhando o belo rosto de Walkíria e descobre que esse era o principal motivo para ele não ter voltado para sua casa, como fazia todos os dias. Quebrara o conforto e a segurança da rotina para mergulhar em uma aventura motivada pelo olhar daquela mulher.

Walkíria não sabia direito o que começara a sentir por Teo. De uma simples admiração ao sorriso do rapaz em poucos segundos de encontros de olhares, em um vagão do metrô, mas que, de certa forma, essas simples memórias eram recorrentes em seus pensamentos. O homem que invadiu seu nanocomputador, roubara seu cartão de crédito e ao mesmo tempo lhe presenteara com a patente de um *app* desenvolvido em parceria com a Apple que lhe rendera milhões de dólares em menos de três horas. Mais dinheiro que ela já ganhara em toda a sua vida. Um homem que ela admirava pela astúcia e inteligência, e o principal dos adereços: tinha menos de

30 anos. "Pessoas com a inteligência deste tipo, geralmente, têm mais de sessenta anos", pensava Walkíria, comparando-o com seu amante e patrão.

Não sabiam onde começar o assunto. Mas Walkíria quebra o gelo e pergunta:

– O que realmente você quer de mim? – pergunta em um misto de ansiedade, comoção e impaciência ao se referir sobre seu verdadeiro eu e sem jogos.

– Desculpe, mas eu não sei! – responde inocentemente Teo, deixando cair sua máscara de agente secreto, que vestira até aquele momento, após perceber o defeito que seu ISkin10 tinha, por captar os sinais dos IBrains alheios, transformando-o no maior *hacker* de todos os tempos. "Deve haver uma explicação lógica para isso", pensou Teo, que até aquele momento se divertia roubando as informações e acionando cartões de créditos e contas de bancos dos outros usuários. Mas naquele instante queria ao menos curtir estar ali, em um local deslumbrante e cheio de pessoas perigosas. Em um impulso livre, disse a Walkíria:

– Deixe em *standby* seus *nanogeeks* e vamos dançar?

Walkíria sorri e fecha os olhos por três segundos para que seu IBrain desligue. Os dois vão para a pista de dança e o DJ, que opera de acordo com vibrações cerebrais ao perceber um grande impulso vindo dos dois novos ocupantes, logo coloca uma música lenta, de dançar coladinho. As luzes diminuem de intensidade na pista e todas as outras pessoas começam a dançar coladas. Em meio aos dois, era possível encontrar casais de todos os gêneros e grupos de três ou mais indivíduos.

Por um momento, Walkíria pensa em fazer uma sabatina de perguntas sobre o rapaz. Mas, tocada pelo momento, decide apenas contemplá-lo sem questionamentos. Ela, apesar de seus 32 anos, nunca sentira aquilo, o prazer de estar com alguém só por estar, sem pensar no antes ou depois. Sentir o puro prazer do presente.

Teo se sentia um pouco assustado, pois jamais ficara tão perto de uma mulher, já fizera sexo virtual e com alguns avatares, mas aquilo ali era extremamente real. Sentir o cheiro do Channel misturado ao leve suor de Walkíria, a combinação única de dois perfumes, era a coisa mais excitante que presenciara na vida.

Walkíria sente a ereção do pênis de Teo a roçar em suas coxas enquanto dançam. Ela se afasta por um segundo, mas volta a encostar nele. "Isso é natural!", pensa e sorri Walkíria, que na maioria das vezes só mantinha relações com mulheres.

32
Agentes no topo da redoma

As agentes encomendam alguns *nanogeeks* no caminho, inclusive o *app* Tuxido, recém-lançado no mercado, que já vendera mais de três milhões de licenças em menos de três horas. Elas arrancam as velhas roupas, dentro do mini-helicóptero que está parado no topo da redoma do Clube Pinheiros, espalham os nanodrones pelo corpo e acionam o *app* – com a ajuda do Google procuram modelos convenientes para a ocasião. As duas buscam longos de cores escuras, assim podiam esconder melhor suas armas. Aprontam-se com os *kits* de maquiagens do IBeauty *app* e colocam algumas doses de perfumes também entregues na compra dos *apps* usados para a festa.

– Nada como ser VIP, minha querida! – comenta a Agt. Verônica para a Agt. Lílian ao ver a fatura do cartão de crédito cooperativo da PF, sobre a compra dos dois *kits* do *app* Tuxido, mais a conta dos perfumes e *kits* de maquiagens.

– Neste país ninguém respeita dinheiro público mesmo! Ao menos é por uma boa causa! – comenta Lílian indo em direção à entrada superior da redoma.

Ao tentarem entrar, as agentes são barradas pelo sistema de segurança. Na parte superior da redoma não existia a presença física de seguranças, pois os convidados que vinham de forma aérea geralmente eram VIPs e adentravam somente com a checagem do convite. Mas, no caso das agentes, elas não tinham convites e nem eram cadastradas.

Verônica mostra sua identificação de agente federal. O segurança que está a cargo da abertura do acesso ri e comenta:

– Vocês não são bem-vindas hoje, queridas! Passem outra hora!

A Agt. Verônica se comunica com o ministro Munhoz e pede a ele que libere a entrada delas no recinto.

O Agt. Munhoz coça a cabeça e pensa: "Isso vai me custar caro!". Faz uma ligação para o assessor do primeiro-ministro, que também é convidado da festa, e alega que dois de seus agentes precisavam entrar na festa para ajudar na segurança do próprio primeiro-ministro. Depois de algumas chamadas e negociações com o Sr. Fritz e alguns ministros, as duas agentes são liberadas para entrar, mas sem o porte de nenhum tipo de arma letal. Elas voltam ao mini-helicóptero, deixam o arsenal leve e voltam ao acesso do topo da redoma. Passam por um sistema de raio X e, liberadas, seguem ao sistema de elevadores que desce para onde as pessoas estão na festa.

– Deixe seu IBrain em *standby*! – ordena a Agt. Verônica. Ela sabia que necessitaria do mínimo de processamento de seu equipamento para manter alguns *apps* em funcionamento, como o Tuxido *app* e outros de comunicação com seu superior. Mas sabia que, com isso, correria o risco de estar sendo monitorada pelos possuidores do mesmo *app* de localização de todos os IPs. Esse *app*, em princípio, seria de uso exclusivo da PF, mas se tornou facilmente acessível para qualquer um no *site* da Amazon. A Agt. Verônica tinha um pequeno recurso, o Delay *app*, que atrasava o rastreamento em alguns minutos, dando a possibilidade de ela reagir a uma tentativa de atentado, o que só seria possível se seu oponente não tivesse seu contato visual locado.

33
Cap. Tiburcius continua sua missão

Cap. Tiburcius chega até o teto da redoma onde se encontram alguns helicópteros parados e aponta sua pistola 9 mm em direção a uma pequena aeronave. No entanto, não vê nenhuma pessoa por lá, mas o IP que ainda pulsava uma localização no seu IBrain dava essa localização. "Merda, fui enganado!", resmunga o capitão. E de repente holofotes são ligados e iluminam a superfície da redoma.

– Parado, capitão! Abaixe a arma! – assim solicita o chefe da segurança, o S. Ten. Jerônimo. Mas o capitão não obedece, corre para a parte inclinada da esfera e começa a escorregar entre as placas de vidro e as junções metálicas. Ele aumenta muito a velocidade e percebe que, se não se agarrasse, ia cair e se machucar. Para entre uma junção de vidros e, com as pontas dos dedos, segura na parte metálica e caminha lateralmente em direção às hastes de metal laterais que suportam a estrutura da redoma. Quando chega na estrutura de metal, uma corda é baixada ao seu lado. O S. Ten. Jerônimo desce em um rapel ao encontro do outro militar. O Cap. Tiburcius aponta a arma para ele.

– Calma, capitão! Mas o senhor não pode invadir a festa dos bacanas sem que a gente saiba o porquê! S. Ten. Jerônimo a seu comando, senhor! – assim, o outro soldado presta continência ao superior. O capitão sente um misto de satisfação, vergonha e dores no ombro, que bateu por todos os lados na descida da redoma.

O capitão sobe de volta para a parte superior da redoma, com o auxílio do outro militar. Ele explica que era uma missão secreta e que não podia falar mais nada. O subtenente sabia que não poderia trair nenhum dos dois lados. Então, como se fossem dois bons jogadores de xadrez e militares diplomatas, resolveram fazer um acordo: o capitão não poderia entrar no Clube Pinheiros, pois esse território estava sendo guardado pela equipe do subtenente, e em contrapartida poderia ficar ali, à espera de suas vítimas, sem ser delatado pelo grupo de segurança. Assim, estariam os dois executando suas missões, sem se prejudicarem. Mas o capitão pediu alguns equipamentos extras para se camuflar e um novo sistema de máscara respiratória, pois o dele havia quebrado.

— Sim, senhor! — disse o capitão.

— Soldados, descansar! — ordena o subtenente.

Ao comando de Jerônimo, quatro soldados que estavam camuflados a menos de seis metros ao redor dos dois homens se apresentaram e deixaram um *app* de camuflagem para o capitão, um novo *kit* de emergência, mais alguns pentes extras de 9 mm e um novo fuzil de ataque. Os soldados se retiraram e o capitão se deitou ali, naquela noite esfumaçada e escura; perto de um dos helicópteros ele abre o *kit* médico e retira uma seringa de morfina, que aplica em sua veia. Isso aliviaria a dor e traria um pouco de tranquilidade para aquele soldado. Sentindo-se mais leve, o capitão pôde ver que um pouco da eterna fumaça de Carboxy se dissipara na noite e, assim, ele conseguia ver algumas estrelas no céu. O soldado descansa, mas não perde o sinal dos IPs das agentes, que se movimentavam cem metros abaixo dele, no solo do Clube Pinheiros.

34
De volta à festa

A música lenta acabou e Teo e Walkíria, que viviam uma contemplação mágica, despertam-se para a realidade local. Walkíria, embaraçada, diz:

— Desculpe, tenho que falar com algumas clientes e trabalhar... Eu...

— Tudo bem! Eu entendo! – falou manso Teo.

— Mas podemos nos encontrar depois? Mais tarde, na hora em que eu estiver livre? – pergunta meio aflita Walkíria.

— Ok... – fala quase mudamente Teo, dando alguns passos para trás e soltando a mão de Walkíria lentamente.

Walkíria vira de costas e, em meio à sua indecisão e vontade de saber mais sobre aquele rapaz ou continuar a cumprir suas metas daquela noite, vira-se novamente, mas não o encontra. Não queria ser inconveniente, correr atrás dele e se rasgar em declarações de amor para um homem que ela soubera que existira há apenas algumas horas, mas de certa forma era aquilo que seu coração sentia. Walkíria respira fundo, fecha os olhos e faz trinta segundos de respiração Prana, algo que aprendera na yoga.

— Ok! Agora eu posso me concentrar no trabalho e depois penso no lazer. – Conclui Walkíria em seus pensamentos.

Teo caminha sem direção entre as pessoas da festa. Seus instintos o levaram até aquele lugar, com a intuição de que conheceria uma pessoa especial, e essa seria sua meta naquela noite. E ao ver Walkíria, conhecê-la de certa forma, tocá-la e ter até uma ereção enquanto dançavam, parecia que ainda não era somente aquilo. Faltava algo, essa era a sensação. Talvez se sentira anestesiado depois de tantos sentimentos e acontecimentos diferentes naquela noite e, de algum modo, começara a se cansar daquilo tudo. Não sabia o que se passara.

"Acho melhor ir embora!". Ao pensar isso, observa o relógio do ISkin10, que indica 10h56 da noite. "Passou bastante do horário de ir pra cama!". Teo tinha uma vida super-regrada, depois dos acontecimentos que resultaram em sua crise nervosa e internação, costumara a tomar duas cápsulas de lítio às 10h da noite e dormia depois de meia hora. Apesar de sair um pouco da rotina, ele não sentia sono. Assim, concluiu que poderia ficar um pouco mais e conhecer mais carteiras virtuais recheadas, ou pessoas interessantes.

Do alto de uma área reservada, Teo observa um senhor de cabelos arrepiados e brancos, com óculos no estilo *umber vision*. Ele tenta acessar seu IBrain, mas percebe que o homem não tem o equipamento. Aquele senhor é Fritz, que conversa com outro senhor que Teo já conhecera dos telejornais, esse, sim, está a plenos vapores, trabalhando em seu IBrain com uma velocidade nunca observada por Teo. Esse outro senhor é nada menos que o primeiro-ministro que veio da única remanescente e antiga cidade do Brasil que ficava no interior: Brasília.

O primeiro-ministro Snows fora escolhido havia menos de um ano pelos diferentes poderes e vinha da bancada dos senadores. Em uma disputa muito acirrada entre ele e a ministra Cátia, conseguira articular para se eleger. Eram um homem muito astuto e carismático, oriundo de uma linhagem de mais de duzentos anos de políticos do antigo estado de Minas Gerais. Adorava festas, e experimentar bebidas e drogas era seu maior prazer. Assim, o convite de Fritz era, de certa forma, irrecusável. O primeiro-ministro conversava com Fritz ao mesmo tempo que lia uma história para suas filhas dormirem por meio de seu avatar que estava em

Brasília e discutia a relação com a atual mulher, dava uma *browseada* nos *sites* de encontros locais e ainda acompanhava uma partida de basquete dos Lakers da NBA.

– Meu Deus! Que colocaram na bebida desse cara! – exclama Teo.

Mas nada disso impediu que Teo conseguisse entrar em seu nano-computador e fazer o *download* das informações pessoais do primeiro--ministro para seu ISkin10.

Depois de alguns segundos observando praticamente todos os arquivos pessoais dos convidados da festa, Teo se cansou de ver tanta sujeira e podridão. E se preparava para ir em direção à saída do clube. Mas sente uma mão feminina a tocar seu ombro.

35
Agentes na pista

As duas agentes desceram do teto da redoma escoltadas por um grupo de seguranças. Ao saírem do elevador, outra turma de soldados, dessa vez armada, adentrou em seguida ao elevador.

— Acho que eles perceberam que o heliporto estava meio desprotegido — comenta a Agt. Lílian.

As duas foram deixadas na área da festa e um dos seguranças recomendou:

— Vejam se não vão criar problemas!

A Agt. Lílian, que não era muito política, mostra um dos dedos do meio para ele. O soldado até que gostou do gesto.

— Ok, Agt. Lílian, estamos buscando alguém sem IP, portanto teremos muita dificuldade de encontrá-lo, vamos ter de tentar a sorte e conversar diretamente com aqueles que não tenham IBrain ou ISkin — comentou a Agt. Verônica.

— Isso vai ser fácil, somente os velhos não usam esses *nanogeeks* — ressalta a Agt. Lílian.

As duas seguem caminhos diferentes. Com o *app* de localização e com o contato visual de seu nanodrone a Agt. Verônica busca o suspeito. Ela sabia que existia um traidor em seu grupo, e com a morte de todos os seus agentes, restando somente ela e Lílian, deduzira que a Agt. Lílian era a traidora, mas ainda não tinha a prova cabal dos fatos. Assim, como Lílian não sabia quem elas procuravam, Verônica deu a falsa informação de que o suspeito não possuía nenhum tipo de nanocomputadores rastreáveis pelo IP.

A Agt. Verônica identifica o suspeito. Em menos de um minuto, ela o alcança e toca seu ombro. Verônica sabia da existência dos dois filhos de Hugo, mas não tinha a mínima ideia de como Teo era parecido com seu pai. Coisa que não se via nas fotos dos arquivos da internet, pois essas imagens sempre eram maquiadas. Em um misto de surpresa e susto, a agente se apresenta:

– Olá, senhor Teo, eu sou a Agt. Verônica e gostaria que o senhor me acompanhasse! – diz calmamente a agente.

Teo se assusta e checa as informações do IBrain de Verônica. Ela realmente era uma agente da PF.

– Mas eu fiz algo errado? – fala Teo, assustado, e continua a investigar as informações de Verônica.

– Isso é o senhor que vai me dizer, mas primeiro temos que sair daqui – fala seriamente a Agt. Verônica.

Teo checa os últimos arquivos de Verônica e observa que ele era suspeito por usar o IP de Walkíria ao segui-la até em casa. Essa era a única informação que poderia incriminá-lo de alguma coisa até aquele momento. Também observa em alguns arquivos pessoais da agente fotos com seu pai, o Agt. Hugo. E descobre que Verônica trabalhava diretamente com ele. Teo se sente um pouco aliviado em saber que a mulher trabalhara com seu pai, pois isso indicava boa índole. Teo então aceita o convite e segura na mão da mulher, que caminha em direção ao elevador.

Exatamente à meia-noite, o anfitrião da festa, Fritz, ao lado do primeiro-ministro anuncia a distribuição do Absinto X aos convidados. E, para aqueles que quisessem turbinar suas conexões e fazê-las de forma sem limites, ele também tinha algo especial, anunciava Fritz sem constrangimento ao lado do primeiro-ministro, que sorria ao público.

A Agt. Lílian busca o IP da Agt. Verônica e, ao vê-la na tela gerada pelo nanodrone, percebe que ela segura a mão de um rapaz.

– Você encontrou o suspeito? – pergunta a Agt. Lílian, desconfiada com a falta de comunicação de sua superior. Lílian também suspeitava que a Agt. Verônica era a traidora do grupo, pois era a única que escapara de qualquer atentado e estivera fora de comunicação durante todo o tempo em que os outros agentes foram executados.

– Sim, tenho que tirá-lo daqui e você me dará cobertura! Ok? – ordena Verônica.

– Positivo, Verônica! – responde a Agt. Lílian.

Verônica sabia que aquela forma de resposta não era usual para um subordinado, o certo seria "Positivo, comando!". Isso a deixou preocupada, pois sabia que existia entre eles um traidor, e se colocasse em análise geral os fatos, as deduções levariam a ela mesma ser a principal suspeita. Com o sinal de insubordinação, ficava claro que a Agt. Lílian também a considerava a traidora. As coisas não se encaixavam. Ela precisava de mais tempo para pensar melhor.

A Agt. Verônica e Teo aceleram os passos até o elevador. Entram pela porta do local de logística, que dá acesso ao topo da redoma, e correm até o fim do corredor. Lílian também corre atrás deles. Eles chegam ao elevador e a Agt. Verônica aperta o botão para o último piso. Enquanto as portas automáticas se fechavam, ela pode ver a Agt. Lílian correndo na direção deles e dizendo:

– Esperem!

A porta fecha sem eles esperarem.

Lílian pega um segundo elevador e vai em direção ao último andar.

Ao chegarem ao teto da redoma, Cínthia, o chefe do grupo de seguranças e outros de seus homens os esperavam. Observando a estranha movimentação de duas agentes da PF e aquele inusitado convidado, Cínthia resolve saber mais do porquê daquele estranho encontro.

O barulho causado pela aparição repentina daquele grupo de pessoas no teto da redoma desperta a atenção do Cap. Tiburcius que, ferido, cansado e com a cabeça cheia de morfina, tenta operar seu IBrain e sua visão para a identificação do IP daquelas pessoas. Assim, ele consegue identificar o IP da Agt. Verônica. Aponta sua arma, prende a função *lock* da mira e atira no alvo. O tiro seria certeiro se não tivesse de atravessar uma porta de vidro blindado, que não resistiu ao disparo de calibre de 50 mm, mas amortizou o impacto, diminuiu a rotação do projétil e desviou seu curso, acertando Cínthia Fritz. O projétil atingiu suas costas e varou seu peito, atingido parte do seu pulmão esquerdo e uma costela, onde foi desviado para o chão, não acertando a Agt. Verônica.

— Puta que pariu! – disse o chefe de segurança, S. Ten. Jerônimo, o mesmo que fizera o pacto com Cap. Tiburcius.

O subtenente atira com seu fuzil em direção à localização do disparador seguido pelos seus dois homens. A Agt. Verônica e Teo puxam Cínthia para o lado e tentam ajudá-la. Agt. Verônica abaixa seu vestido até a altura do umbigo e libera todos os seus milhares de nanodrones médicos sobre o corpo de Cínthia.

— Vamos, libere os seus também! – ordena a Agt. Verônica a Teo.

— Mas eu não tenho! – disse Teo, afastando-se.

— Claro que tem, verifique em sua apólice médica, todas as famílias de agentes têm! – responde Verônica, que se afasta do corpo com o seio sujo de sangue.

Teo realmente tinha nanodrones médicos implantados em seu corpo. Ele tira a camisa e faz o mesmo gesto. Milhares de pequenas esferas metálicas saem de seu umbigo em direção ao ferimento de Cínthia. Esses nanodrones eram tão inteligentes que podiam se comunicar com *apps* nos arredores em caso de emergência e pedir ajuda. Em poucos segundos, Cínthia conseguia respirar e recuperar sua consciência. O estrago não fora tão grande. Os nanodrones emprestavam fibras musculares de seus glúteos para reconstituir os músculos destruídos no caminho, e quanto ao pulmão e ao esterno, foi feita uma malha de nanodrones que se adaptaram à elasticidade de um e à dureza de outro, respectivamente.

O tiroteio continuou e o Cap. Tiburcius, em um momento de trégua para recarregar os cartuchos, joga-se ao ar, segurando o fuzil. Como a esfera da redoma possui 180° de curvatura, o capitão não consegue alçar voo completo e bate nas placas de vidro em declive. Ele cai em cima do vidro e começa a escorregar em direção ao chão novamente. Os outros soldados tentam acertá-lo, mas depois de certo ângulo de curvatura era impossível enxergá-lo. Assim, a velocidade de descida do capitão começar a acelerar. Ele chega a quase 100 km/h em menos de seis segundos de descida, isso era quase como uma queda livre. Tiburcius, em um ato de desespero para tentar desacelerar a descida, apoia o fuzil em sua barriga e começa a disparar incessantemente para baixo. A força de ricochete da arma atua com uma força contrária à gravidade e isso também aumenta a força de atrito entre as costas do capitão e a redoma. Assim, quando chega ao solo, ele sofre um leve impacto, o que seria comparado a uma queda da altura do telhado do primeiro andar.

Um nanodrone seguia o Cap. Tiburcius em toda a sua queda. Assim, o S. Ten. Jerônimo pôde acompanhar todo o malabarismo e a perícia daquele soldado. Ao cair ao chão, o capitão correu em direção à grade e a pulou. Escaneou toda a área e viu que ali perto havia uma entrada para o sistema de coleta de águas pluviais, então correu em direção a ela e desapareceu no mundo subterrâneo. O S. Ten. Jerônimo poderia deixar que o nanodrone o acompanhasse, mas não queria mais perseguir aquele bastardo.

Com a estabilização do estado de saúde de Cínthia, Verônica e Teo correm de volta para o elevador e descem para a festa. O outro elevador chega com a Agt. Lílian e o chefe da segurança ordena que ela seja detida. Dois de seus homens a algemam e a levam para uma sala naquele mesmo andar.

— Se quisermos sair daqui com vida teremos que desligar nossos *nanogeeks* – fala a Agt. Verônica enquanto os dois descem pelo elevador. – Mas como vou operar meu *app* Tuxido? – pergunta para si mesma a Agt. Verônica.

— Ele mantém a última forma caso o nanocomputador com esse *app* seja desligado. Você não andará nua por aí! – responde Teo.

— Mas como sabe disso?– pergunta intrigada a Agt. Verônica.

— Porque fui eu que o criei! – responde Teo de forma simples e humilde.

— Mas por que estamos sendo ameaçados? – pergunta Teo, inocentemente.

— Você é quem deve responder isso! Eu que vim parar aqui atrás das pistas deixadas por você, enquanto seguia aquela mulher. Vamos, me explica o que está acontecendo? – diz irritada a Agt. Verônica.

O elevador para, eles descem com seus nanocomputadores desligados. A localização de IP não funcionaria, mas ainda havia a identificação facial, trabalho feito pelas dezenas de câmeras e dezenas de nanodrones que voavam no local. Os dois se misturam à multidão e buscam uma forma de sair daquele lugar.

Andando meio abaixado, Teo localiza visualmente Walkíria, que está dentro de um lounge do IBeauty *app* comercializando seus caros produtos. Ao observar Teo olhando para Walkíria, a Agt. Verônica tem uma ideia. Ela sabia que o nanocomputador de Teo poderia reproduzir o IP de outros nanocomputadores, assim ele poderia passar por uma porta de inspeção de saída sem problema, mas poderia ser identificado pelo seu rosto.

O cerco diminuiu, os nanodrones já haviam percorrido 80% de toda a área da festa em busca dos dois.

— Agt. Verônica? Teo? – fala surpresa Walkíria, pois a reconhecera do último encontro ocorrido menos de três horas atrás, mas não sabia o que Teo fazia com ela.

— Precisamos de sua ajuda! — comunica a Agt. Verônica. Ela conseguiu formular um plano no último segundo. — Vende dois *apps* pra gente! Rápido! — diz a Agt. a Walkíria.

A agente paga os dois *apps* com seu cartão de crédito corporativo.

"Jesus, quando tiver que prestar minhas contas à tesouraria da PF vão arrancar minha pele!", pensa Agt. Verônica. Os dois acionam seus nanocomputadores e voltam a ser rastreados pelos agentes de segurança da festa.

— Os suspeitos estão dentro da área comercial no *lounge* 32, departamento de beleza.

Teo e a Agt. Verônica também recebem o *kit* com os nanodrones cirurgiões cosméticos, lançado mundialmente dois dias atrás. Eles deixam as pequenas esferas metálicas entrarem pela boca.

— Vocês não terão tempo de ler o manual, mas podem ir no catálogo de formas e escolher o tipo de corpo e a maquiagem que quiserem — comenta orgulhosa a vendedora.

— Teo, você repete o truque de usar o IP da Walkíria! — ordena a Agt. Verônica.

— Não sei como fazer isso! — diz o rapaz assustado, mostrando pela primeira vez sua fragilidade emocional.

— Claro que sabe, é só repetir o procedimento que você fez enquanto a seguia! — disse irritada a Agt. Verônica.

Teo simplesmente olhou para Walkíria e trouxe as imagens do IBrain dela para sua fronte, e então seu IP se transformara no mesmo da vendedora, assim pôde perceber a Agt. Verônica enquanto monitorava os IPs com seu nanocomputador.

— Agora você consegue fazer essa coisa comigo também, consegue capturar meu IP?— pergunta mais tranquila a agente.

— Sim! — Teo abre outra janela em sua fronte e captura o IP da agente, que pode observar os dois IPs sobre a localização de Teo.

"Jesus! Esse menino pode acessar qualquer nanocomputador do mundo!", pensa a agente e, em seguida, teve outra ideia para escapar dali.

— Como você está tendo acesso a esses dois nanocomputadores, será que você consegue enviar o acesso à internet com o IP da Walkíria para mim? — pergunta a agente, maravilhada com aquilo.

— Nunca fiz isso, mas posso tentar! — fala Teo, confiante.

Em menos de um segundo ele transfere todas as imagens e o acesso do IP de Walkíria para a Agt. Verônica. Assim, os três indivíduos apresentam o mesmo IP.

Os agentes de segurança ficam confusos com o desparecimento do sinal de localização dos dois IPs que procuravam, mas tinham certeza de que vinha da área de beleza *lounge* 32.

A agente e Teo acessam o *app* de beleza e, como tinham a identidade de IP de Walkíria, fazem o máximo para se vestir e se aparentar como ela. Teo era quase do mesmo tamanho que Walkíria, então foi fácil se transformar. Sentiu um calor vindo das pernas, pois os nanodrones começaram a subir por elas, retirando algumas fibras musculares e endereçando às coxas e ao quadril. Teo, quando sentiu um calor se aproximando de seus órgãos genitais, desliga o aplicativo.

— Isso não vai dar certo! Prefiro me entregar do que fazer uma mudança de sexo! — disso o rapaz, encabulado.

— Acione no menu "Preservar meu sexo"! — fala sorrindo Walkíria.

Teo aciona o comando e o calor sobe em direção à barriga, sente os pelos dos braços e do peito caindo. Seus seios não aumentam, mas seu rosto perdeu os pelos e seus traços lembravam o rosto de Walkíria. Seus cabelos ficaram longos e avermelhados como o daquela mulher. O *software* não alterava a estrutura óssea das pessoas, isso viria somente na próxima versão. Assim com a mudança do vestido, usando o *app* Tuxido, para um modelo igual ao de Walkíria, os dois ficaram quase idênticos, exceto pela falta de seios e pelo volume no meio das pernas de Teo. A Agt. Verônica disse:

— Esconde isso!

E Teo enfiou seus órgãos genitais para o meio das pernas e os segurou com a meia-calça. Já a transformação da Agt. Verônica fora mais fácil.

Os quadris cresceram, os seios diminuíram e ficou bem parecida com a modelo original. O maior problema era a altura. A agente era vinte centímetros mais alta que Walkíria, mas esse detalhe não importava na hora da correria.

Os seguranças estavam chegando à porta, os fugitivos já não tinham como sair. O *lounge* tinha cerca de cinquenta pessoas entre clientes e vendedoras. A Agt. Verônica sabia que, se ficassem ali, seriam facilmente pegos. A única saída era criar o caos. O espaço era decorado com gigantes garrafas, que formavam colunas da bebida Absinto X, que depois da meia-noite poderiam ser abertas por um sistema de torneiras e, assim, consumidas. A agente abriu todas as torneiras possíveis, próximas de onde estavam, e deixou a bebida cair ao chão. Como o teor alcoólico era acima de 75º, ela poderia pegar fogo facilmente. O carpete ficou empapado em poucos segundos. Os seguranças estavam dentro do *lounge*, fazendo uma varredura visual. No ambiente mais ao fundo, estavam as três figuras, como se fossem trigêmeas.

– Precisamos de algo para fazer a ignição disso! – comenta a agente.

Naquela época, ninguém mais fumava ou andava com qualquer tipo de equipamento de ignição de chamas, como fósforos e isqueiros, nenhum equipamento que pudesse provocar faísca em caso de curto-circuito, somente algo que produzisse muito calor poderia iniciar uma combustão.

Os IBrains vinham com o *kit* de nanodrones câmeras, e, como Teo tinha acesso aos nanocomputadores das meninas, ele criou um curso de colisão entre os nanodrones, mas antes teve de entrar dentro do programa que gerenciava o *app* e eliminar os códigos de segurança que impediam a aproximação dos nanodrones a outros objetos. Fazendo isso ficou fácil de mirar as câmeras das pequenas máquinas e ordenar o choque ao chão. Esse choque gerou uma pequena faísca, que foi o suficiente para que chamas da altura de 1,5 m subissem do carpete. As pessoas corriam por todas as saídas do *lounge*, o sistema contra incêndio do clube era antigo e não funcionava de forma inteligente: os *sprinklers* jogaram água em todos os lados, os nanodrones abortaram as operações de voo, os drones maiores também tiveram de procurar o abrigo do solo, pois os grossos pingos de água poderiam danificar seus sistemas e eles corriam o risco de cair sobre a multidão. As saídas de emergências foram abertas.

O fogo, que começara no *lounge* de beleza, se espalhou rapidamente para a área do salão que era decorado com cortinas brancas de um material sintético, imitação de seda. Em meio ao fogo e à água, muita fumaça foi gerada. Os convidados entraram em pânico, muitos corriam para as saídas de emergência. Os seguranças tentavam conter a multidão, pois tinham de ter a identificação de cada um para impedir que os indivíduos que estavam sendo buscados pudessem escapar. Mas a multidão não foi educada nem controlada. Houve confronto entre os seguranças e outros homens que não aceitavam as ordens daqueles cães do sistema. Assim, em meio à luta corporal, pessoas pisoteavam os homens amontoados ao chão. A antiga chapelaria, localizada em um *hall* antes da saída para rua, guardava máscaras antipoluição. Os seguranças que buscavam o homem e a agente não conseguiram identificar ninguém com o perfil igual aos preenchidos em seus convites. Assim, em meio ao caos, Teo, Walkíria e a Agt. Verônica saíram despercebidos para a rua junto à multidão.

No alto da redoma, a Agt. Lílian, que começara a ser espancada e seria interrogada, teve um momento de descanso. Os seguranças que estavam lá com ela e Cínthia, que se recuperava do tiro, saíram correndo para investigar o sinal de alerta e, quando viram que era proveniente de um incêndio que se alastrava pelo pátio, desceram direto pela lateral externa da redoma, usando algumas cordas que possuíam, abandonando as mulheres. O incêndio foi aumentando e a fumaça já invadia a pequena sala onde estavam a Agt. Lílian e Cínthia.

— Me solta que eu salvo a gente — disse a Agt. Lílian à mulher convalescente, e que não tinha muitas forças para pensar, assim, aceitou a ordem. Com um pequeno metal que segurava seu cabelo, Cínthia cortou o lacre de plástico que era usado para prendê-la em uma cadeira. As duas mulheres saíram em meio à fumaça escura e buscaram a porta, que levava ao heliponto. O sistema de *sprinklers* não chegava até aquela parte, o que aumentava a quantidade de fumaça. As duas conseguiram abrir a porta de saída e subiram no mini-helicóptero. A Agt. Lílian colocou um par de algemas em Cínthia. Elas saíram segundos antes que o calor gerado pelo incêndio destruísse a parte superior da redoma.

Os senhores que estavam na sala VIP saíram tranquilamente por um sistema subterrâneo que dava acesso ao metrô. A festa durou menos de duas horas, mas para Fritz, acostumado a viver uma guerra diária, aquela festa foi um sucesso.

36
Buscas

Na rua, os três fugitivos pegam um Uber e pedem ao carro que vá em direção ao apartamento de Walkíria, pois ela era a única com IP livre de monitoramento. Ao tirarem as máscaras, estranham-se novamente ao olharem os três rostos muito parecidos. Teo é o primeiro a desfazer as mudanças do IBeauty *app*, não estava nem um pouco confortável naquele corpo que não o pertencia. A Agt. Verônica também não gostava da ideia de se parecer com aquela perua, e também desfez os efeitos do *app*.

– Temos que desligar os *nanogeeks*, ou seremos facilmente localizados – advertiu a agente. Ela também desconfiava que àquela altura os seguranças do Sr. Fritz já tinham Walkíria como suspeita, era muita coincidência o fogo ter começado justamente no *lounge* da vendedora.

Após a evacuação dos figurões do clube, o S. Ten. Jerônimo sente a falta de Cínthia.

– Oh, meu Deus!

Ele olha para o alto da redoma e vê que o local encontra-se em ruínas, e algumas pequenas explosões por lá ocorrem. Alguns helicópteros que não foram utilizados e que ficaram presos nas estruturas metálicas, com o calor, explodiam por conta de seus tanques de combustíveis. O militar busca algum sinal de Cínthia e respira aliviado quando observa que o sinal move-se com outro IP, em uma linha transversal pelas as ruas de Carboxy. Ao checar o IP, ele identifica a Agt. Lílian. Esse seria outro problema a cuidar. Mas ele necessitava saber o paradeiro da outra agente e do misterioso rapaz.

O subtenente vai até um contêiner de operações, que é carregado por um caminhão do exército, acessa a rede *backup* de segurança e ali faz um rastreamento em todas as saídas monitoradas de IP's. Não consegue encontrar nenhum dos IPs dos foragidos. Tenta então o reconhecimento facial, e neste momento algo lhe chama a atenção: uma mulher passara três vezes pela mesma porta. Ao verificar o IP, conseguiu localizar os mesmos IPs dentro de um veículo da Google.

— Lá devem estar esses malditos. Vamos pegá-los! – diz, acionando os outros soldados, que o aguardam dentro de um caminhão Unimog X. A brigada de seis homens agora segue em direção ao alvo com estimação de intercepção de quatro minutos.

O Cap. Tiburcius, depois de percorrer quase 5 km de galerias pluviais, sobe ao alto de um edifício abandonado na avenida Augusta. Daquele ponto pode observar as luzes e a fumaça que sai do Clube Pinheiros. Ele fica admirado com a beleza daquele espetáculo, aciona seu localizador para saber o paradeiro de seu último alvo, pois tinha a certeza de que havia eliminado a Agt. Verônica com aquele fatídico tiro. Localiza o IP da Agt. Lílian, que voa a uma distância de 8 km dali em direção oeste. Olha em seu relógio e percebe que tem agora somente 7h43 para eliminar seu alvo. Ele está cansado e ferido, mas não pode desistir da missão, pois, se desistir, isso custará sua própria vida.

Teo se desconecta do IP de Walkíria e libera também o IBrain da Agt. Verônica. Nesse instante, a Agt. Lílian, o S. Ten. Jerônimo e o Cap. Tiburcius localizam a Agt. Verônica. A Agt. Lílian, ao ver o contato da outra agente disponível, faz uma videochamada:

— Para onde você vai, Agt. Verônica?
— Estamos a caminho do QG.

A Agt. Verônica, a essa altura, sabia que poderia estar sendo rastreada por todos os seus inimigos.

– Te encontro lá! – replica Lílian.

– Positivo! – responde a Agt. Verônica, que seguia em direção sul.

A Agt. Lílian poderia interceptá-la em dois minutos. O grupo de soldados seria o segundo grupo a chegar até as agentes, e o Cap. Tiburcius não tinha a mínima condição de interceptá-los, mas mesmo assim desce do velho edifício, entra no metrô e segue em direção sudeste até o QG da PF.

A Agt. Lílian consegue contato visual com o Uber que segue pela Marginal carregando a agente e outros dois tripulantes. Nesse instante, os sinais de IP desaparecem, mas como já havia localizado o veículo, esse fato não importa mais. Lílian carrega seu colete com as armas que estavam no mini-helicóptero e voa rasante sobre o veículo da Google, Cínthia somente observa. Aquela manobra fez os sensores de colisão do veículo, que não possuía condutor, parar de forma brusca. Ao parar, a Agt. Lílian desce da aeronave com duas metralhadoras apontadas para os tripulantes do veículo.

– Desçam do carro! – ordena a Agt. Lílian aos berros, e está a ponto de disparar. Ela continua confusa, pensando que a Agt. Verônica era a traidora. De acordo com as provas que havia coletado em seu IBrain, todos os comportamentos e atitudes da Agt. Verônica já somavam 75% de indícios que levavam à sua condenação. Lílian sabia que, com 90% de provas poderia realizar a execução sumária de qualquer um, mesmo que esse fosse seu superior.

– O que você esta fazendo, Agt. Lílian? Isso é insubordinação – grita a Agt. Verônica.

Mas a Agt. Lílian não se acalma, ela só quer ter certeza de que Agt. Verônica não tem uma arma nas mãos e não está ameaçando a vida daquelas pessoas, que poderiam ser a chave de todos os acontecimentos e a solução de todos os crimes entre os dois grupos, ocorridos nas últimas cinco horas.

A 5 km do ponto de abordagem do mini-helicóptero, os militares identificam o IP da Ag. Lílian e de Cínthia, eles dirigem para o local com um veículo Unimog X. O rastreador de calor das imagens de satélite indica que há uma pessoa no interior do mini-helicóptero, e o IP é de Cínthia. O S. Ten. Jerônimo, ao perceber um afastamento seguro para proteger a vida de sua cliente, já que as duas estavam mais de dez metros separadas, lança do teto do caminhão um drone míssil que atingiria a agente em vinte segundos.

— Vamos, Verônica! Tenho quase todas as provas de que você é quem nos traiu e foi a responsável pela morte de nossos agentes! — fala a Agt. Lílian.

— Não, Agt. Lílian! Você está enganada! Eu também pensei que era você a responsável! Por isso não dividi todas as informações que eu possuía! — a Agt. Verônica fala e se retira do automóvel.

Agt. Lílian entende a reação da Agt. Verônica e começa a abaixar as armas. Nesse instante, o drone míssil já está sobre a Agt. Lílian. O drone dispara uma granada que gruda em seu capacete e o explode em menos de um segundo. Os três ocupantes do veículo correm em direção ao mini-helicóptero e alçam voo em direção ao sul.

Cínthia, mesmo com as mãos algemadas para trás e ferida, aproveita os poucos segundos de distração da Agt. Lílian, que caminha em direção ao veículo e foge em direção ao canteiro da pista.

As imagens geradas pelo drone são escuras e não possibilitam que o S. Ten. Jerônimo consiga identificar entre aquelas pessoas quem ocupara o mini-helicóptero. Desiste de continuar a atividade ofensiva com o drone e acelera o Unimog X em direção à recuperação de sua cliente, o que acontece em menos de dois minutos.

No mini-helicóptero, o espaço não é suficiente para as três pessoas, então ela tira alguns equipamentos bélicos e aumenta um pouco o espaço da parte traseira da aeronave. Verônica fica observando a luz do drone que está parado a cerca de cinquenta metros do solo, então pega um lança-granadas e atira no alvo imóvel, que, em menos de um segundo, é alvejado e explode no ar. Teo se senta e Walkíria senta-se por cima dele, e, empacotados no banco de trás, migram em direção ao sul.

A Agt. Verônica já não confia mais em ninguém, pois pensava que a traidora do grupo fosse Agt. Lílian, mas essa fora finalizada na sua frente. Desconfiada se devia levar Teo para o QG da PF, ela muda o plano de voo e segue em direção à borda sul de Carboxy, desliga os equipamentos de localização e assume o controle manual da aeronave. Enquanto tem alguns segundos de sossego, Agt. Verônica sente a dor da perda de sua equipe, principalmente da Agt. Lílian, por quem tinha grande respeito e admiração. Uma lágrima escorre em seu rosto.

O Unimog X chega ao local do bombardeio do drone. Outros drones médicos tentam em vão ajuntar os pedaços espalhados da agente. Alguns carros passam distantes, longe dos limites de segurança dos sinais luminosos espalhados pelos drones da PF, que fazem a perícia no local. O Unimog X adentra o cerco e resgata Cínthia, que os aguardava perto de uma pequena multidão de carboxianos. Com o barulho da explosão, saíam de dentro do sistema de drenagem fluvial para observar o que acontecia.

Cínthia estava mais assustada com os carboxianos sujos ao seu lado do que com o perigo de ser atingida pelos estilhaços das granadas lançadas poucos minutos atrás.

– Eles fugiram para o sul! – diz Cínthia, ao dar as mãos algemadas para o S. Ten. Jerônimo para que ele a desalgeme.

O militar a segura pelo braço e a coloca sentada dentro do Unimog X, também pega um pedaço de *silvertape* e tampa a boca dela.

– Mulheres! – diz o subtenente ao soldado ao lado. Eles seguem para o centro norte de Carboxy e o S. Ten. Jerônimo, desligado de seu segundo turno de trabalho, agora espera as ordens do general.

O Cap. Tiburcius, que esperava a chegada do mini-helicóptero ou algum sinal dos IPs das agentes, próximo ao QG da PF, recebe então uma mensagem com a confirmação da eliminação da Agt. Lílian e outra mensagem avisando que o mini-helicóptero fora abandonado próximo do extremo sul de Carboxy. Assim ele prossegue a sua caçada em direção ao último alvo. O S. Ten. Jerônimo recebe a ordem do general superior para que ajude o Cap. Tiburcius.

37
Refúgio na Jureia

O mini-helicóptero sobrevoa até o limite sul de Carboxy e chega à antiga zona da baixada, próximo ao mar. Dá sinal de falta de combustível e aterrissa à noite, em meio a uma praia escura. Os tripulantes chegam no limite de Carboxy, onde se encontra a antiga região de Cananeia, caminham até a zona do porto e quebram um antigo cadeado que prende uma canoa, roubam-na e vão em direção ao sul, pelo rio Cananeia. Uma das poucas áreas do país que ainda não sofrera a invasão do agronegócio e a expulsão da população tradicional de suas terras: a Reserva da Jureia, uma imensa área entre o mar e as montanhas, com vales selvagens e a exuberante Floresta da Mata Atlântica. Lá se encontrava o maior grupo de resistentes nas proximidades de Carboxy. A Agt. Verônica possuía familiares dentro daquele reduto e lá se sentiria totalmente protegida. Eles remam por quase três horas.

Depois de quase vinte minutos de viagem em um drone do exército emprestado pela equipe do subtenente, que supostamente deveria carregar armamentos, e não pessoas, o capitão chega ao mini-helicóptero, buscando alguma pista do paradeiro dos três tripulantes, mas não acha nada. Então, procura pistas sobre os dados pessoais da Agt. Verônica para saber se aquele lugar traria alguma referência para ela ou para os outros dois suspeitos. Sim, ele encontra muitas pistas: ali fora a região onde a

Agt. Verônica crescera, filha de pescadores. Com a expansão de Carboxy, seus pais se mudaram para dentro da área de reserva, para manter o modo tradicional de vida, pois não aceitavam viver da forma que os cidadãos da cidade viviam, sem comida fresca, com agrotóxicos e tratando tudo de modo descartável.

– Bingo, Jureia, aqui vamos nós! – fala o Cap. Tiburcius para sua equipe de um homem só. Ele sabia que na área de resistências os soldados não eram bem-vindos. Apelou mais uma vez aos equipamentos que estavam no drone e, com um *kit* de camuflagem, algumas armas e um minissubmarino inflável, que viajava à flor da água, foi em direção à Reserva da Jureia.

O dia amanhecia ao longe. Mar adentro, outras canoas eram vistas em meio a boias feitas de galões de plástico reciclado colorido – aquilo era uma fazenda de mexilhões, longos tecidos em forma de meias femininas eram recheados de sementes de mexilhões e cresciam dentro de um emaranhado de algas e palha seca. Depois de um ano esperando a colheita, os pescadores fazendeiros colhiam aquele fruto para o sustento próprio. A colheita daquele ano não estava boa, os mexilhões não cresceram e muitos morreram, pois um vazamento de petróleo vindo do meio da bacia de Santos, que possuía mais de cinco mil poços, atingira a costa e contaminara quase todas as praias da região. Mas os pescadores tinham esperança de que aquelas sementes vingariam, pois haviam sido salvas antes de o óleo chegar às rochas de onde tinham sido extraídas. No entanto, infelizmente a contaminação do óleo dissolvido na água, imperceptível aos olhos humanos, envenenara quase toda a vida marinha da região. Agora os pescadores sobreviviam basicamente do plantio da roça de banana e mandioca. Mas eram persistentes e astutos, pois mantinham um pequeno viveiro de mexilhões que estavam sendo cultivados com águas filtradas e ressalinizadas. Nesse estudo experimental, feito por alguns cientistas que preferiram viver em um meio alternativo, dentro da natureza, as boas ideias em prol do bem comum ainda eram um sopro da chama libertadora.

De longe, a Agt. Verônica reconhece a velha canoa azul de seu pai. Por um instante suas boas memórias de criança vieram à tona. No tempo em que saía para pescar com seu pai, aquela canoa representava as maiores aventuras de sua vida. Ela acena e rema mais forte, em direção à canoa do pai, que está acompanhado de um rapaz mais jovem. O senhor de barbas e cabelos longos brancos, ao ver outra canoa vindo em sua direção, corre, arma a pequena vela da canoa e, com a ajuda do remo, vai em direção à vila. Os três tripulantes da canoa que vêm de Carboxy tentam alcançar a canoa azul, mas como o vento está a favor para a vela, a canoa azul consegue chegar bem à frente na praia. Ao descer da canoa, o rapaz corre em direção a uma pequena praça e toca um sino. Em poucos instantes, a praça já está tomada por alguns moradores da pequena vila da Jureia.

– Pai, sou eu! Verônica! – fala a agente, recuperando seu fôlego.

– Alto lá! – fala outro senhor negro.

O pai de Verônica, seu Baltazar, reconhece a voz da filha, que não via há mais de dez anos.

– É minha filha! – diz ele, com a voz trêmula e emocionado. Segue em direção à água.

– Espera, Balta! Eles podem estar contaminados! Primeiro temos que desintoxicá-los! – fala o senhor negro, que parece ser o líder do local.

– Espere aí, minha filha! – diz seu Baltazar.

A canoa com os três fugitivos ficou à deriva por alguns minutos, até que um grupo vestindo *tyvek* e máscaras com ar mandado por cilindros instalados em suas costas aborda a canoa. Isso tudo para evitar que qualquer partícula ou nanodrone fosse inalado ou anexado ao grupo que ajudaria na descontaminação. A primeira coisa feita por esse grupo foi passar um detector de voltagem. O equipamento indicou baixa atividade eletromagnética, o normal para operação cerebral. Um dos homens pergunta:

– Vocês têm algum *nanogeek* dentro de vocês?

– Zilhões – responde Walkíria, que estava cansada e não achava nenhuma graça naquilo.

– OK, vamos ter de entubá-los – diz o rapaz que traz uma mochila cheia de equipamentos reciclados.

– Não! Eu não vou fazer nada disso! – grita Walkíria, jogando-se ao mar e nadando para a praia. Ela nem chegou até a praia, em razão de sua exaustão: outro grupo, localizado perto da areia, a esperava para fazer a entubagem.

– Fiquem tranquilos – diz o rapaz mais novo. – Todos nos já passamos por isso e não é nem um pouco doloroso! – continua ele.

Os três rapazes colocam um pequeno tubo, bastante flexível, que estava untado previamente com uma geleia anestésica, dentro da boca dos foragidos. Esse tubo é conectado a uma bomba com vários filtros e permite que os nanodrones sejam retidos antes de alcançar o ar. Ao redor do corpo dos três são colocadas diversas lâminas de papel celofane, outras lâminas de telas de arames e um eletroímã também foi anexado ao casulo. A geleia anestésica que fora introduzida com o tubo, pela boca dos três, faz que eles relaxem e durmam. A pequena bomba permite que os fugitivos respirem e adormeçam. Os três corpos encasulados são levados para a clínica – assim era chamado o lugar de *detox* da vila.

Com o uso de um velho espectrômetro de massa foram retiradas amostras de sangue dos três. Todos apresentavam alta concentração de mercúrio, cádmio, estrôncio, chumbo e flocos de diversos metais distintos, identificados como nanodrones. Mas os exames de Teo apresentaram excessiva concentração de lítio, mais de 12 mEq/l. Isso era resultado do uso de medicamentos para seu tratamento de bipolaridade.

– Meu pai! – replica o Dr. Celso, que estava a cargo da descontaminação. Ele sabia que as dosagens recomendadas de lítio, para tratamentos médicos psiquiátricos, deveria ser entre 0,6 a 1,4 mEq/l, e que o uso contínuo a longo prazo ou a alta dosagem desse metal no organismo poderia levar a danos irreversíveis à tireoide, falência dos rins e, em alguns casos, à total demência do paciente. O médico não entendia como Teo se sentia bem com aquela quantidade anormal do metal em seu corpo.

Os três corpos passaram por um processo de filtragem de todos os tipos. Hemodiálises foram realizadas durante seis horas em cada um deles para filtrar o sangue. Os fluidos do sistema linfático também foram drenados e um soro foi reinjetado nesses canais. Os metais e nanodrones presos aos tecidos teriam de ser retirados com o uso de uma solução nutriente para as células capaz de envolucrá-los e, quando encistados, esses metais poderiam ser expulsos pelas mitocôndrias e jogados no sistema linfático. A solução era composta de carbonato de cálcio e estruturas de ferrossilicatos que se aglutinavam em torno de outros metais. Em um período de 48 horas, todos os nanodrones foram retirados. O ISkin10, instalado na córnea do olho direito de Teo, foi facilmente retirado, sem nenhum problema. Já os IBrains de Walkíria e Verônica, esses, sim, foram complicados retirar. Uma pequena sonda, contendo uma câmera microscópica, foi introduzida pelos ouvidos das moças, e de forma mecânica, os nanocomputadores de 2 mm puderam ser arrancados sem muitos danos ao sistema de transmissão de imagens dos nervos ópticos das garotas.

Enquanto o Dr. Celso e sua equipe trabalhavam com os três pacientes, lá fora, em frente ao mar, logo antes de o sol aparecer, algumas crianças brincavam na praia. Poucos minutos depois da chegada dos forasteiros, subitamente um minissubmarino transparente, pilotado pelo Cap. Tiburcius, aporta na areia escura e esverdeada da praia. Mal sabia Cap. Tiburcius que a praia em que ele aportava era cheia de elementos terras raras, metais que não eram bem conhecidos pela ciência e que apresentavam diferentes capacidades eletromagnéticas. O contato dos nanodrones instalados em seu corpo e em sua camuflagem somado a todos os outros equipamentos eletrônicos do submarino reage com os metais dali e provoca um grande curto-circuito dentro e fora do corpo de Cap. Tiburcius.

Os cachorros latem em direção àquele homem, que agora estava sendo eletrocutado com a água próximo de sua cintura. As crianças, assustadas, vão em direção à vila para chamar por ajuda. O Cap. Tiburcius tenta se livrar dos equipamentos, mas seus músculos permanecem travados e contraídos pelos choques. Com duas longas varas de bambu, dois homens elevam o corpo do soldado e retiram seus pés do contato com o chão. Outros homens chegam com uma grande lona plástica emborrachada, envelopam o capitão e o levam para uma sala de descontaminação.

Dentro da sala fazem o mesmo procedimento de entubagem. Todos os equipamentos que vieram com o Cap. Tiburcius também foram isolados e ficaram em quarentena, em câmaras de chumbo circundadas por campos de força eletromagnéticos.

Tiburcius tem uma parada cardíaca de seis minutos. O Dr. Celso não sabia se ele voltaria do coma após o processo de descontaminação, mas tinha de tentar salvá-lo pois, segunda a filosofia dos moradores da vila, toda vida tinha razão e sentido de ser, e não poderia ser abandonada por qualquer um que tivesse a chance de ajudar.

Era impossível calcular a quantidade de sensores metálicos e nanodrones retirados de cada um dos fugitivos e do soldado, então o Dr. Celso pesou o material retirado de cada um. O soldado tinha dez quilos de implantes metálicos e nanodrones; uma cápsula de um quilo, do tamanho de um ovo de pata, estava implantada em seu intestino grosso, sua composição externa era feita de uma liga de cobre e níquel e dentro, de acordo com o ultrassom, havia um líquido denso. Dr. Celso e sua equipe não se arriscaram em abri-la, pois acreditavam que seria uma bomba e, com muito cuidado, removeram aquele instrumento para dentro de um contêiner especial contendo hidrogênio líquido para congelar aquele aparelho que se parecia com uma ogiva nuclear. No entanto, com o uso de um contador Geiger, não se obteve leitura de radiações.

Walkíria era a ganhadora do prêmio *heavy metal*: ela tinha treze quilos e meio de implantes metálicos e não metálicos pelo corpo. Somente de implantes mamários eram dois litros de solução salina revestida por uma membrana de silicone. Além de implantes de titânio nos calcanhares, que aumentavam em dez centímetros sua altura. Em segundo lugar, ficara a Agt. Verônica, com quase seis quilos de *nanogeeks*. Teo tinha quatro quilos de nanodrones ou nanossensores. De Teo foram também retirados cem gramas de lítio, que se concentravam em seus neurônios e tecidos nervosos, principalmente no cérebro. Todos os metais e *nanogeeks* foram separados em contêineres de plástico, etiquetados com o nome de cada um deles e colocados na câmera de segurança revestida de chumbo e protegida com o campo de força eletromagnético.

O processo de *detox* estava iniciado. Todos também passaram por uma lavagem estomacal e intestinal. Um chiclete foi retirado do intestino de Walkíria. Assim, com o estômago e os intestinos limpos, começariam a comer somente sopas de raízes orgânicas: inhame, batata-doce e batata-salsa com algumas ervas frescas. Todos os pacientes estavam locados na mesma sala e, por questão de segurança, tinham seus braços amarrados à cama. O Cap. Tiburcius ainda se encontrava em coma e respirava com o auxílio de aparelhos.

Teo se sentia bem, parecia mais leve e com mais disposição – lembrava-se que sempre acordava com mau humor e confuso com os sonhos da última noite, muitas vezes com medo de enlouquecer e reviver aqueles momentos ruins que passara seis meses atrás, na ocasião da morte do pai e de seu surto psicótico. Mas agora não, estava com sua cabeça fresca, sem nenhum pensamento recorrente, bom nem ruim. Sentia sua barriga leve, sua respiração limpa, seus pensamentos claros e objetivos.

A Agt. Verônica também se sentia bem, sem o nó que apertava sua garganta todas as vezes que algo não saía como ela planejava. Estava em paz, mas triste com o que acontecera com seus colegas de trabalho. A cena da Agt. Lílian sendo aniquilada na sua frente lhe provocou certo pânico, pensava que a qualquer momento outra tragédia poderia acontecer com ela ou qualquer pessoa que estivesse ao seu redor. Mas era uma mulher forte. Conseguia controlar seus piores pensamentos e focar no presente e no que poderia ser feito daquele momento em diante. Embora sentisse saudade, estava revoltada por não conseguir impedir as situações trágicas e proteger sua equipe.

Walkíria se sentia caída de paraquedas naquela história. Quem cuidaria de sua filha? O que ela estava fazendo ali? Não sabia quanto tempo estavam ali e nem por que se juntara àquelas pessoas que mal acabara de conhecer. Aquilo era um pesadelo para ela. Sofrera muitas transformações físicas depois que seu IBrain e seus *apps* foram retirados de seu corpo. A verdadeira Walkíria não era a mulher linda e sedutora como parecia ser, com toda a produção biotecnológica da moda. De mulherão de quase 1,80 m, ela agora tinha 1,60 e poucos. Seus seios enormes e empinados, com o auxílio da estrutura interna dos nandodrones, agora estavam pequenos e caídos. Seu rosto, perfeito, agora apresentava rugas e outras marcas de senilidade. Seus longos cabelos ruivos agora estavam curtos e ralos. Ela se sentia deprimida com seu estado naquele momento. Não via a hora de voltar para Carboxy, reencontrar sua filha, reaver seu IBrain, reintroduzir seus *apps* e voltar ao seu trabalho.

– Por que a gente tá presa aqui? – pergunta Walkíria. – Eu preciso ir embora e ver minha filha! – ela grita para chamar a atenção de alguém.

Todos ali estavam sedados e, com a retirada de seus *nanogeeks*, não reagiram à indignação de Walkíria.

O Dr. Celso, ouvindo o agito da sala onde eles se encontravam, foi ver seus pacientes.

– Desculpe-me por mantê-los assim. Mas isso era para evitar que alguma convulsão, oriunda da desintoxicação e de algum delírio, pudesse derrubar vocês das camas! Permitam que me apresente: eu sou o Dr. Celso. Sou o médico que dá suporte aos carboxianos que chegam até aqui. Vocês passaram por um processo de desintoxicação. Foram retirados de seus corpos todos os elementos artificiais, como silicones, polímeros, metais, nanosensores, nanodrones e nanocomputadores. Eles foram guardados e serão entregues de volta a vocês no momento que quiserem deixar a área da reserva. Apenas não aprovamos a presença desses equipamentos aqui, pois sabemos que poderíamos ser vigiados por eles, e isso poderia levar à desarticulação e ao enfraquecimento de nossas células de resistência. Não temos nada contra os carboxianos, só não queremos que os líderes desse sistema, que estão lá fora, venham nos ditar as regras de como devemos viver dentro de nossas unidades – disse o Dr. Celso de forma calma e honesta.

– Ok, doutor! Muito obrigada por suas palavras, mas eu posso ir embora agora? Você pode me desamarrar? – disse Walkíria, irritada.

– Sim, senhora!

O Dr. Celso solta as amarras da mulher que, ao pôr o pé no chão, não tem forças para manter seu corpo e desaba.

Dr. Celso a segura antes que caia completamente.

– Desculpe, minha filha! Esqueci de dizer que já faz quatro dias que vocês estão sob tratamento de desintoxicação e estão fracos. Estavam sendo alimentados somente por uso de sondas. Só hoje introduzimos um pouco de comida sólida. Além disso, utilizamos psicotrópicos para mantê-los em repouso até que a desintoxicação fosse concluída.

– Seu monstro! – disse Walkíria, irritada.

– Desculpe, mas esse é o procedimento para quem quer entrar na comunidade. Ninguém obrigou vocês a virem até aqui. Vieram por livre escolha! – disse o Dr. Celso, retirando-se do lugar. Uma enfermeira que acompanhava a discussão veio soltar a todos, menos o Cap. Tiburcius, que continuava em coma induzido.

Walkíria se acalma e chora baixinho no canto de sua cama.

– Desculpe, Walkíria! Eu não consegui pensar em nenhuma alternativa para nos salvar! – disse Verônica, em tom de desabafo.

38
Velhas e novas amizades

Seu Baltazar, sabendo do despertar da filha, foi logo correndo para visitá-la.

— Minha filha! Quanto tempo! – disse emocionado o velho senhor de barbas brancas. Ele a abraça e acaricia seus cabelos.

— Pai, eu não sabia o que fazer! Não podia confiar em ninguém e só lembrava do seu porto seguro. Desculpe-me por vir sem avisar! – falou Verônica, com algumas lágrimas descendo pelo rosto. – E como está a mamãe?

— Ela continua na mesma, minha filha! – disse Baltazar, com um sorriso nos lábios.

A mãe de Verônica sofrera um acidente vascular cerebral há muitos anos, perdera grande parte dos movimentos e também sua forma de comunicação verbal, entrando em estado vegetativo.

Seu Baltazar ficou grande parte do tempo ali, ajudando a alimentar sua filha, contando das novidades da reserva, da forma como eles ajudavam os carboxianos que vinham para viver uma forma alternativa de vida; também explicou sobre a teia de conexões entre as outras reservas, que chamavam de células, e de como estava crescendo a quantidade de pessoas que se revoltavam com o que estava acontecendo no país e queriam realmente mudar a forma de controle e de poder. Ele achava tudo aquilo muito subversivo, pois não entendia muito da parte filosófica das questões sociais. O que Baltazar sabia fazer era pescar e plantar. E toda sua vida fizera isso e gostava de viver assim, ele não entendia por que as outras pessoas não podiam viver de forma simples e em paz.

– Mas parece que o povo da cidade já não tem mais o que fazer! – explicava seu Baltazar, com sua simplicidade no falar. – Inventam tanta coisa evoluída que não precisam nem mais de viver com ninguém! Vivem sozinhos, perdidos em seu próprio mundo, cercados somente de máquinas e se relacionam com gente só a distância! Coisa de louco tudo isso!

Teo, que não estava prestando atenção na conversa, escuta as últimas palavras do velho. Parecia que aquelas palavras eram direcionadas a ele. Em suas últimas lembranças da festa, conseguira acessar milhares de nanocomputadores e agora tinha todas as informações daquelas pessoas importantes armazenadas em seu ISkin10, e também o *backup* em seu ICloud. Massivos *zettabits* com informações ultrassecretas, além de contas bancárias dos figurões, espalhadas por todo o mundo. Mas seu sentimento de solidão era só o que lhe restara. Amava sua mãe, sua irmã, seu avô e seu pai, que morrera, mas sentia que, se ele sumisse, não faria diferença, e se essas outras pessoas também sumissem, não sentiria a falta delas. Triste realidade. Mas aqueles momentos ali poderiam ser uma forma de aprendizado. Estar ali tinha um propósito. E Teo estava disposto a aceitar aquele momento.

Walkíria ficou enfurecida em saber que não podia sair correndo e voltar para Carboxy, mas sabia que não precisaria trabalhar mais, pois o *app* inventado por Teo lhe rendera muito dinheiro e deveria estar rendendo ainda mais. A ideia da aposentadoria precoce a deixou mais relaxada, então, pensou: "Já que estou aqui, vou encarar isso como um *spa* de férias no campo". Somente o abandono de sua filha lhe causara desconforto, mas sabia que a senhora síria jamais deixaria que nada lhe faltasse e cuidaria muito bem da criança.

Um dia se passou e os três refugiados já podiam se levantar das camas e ir até o banheiro. Eles puderam tomar banho de verdade, com chuveiro de águas caudalosas. Também puderam sair para a praça da vila e respirar ar fresco, sem a necessidade de nenhuma máscara ou filtro.

O cheiro úmido da mata deixou Verônica embriagada, jamais esquecera aquele cheiro, ele estava presente em todas as boas memórias de seu tempo de menina. Walkíria gostou da sensação de pisar na areia negra esverdeada e sentir a água fria do mar molhar suas canelas. Teo olhou para as meninas e percebeu que havia muito mais beleza naqueles seres do que fantasiava em seus contatos virtuais, se sentiu vivo ao chegar próximo delas e ver um sorriso brotar da boca de Verônica.

Eles brincaram na areia com as crianças, jogaram água, empurraram uns aos outros e deitaram na praia, a observar o céu nublado. Uma simples comunhão do prazer de estar vivo tomou conta dos três.

Dentro da clínica, os medicamentos que induziam ao coma o Cap. Tiburcius foram retirados, assim como os equipamentos de respiração artificial. Ele continuava sedado e dormindo, mas respirava normalmente. O Dr. Celso não sabia quais eram as sequelas referentes ao choque elétrico, à parada cardíaca, à falta de oxigenação cerebral e ao longo coma. Somente quando acordasse poderia saber o que acontecera.

Para comemorar a chegada de sua filha, seu Baltazar organizou um luau com fogueira, música e peixe assado descontaminado. A festa foi simples, mas muito acolhedora, até a mãe da Agt. Verônica veio em uma cadeira de rodas. Ela não falava nada, mas algo no olhar dela transmitia um sentimento de felicidade, e quando vira a filha dançar com o pai, uma leve lágrima escorreu em seu rosto.

Walkíria, mais relaxada, dançava com as outras mulheres, que vestiam vestidos de chita. A maioria daquelas mulheres era um pouco gorda e não se importava com a aparência, muitas tinham fios de cabelos brancos. A vendedora e esteticista pensou: "Vou montar uma barraquinha de beleza aqui e ficar rica!". Mas depois refletiu: "Mas elas não precisam desse padrão de beleza que eu tenho dentro de mim, elas são felizes assim, então, que se foda a moda!". Esses reflexos vinham à sua mente ajudados pelo cauim, a bebida fermentada dos índios tupiniquins, que viviam naquela região e que deram a receita para os resistentes.

Teo também se divertia ao som do forró e vendo as pessoas dançarem. Mas como era tímido, não teve coragem de tirar ninguém para a roda. Mas Walkíria foi até ele e o puxou para o meio da festa. Eles dançaram com os locais e se sentiam como locais.

A bebida, a dança, a simplicidade e a união resumiam o sentimento da pequena comunidade, e era a mais pura felicidade.

Dentro da clínica, a música desperta o Cap. Tiburcius, que estava amarrado. Ele abriu os olhos e não teve nenhuma reação. Não sabia se estava vivo ou morto. Suas últimas lembranças foram a de sentir um choque muito forte e seus músculos se constringirem. Não se lembrava de mais nada, de seu nome, de sua missão nem de sua origem. Fora como se alguém tivesse dado um *reset* em sua memória verdadeira.

No outro dia, depois da festa, logo de manhã, o Dr. Celso fora avisado de que o paciente restabelecera a consciência. O médico fez alguns exames na íris do capitão e lhe perguntou:

— O senhor poderia se apresentar, por favor?

O soldado escuta aquela língua, a entende, mas até aquele momento não sabe como responder. Meio confuso, ele diz:

— Não, não me lembro!

— Seu nome? — pergunta o médico.

— Não sei, senhor! — responde seriamente o soldado.

— Sabe onde você está? — continua a pequena sabatina o médico.

— Não — responde friamente o soldado. — Por que eu tô amarrado?

O Dr. Celso o desamarra.

— Era para não se machucar. Sabe que ano e que dia é hoje?

— Não tenho nenhuma ideia, senhor! — responde naturalmente o soldado.

O Dr. Celso o ajuda a se levantar e a sentar em uma poltrona dentro do quarto.

— Agora o senhor pode se movimentar livremente, mas faça de forma leve e devagar, pois está debilitado e esteve em coma por quase cinco dias.

O Dr. Celso sai do quarto da clínica e vai para a casa de seu Baltazar, onde estão os refugiados. Todos já haviam tomado café da manhã e aguardavam na varanda a chegada do médico.

— O soldado teve perda total da memória. Pela tomografia cerebral, que eu realizei ontem, houve hipoxia no córtex frontal. Isso pode ter causado uma lesão na parte do armazenamento da memória, não sei se permanente ou temporária. No entanto, suas funções motoras não foram afetadas, pois já consegue se levantar e andar! – disse o Dr. Celso, firme em seu diagnóstico.

— Maldito! E se ele estiver mentindo, doutor? – desconfiou Verônica.

— Não acredito, Verônica! Ele sofreu muitos danos, não tem discernimento nem mesmo de quem ele é – disse o médico.

— Esse homem e sua equipe tiraram a vida de meus parceiros. Com base nessas informações, eu posso ir até lá e finalizá-lo agora! – disse irada a Agt. Verônica.

— Faça o que achar que é justo, minha filha! – disse o Dr. Celso, com voz fria.

Walkíria e Teo a olharam com os olhos esbugalhados, eles se esqueceram de que aquela mulher era treinada para sobreviver, e matar fazia parte de sua profissão.

A Agt. Verônica vai até a cozinha da casa de seu pai e pega a faca mais afiada que ele possuía, um punhal usado para matar porco, longo e fino, que facilmente penetraria o peito da vítima, direto ao coração, minimizando a dor e o sofrimento do animal.

Antes de sair de sua casa, Verônica olha a mãe tomando sol em sua cadeira de rodas paralisada. A mãe nunca aprovaria aquela atitude violenta, pois sempre pregara a paz e a união entre todos da comunidade e de sua família.

Ela vai decidida em direção à clínica.

— Tem certeza do que você vai fazer? – grita Teo ao ver a mulher caminhar a passos rápidos e firmes.

Verônica está teleguiada com seu sentimento de ódio e rancor. Em seus pensamentos só chegam as imagens de seus amigos mortos. Ela abre a porta do quarto onde está o Cap. Tiburcius, sentado em um sofá, olhando pela janela e tomando sol. Ele sorri para ela. Ela chega bem perto e olha nos olhos dele. Com as mãos para trás, em suas costas, ela esconde o punhal. Suas mãos suam, seu coração está a quase duzentos batimentos por minuto. Respira perto do rosto do soldado. Ela sente o cheiro ruim daquele homem que não se banhava havia dias. Ele esboça um sorriso mais amarelado que bonito. Ela segura a cabeça dele e junta sua testa na dele. Fecha os olhos e diz:

— Me diga por quê?

A Agt. Verônica sente um alívio no peito, antes apertado.

— Não sei! – responde o homem, sem entender o que aquela mulher estava dizendo.

Os olhos do soldado transmitem uma pureza e honestidade que impedem que a agente prossiga em sua missão. A agente sai correndo do quarto e chora compulsivamente. Seu ódio não fora maior que sua compaixão. O prazer da vingança, que ela sentiria ao finalizar aquele homem, fora menor do que sua redenção. Ainda precisaria de um tempo para digerir tantas emoções ruins seguidas por emoções boas dos últimos instantes, mas o choro que brotara de dentro de seu peito era acolhedor. Nunca chorara daquela forma e sabia que aquilo lavava sua alma.

— Desculpem-me! Desculpem-me! – gritava a agente, pensando em seus amigos que se foram.

39

Revelações e descobertas

Teo ficou preocupado por não estar tomando seu medicamento e foi ao encontro do Dr. Celso, mas ao mesmo tempo não se sentira mal. Todas as angústias, ansiedades e certos momentos de pânico que antes eram comuns em sua vida tinham desaparecido nos últimos dias.

– Quer dizer que você tomava 1.800 mg de Carbolitium todos os dias? – perguntou assustado o Dr. Celso.

– Sim, doutor, eram três cápsulas de manhã e três à noite! – disse Teo.

O Dr. Celso sabia que o lítio, havia muitos anos, era o remédio mais indicado para o tratamento de transtornos bipolares. No entanto, havia tratamentos mais modernos, à base de terapias cognitivas e sem o uso de compostos químicos.

– Então foi por isso que, em seu processo de desintoxicação, retiramos mais de cem gramas de lítio de seu corpo. Isso tudo deveria estar concentrado em seus tecidos nervosos! – disse o doutor. – O uso prolongado do lítio pode causar demência, e uma vez instalado esse processo, não há muito o que fazer!

Teo ficou assustado com a possibilidade de perder a razão e viver sem controle de seus pensamentos.

Os dois estavam na pequena varanda da clínica, sentados em umas cadeiras de palha, olhando o vaivém das ondas do mar, de cores escuras.

– Pode me dizer em que circunstâncias você foi diagnosticado bipolar? – pergunta o Dr. Celso.

Teo nunca gostou de falar sobre isso com ninguém, nem mesmo no tempo em que fazia análise com uma terapeuta supergostosa, que era a única motivação para ele ir a um encontro real. Mas agora se sentia tão bem consigo mesmo e tão relaxado que ficou fácil falar sobre esse tabu.

– Eu não sei bem quando comecei a me sentir mal. Primeiro, eu estava superfeliz, com meus amigos da universidade, e comemorávamos o fim do curso com várias festas, muito álcool e drogas leves. Depois desse período intenso de felicidade, tudo mudou. Tive de voltar a viver na casa de meus pais novamente. Lá todos trabalhavam, menos minha irmã, que frequentava uma universidade próximo de casa, em um curso integral. Meu pai e minha mãe discutiam muito, e eu já nem lembrava que isso era uma rotina diária, tinha me esquecido de como era tenso o ambiente familiar. E certo dia meu pai não voltou para casa. E soubemos que ele havia sofrido um acidente aéreo e desaparecido no mar. Fomos ao seu funeral e, quando voltamos para casa, minha mãe continuava agindo como se ele estivesse vivo. Ela se trancava no quarto e discutia com ela mesma. Aquela discussão monóloga atravessava a noite. Vários dias ela ficou assim, sem dormir, discutindo com ela mesma. Eu também não conseguia dormir, pois ficava preocupado com ela e me sentindo impotente diante do sofrimento.

Foram tantas noites sem dormir, ouvindo os lamentos e as discussões de sua mãe, que ele começou a ouvir outra voz que respondia às perguntas conflitivas daquela mulher. Essa voz era a voz de seu pai, que ecoava de dentro de sua cabeça e de seus pensamentos. Parecia que aquelas vozes nunca se calavam. Mesmo estando em um quarto distante do quarto de sua mãe, ele continuava ouvindo as vozes no silêncio da noite. Aquele tormento fez com que ele se sentisse extremamente irritado e perseguido. Então, começou a desenvolver um sentimento de alerta extremo e qualquer comentário ou ação que o desapontasse, ou o desagradasse, sentia-se coagido e ameaçado.

Em estado de alerta geral, ele já não dormia, pois tinha medo de que alguém entrasse em seu quarto e o asfixiasse com um travesseiro, ou coisa parecida. Vivia em constante estado de medo. Não saía mais do quarto e tinha pânico de estar entre as pessoas desconhecidas. E então, um dia, ao ouvir a voz de seu pai dizendo que nunca mais voltaria, e ouvindo o desespero de sua mãe, ele saiu correndo pela noite de Carboxy, sem usar nenhuma proteção, e chegara em uma passarela de pedestre que cruzava a avenida dos Bandeirantes. Subiu no alto da passarela e pensou em acabar com todo aquele tormento. Mas não teve coragem de se jogar, assim, descera e ficara perambulando pela cidade até ser recolhido por uma patrulha da PF, que pôde reconhecê-lo e levá-lo para um hospital psiquiátrico, para tratamento.

O Dr. Celso escutou o relato calmamente e sabia que o diagnóstico de transtorno bipolar poderia ser o correto, pois, se sua mãe também tivesse esse problema, isso poderia ser hereditário, e como ela se comunicava com vozes, isso faria sentido dentro de um quadro de esquizofrenia, que não era muito diferente da bipolaridade. As fronteiras entre os diagnósticos de enfermidades mentais nunca foram muito claras, há um espectro variável e infinito de pensamentos em cada ser. O problema é o que esse espectro se manifesta em atos, e os atos e comportamentos que fogem de um padrão aceitável pelo convívio social tendem a ser diagnosticados como doenças e classificados dentro das categorias da ciência psiquiátrica.

O médico também sabia que bipolares não eram suicidas, essa era a grande diferença entre eles e os esquizofrênicos. Apesar dos dois tipos de transtornos terem sintomas análogos, como alucinações e audição de vozes, os esquizofrênicos geralmente iam até o fim na tentativa do suicídio, já os bipolares, por mais que estivessem passando por um terrível período de mania, sempre tinham um momento de lucidez em meio àquele turbilhão de emoções.

— E sua mãe também está se tratando? – perguntou Dr. Celso.

— Não, ela se recusa a se tratar e diz que é normal! – disse Teo.

— E as vozes que ela ouvia? – perguntou Dr. Celso.

— Ela disse que são reais, e que falava com meu pai! – falou Teo, olhando para baixo. – Para ela meu pai não havia morrido. Ah, doutor, também tem outra coisa que eu precisava te dizer: eu conseguia acessar vários outros nanocomputadores quando estava usando o meu novo ISkin10.

O Dr. Celso, já sabendo do histórico de bipolaridade do rapaz, acreditava que aquilo também era sinal da doença. Uma fantasia dentro dos momentos maníacos sempre era comum, e disse:

— Disso eu não entendo nada, meu filho. Mas tenho um amigo, que vive na ilha do Arvoredo, que deve saber disso. Ele trabalhou com uma equipe de desenvolvimento tecnológico em São Diego, logo quando começaram as pesquisas dos ISkins. Vou passar um rádio para ele e ver se pode vir te ver.

Os resistentes não utilizavam combustíveis fósseis, e uma viagem da ilha do Arvoredo até a Jureia só poderia ser feita a vela ou a remo. Mas o Dr. Sílvio possuía um belo e rápido catamarã, e a viagem de 350 milhas poderia ser feita em menos de dois dias, se o vento fosse forte o suficiente.

O Dr. Sílvio ficou intrigado com a possibilidade de alguém poder *hackear* toda aquela tecnologia, que era totalmente blindada. Isso merecia a atenção dele. No dia seguinte, logo de manhã, arrumou uma mala à prova-d'água e partiu com seu filho de treze anos em direção a noroeste. O catamarã não possuía cabine, e chovendo ou fazendo sol, eles percorreriam todo o caminho a céu aberto, uma verdadeira aventura para um menino de treze anos e seu pai, quarentão.

Teo e Walkíria caminhavam pela praia. Walkíria já não pensava mais em nada que a relacionasse com aquela vida em Carboxy, apartamentos, contas, compromissos com dondocas, metas de vendas. Tudo aquilo perdera o sentido, só sentia falta de sua filha, Naomi. Mas estar ali, com os pés na areia, era tudo que importava naquele momento. Teo, ao seu lado, via outro tipo de beleza naquela mulher, uma simplicidade singela no sorriso, um jeito meigo de olhar para ele. Isso começara a despertar um sentimento que ele, até então, não conhecera. E, em meio a uma dessas caminhadas à tarde, em um local deserto da praia da Jureia, Walkíria lhe roubara um beijo. Aquilo esquentou todo o corpo de Teo, que tivera uma ereção imediata. Sentindo o companheiro explodindo de desejo, Walkíria se deitou na areia, sobre sua canga, que servia de saia, tirou a parte de baixo do biquíni e se ofereceu ao rapaz, sete anos mais jovem que ela.

Ali, sem nenhuma fala ou declaração de amor, Teo a beijou e deslizou sua língua para o vão das pernas daquela mulher, de forma espontânea e instintiva. O perfume que exalava daquele lugar o fez salivar de desejo e agir como um verdadeiro animal. Sua boca molhada invadiu as partes internas de Walkíria. Teo, pela primeira vez em sua vida, prova daquele leve sabor agridoce, nunca antes reconhecido por seu paladar. Walkíria ficara tão excitada com o calor e o movimento da língua de Teo dentro dela, que teve um orgasmo tão forte que liberou um jato de líquidos lubrificantes no rosto do rapaz. Teo se assustou com aquilo, nunca imaginara que poderia acontecer na vida real, só vira em filmes pornôs, de atores profissionais, e sempre imaginou que eram falsos orgasmos. Walkíria, alucinada de desejo, diz:

— Me come, moleque! — sussura a Teo. Ele estava superexcitado e não quis raciocinar naquele momento de total selvageria sexual. Continuou a beijá-la, tirou sua bermuda e, de forma rápida e desesperada, começou a penetrar Walkíria. Não demorou muito para que ele também chegasse ao êxtase, depois de todo aquele calor e umidade provindos do sexo daquela mulher. Após aquele orgasmo, nunca antes sentidos com tal intensidade, os dois acalmaram as respirações ofegantes e contemplaram o céu parcialmente nublado. E em menos de cinco minutos recomeçaram outra vez, agora de forma mais carinhosa do que instintiva.

40
Nova doutrina

Verônica começou a visitar Tiburcius na clínica. À medida que ele se recuperava, ela o levava para a praia e para as trilhas no meio da mata. Tiburcius era extremamente forte e musculoso, mas seu corpo atlético contrastava com a nova mente, quase infantil. Não sabia o nome de quase nada, tudo tinha de ser reaprendido. Assim, ele só conheceria as coisas que sua nova mentora o ensinava.

Um dia, folheando uma velha revista, Verônica mostrava algumas fotos e dizia o nome das coisas:

– Carro!

– Carro! – repetia Tiburcius.

Verônica, ao virar a página, dera de encontro com uma foto de um soldado armado. Tiburcius viu e aquilo não significou nada para ele. Verônica pulou a explicação daquela foto e falou:

– Vamos dar uma caminhada agora!

– Verônica, qual é o meu nome? – perguntou Tiburcius que, até aquele momento, não se preocupara em saber seu nome.

Mas como tudo tinha um nome, ele também teria um, deduziu. Verônica ficou sem reação, pois ela também não sabia seu nome, só sabia que ele era um soldado, e estes não são chamados pelo primeiro nome, mas pelo segundo nome ou sobrenome, para dar mais sinal de responsabilidade com a família, o grupo, do que com sua individualidade. Ao ver um velho anúncio de motocicletas Harley-Davidson em uma revista, Verônica lembrou do personagem de um antigo seriado que seu pai era fã e disse:

— Seu nome é Eric!

Tiburcius sorriu e aprovou seu novo nome.

— Eric!

Verônica percebera que o ódio que ela sentia não era sobre aquela pessoa que fora mandada a executar seu grupo, mas sim a um sistema que tratava as pessoas como peças descartáveis. Ela sabia que todas as instituições, mesmo a sua própria PF, eram inescrupulosas quando o assunto era o poder. Verônica sabia que não poderia ficar ali por toda a vida, pois tinha compromissos com seu trabalho e com seu país. Mas tinha de descobrir qual era sua verdadeira missão, e se ela estava sendo cumprida ou não. A PF tinha todos os recursos do serviço de inteligência para saber onde ela se localizava, mas, mesmo assim, depois de vários dias, ninguém viera procurá-la, parecia que estava de férias, coisa que nunca teve. Em seu subconsciente sabia que teria de voltar para Carboxy, mas quando? Com essas dúvidas que não a deixaram relaxar por muito tempo, Verônica seguia, agora com uma simples missão, a de ensinar e treinar Eric.

Eric respondia rápido a qualquer tipo de desafio. Sempre bem disposto a aprender e nunca julgara se o que lhe pediam era certo ou errado, apenas executava. Em sua memória, nada sobrara da época em que era soldado. Não tivera nenhum laço familiar a se apegar antes e o presente era tudo o que lhe importava. Em poucos dias reaprendeu a ler, correr, lutar, montar e desmontar máquinas, e em uma noite, depois de um treino de jiu-jitsu com Verônica, ali mesmo, em pleno tatame, os dois corpos suados e aquecidos se deixaram tocar intimamente. Em meio a movimentos de luta e imobilizações, o quimono de Verônica foi sendo aberto e suas bocas foram se tocando. Gestos de força se transformaram em carinho e, pela primeira vez, assim parecia, Eric instintivamente penetrou Verônica. Aquele sentimento, misturado ao prazer do ato, fez com que sua vida adquirisse outro sentido. Nada parecia ser mais tão mecânico, e tudo agora tinha uma razão. Tudo na vida nova de Eric era intenso, e ele se entregara sem limites, deixando que Verônica também atravessasse suas fronteiras do desejo e prazer.

A força física daqueles que treinam para superar limites levou a prática sexual dos dois a atravessar a noite. Por horas um mundo de orgasmos sem fim invadiu ambos os corpos e quase como em uma batalha, nenhum desistia de dar mais prazer ao outro. Verônica achava que amava Hugo, mas nunca se sentira correspondida. Naquele momento de completa entrega, ela experimentou o doce sabor do amor simples, sem vergonha e sem pudores.

41
Verdades ao público

O catamarã, com Dr. Sílvio e seu filho, avistou o continente e a praia da Jureia logo ao amanhecer. Depois de trinta horas de viagem, atracou em plena praia, pois não havia nenhum porto na vila. O Dr. Celso os esperava. Ele e Sílvio se abraçaram e foram direto para a clínica, que também era a casa de Dr. Celso e das enfermeiras.

O Dr. Celso sugeriu a seus convidados que descansassem pela manhã, pois preferira que Dr. Sílvio conhecesse Teo após o almoço. Depois de tantas horas no mar, os dois convidados aceitaram dormir um pouco para se recuperarem da jornada. Após um almoço simples na casa de seu Baltazar, onde ficavam os refugiados, Dr. Sílvio convidou Teo para uma caminhada na praia.

— Diga-me de suas experiências com o ISkin10! — falou diretamente Dr. Sílvio, que era um jovem neurocirurgião brasileiro quando fizera o sanduíche de seu doutorado na UCSD e que tivera a oportunidade de trabalhar na equipe do Dr. Subogid logo quando as pesquisas sobre o IBrain estavam sendo realizadas.

— Não tive muito tempo para operar bem o sistema, pois só o tive ligado por pouco mais de dois dias. Mas pude fazer de tudo que eu queria e com uma velocidade, digamos, bem rápida! — disse Teo.

— E você descobriu alguma falha no sistema? — pergunta o médico.

— Não sei se posso chamar de falha. Minha versão do ISkin10 me dera opções de poder acessar o IBrain de outros usuários – disse Teo.

— E como você fazia isso? Todos os sistemas IBrains são criptografados e impossíveis de ser *hackeados*. – disse o médico, que acompanhava as notícias pelo seu rádio e ouvia sempre o KPBS dos EUA e a BBC de Londres.

— Não sei como, doutor! Só sei que eu podia acessar todos os IBrains que estivessem ao meu redor, sem nenhuma restrição, e operá-los como se fosse seu dono. Tinha acesso a todas as pastas de arquivos pessoais e podia fazer qualquer pesquisa em uma velocidade, digamos, mais rápida até que meu próprio pensamento. – disse Teo.

O Dr. Sílvio já havia conversado um pouco pela manhã com o Dr. Celso e sabia que o menino tinha histórico de bipolaridade, portanto não acreditava em tudo o que ele estava dizendo.

— Você tem alguma prova do que está falando? – disse o médico, desconfiado.

— Sim, claro! – disse o rapaz.

— Que tipo de prova? – perguntou o médico, sem acreditar em nada daquela baboseira que o rapaz falava e começava a achar que a viagem fora uma grande perda de tempo.

— Fiz um *backup* de todos os arquivos das mais de duas mil pessoas que possuíam IBrains, em uma festa em que fui antes de vir pra cá! – disse Teo sem constrangimento.

O médico riu e pensou que a falta de medicamento do rapaz já o colocara no módulo maníaco.

"Coitado, esse aí está precisando mesmo de uma rápida internação!", pensava Dr. Sílvio.

— Só preciso religar meu ISkin10! – disse o rapaz.

O médico, já pensando em prescrever alguns antipsicóticos para o rapaz, ainda daria a ele o benefício da dúvida.

A operação de religar o ISkin10 ou qualquer outro nanocomputador na área da reserva era extremamente proibida. O uso dessas tecnologias novas podia atrair a atenção dos carboxianos do poder e acabar com a paz dos moradores daquele lugar. Então foi organizada a operação da seguinte forma: o ISkin10 de Teo, que estava guardado na câmara de chumbo, foi retirado e entregue ao rapaz; todas as interfaces como os nanossensores e nanodrones ficaram na câmara; com a posse do ISkin10 ele e o doutor entraram no catamarã e velejaram em direção a nordeste; ao saírem dez milhas da costa o Dr. Celso que levava um antigo computador da Apple chamado Ibook4 ligou a função de *bluetooth*; quando Teo ligasse seu ISkin10, poderia compartilhar alguns arquivos.

– Me mostre então o que você tem aí na sua máquina! – disse o médico.

Teo fora direto aos arquivos pessoais do primeiro-ministro Snows, foi nos arquivos ultrassecretos e escolheu um arquivo chamado Ilhas da Fantasia, onde todas as áreas de reservas e parques marinhos, até então deixadas de lado para os resistentes, seriam transformados em resorts de empresas internacionais e assim toda a população tradicional seria exterminada ou transformada em empregados dos luxuosos hotéis. Essa era uma agenda que a ministra da agricultura e do meio ambiente Cátia estava pressionando para executar a curto prazo e já havia uma data para a execução do programa.

Aquilo deixou bem preocupado Dr. Sílvio, mas ainda poderia ser um documento falso, que a própria mente criativa de Teo poderia ter criado.

– Isso não é tão relevante! Tem alguma coisa mais palpável? – disse o médico.

– OK, pode ser dinheiro? – pergunta Teo.

Assim Teo passou todas as informações bancárias dos cinco figurões mais ricos que estavam na festa, e esses eram dois ministros do atual governo, o próprio primeiro-ministro, uma mulher que herdara um banco de seu pai e de contas do senhor Fritz, que eram armazenados no IBrain de sua filha e secretária Cinthia.

Essas informações bancárias de contas espalhadas por todos os continentes foram agrupadas em um banco de dados e davam a somatória de quase um trilhão de dólares.

— Você consegue ter acesso às contas? – perguntou Dr. Sílvio.

— Sim, tenho a senha e um *keyspy* que consegue decodificar a geração de futuras senhas de acesso também. Eu espalhei esse vírus logo que acessei os IBrains daqueles usuários! – disse Teo

Isso impressionou Dr. Sílvio.

— Esse menino pode estar correndo risco de vida, por guardar tantas informações como estas! – pensou o médico. Ele observou aquelas contas e números e perguntou: – Alguém mais sabe sobre isso, meu filho?

— Sobre as contas bancárias só o senhor, o Dr. Celso e a Agt. Verônica sabem que eu posso acessar qualquer IBrain por aí! – disse o rapaz.

O ISkin10 de Teo indica baixa bateria e desliga, pois naquele local não existia o carregamento automático do sistema Tesla e ele não havia carregado seu ISkin 10 já há mais de uma semana.

Os dois rumaram de volta ao continente. No caminho sentimentos estranhos invadiram a cabeça do Dr. Sílvio. Se ele sequestrasse o rapaz, o torturasse, ou o drogasse, poderia ter acesso a todos aqueles bilhões de dólares, poderia viver ricamente em qualquer lugar, talvez no Principado de Mônaco, onde vivem os maiores *gangsters* pilhadores do mundo todo cercados de cassinos, festas e garotas de programas das mais belas e caras, uma vida mundana e luxuosa. Mas esses pensamentos tortos e gananciosos se foram quando se aproximou da praia e vira seu filho a brincar com outras crianças e ver que aquele dinheiro não compraria nunca essa liberdade e a paz de espírito que ele sempre buscara e encontrara ali vivendo em pequenas comunidades onde ser era mais importante que ter.

O Dr. Sílvio foi falar diretamente com seu colega e com a agente:

— Esse rapaz tem muita informação valiosa em suas mãos e a forma com que as conseguiu devem ser investigadas!

— Deve ser algo relacionado com sua doença crônica de bipolaridade! – disse Dr. Celso.

— Sim, muitos gênios do passado, como Einstein, Van Gogh, Da Vinci, foram diagnosticados como bipolares. Mas não sei se eles eram capazes de invadir a memória de outras pessoas! – disse Dr. Sílvio.

— Mas ele não invadiu a memória de outras pessoas, ele capturou as imagens que eram projetadas dentro do cérebro das outras pessoas. Como se tivera uma antena que capturasse as micro-ondas cerebrais dos usuários do IBrain! – disse a agente.

— O cérebro dele deveria estar utilizando algumas conexões que atraiam essas ondas geradas pelo IBrain. Mas como? Teria que ser algum tipo de catalisador – indagou Dr. Sílvio. – Posso olhar todos os implantes provenientes do rapaz?

— Claro! – disse o outro doutor, que fora até o bunker de chumbo onde guardava todos os *nanogeeks* de Teo em um pequeno contêiner de acrílico com sacos plásticos de diferentes materiais etiquetados. Em uma mistura com grãos brancos de carbonato cristalizados e com cor cinza, estavam os nanossensores e nanodrones, eram milhões de grãos e pesavam quase 5 kg. Em outra pequena bolsa, estavam separados pequenos frascos de vidros com diferentes metais: zinco, cádmio, estrôncio, rubídio e um grande frasco contendo cerca de quase 100 g de lítio. Isso chamou a atenção do Dr. Sílvio.

— Essa quantidade de lítio é bem acima da recomendada para um tratamento de bipolaridade! – observou Dr. Sílvio.

— Eu também já havia percebido isso – disse Dr. Celso.

Geralmente o carbonato de lítio circula pelo cérebro e depois de 24 horas o sangue o leva para os rins onde é filtrado e eliminado pela urina. Mas no caso de Teo eles estavam sendo acumulados – disse Dr. Sílvio.

— Ele pode ter alguma disfunção renal que impede a filtragem desse elemento. Assim, o lítio se acumulou em seu corpo – essa era a dedução mais lógica que Dr. Celso podia ter feito.

O lítio também serve como armazenador de energia elétrica, por isso baterias são feitas com esse elemento. Com isso, Teo pode ter aumentado seu campo eletromagnético e, auxiliado pelas ondas eletromagnéticas normais de seu cérebro, pode ter desenvolvido a habilidade de capturar as ondas alheias e decodificá-las em seus próprios neurônios. Seria como se seu cérebro aglutinasse outros cérebros. As ondas mais superficiais do córtex frontal estariam mais suscetíveis a sua adsorção. Essa era a explicação de Dr. Sílvio.

– O Dr. Subogid ficaria enlouquecido em saber sobre esse caso! – falou Dr. Sílvio.

– Mas você não acha que outras pessoas que estejam sobre o tratamento de lítio também podem exibir esse comportamento? – perguntou a agente.

Os médicos, mesmo não vivendo mais em Carboxy, acompanhavam as notícias do mundo da medicina por meio de comunicações com outros amigos médicos e por revistas e periódicos médicos científicos. Sabiam que o tratamento de bipolaridade com lítio já havia sido banido de muitos países e somente antigos médicos de Carboxy receitariam esse tratamento.

– Ele deve ser o único! – disse Dr. Sílvio.

Longe daquela reunião, Teo não se sentia muito bem. Pensamentos sombrios o atormentavam na volta da viagem de catamarã. Ele sentira uma leve ameaça vinda do Dr. Sílvio. Fazia tempos que não se sentira assim, e um leve pânico, acompanhado de um aperto em seu estômago, o incomodava. Sentia vontade de correr, se esconder e não ser visto por mais ninguém. Mas respirou fundo e tentou se acalmar.

Walkíria que estava apaixonada pelo rapaz se aproximou e colocou a mão sobre seu ombro. Ao ser tocado por Walkíria, Teo se sentiu melhor e reciprocamente tocou sua mão.

– Nossa, que mãos frias! Você tá bem? – perguntou Walkíria, preocupada.

Teo a abraçou e disse:

– Sim! Estou um pouco confuso, mas já vai passar!

Walkíria já não era aquela mulher alta, sedutora e de corpo escultural que Teo pela primeira vez encontrara no vagão 42. Mas daquela forma, ao seu natural, sem maquiagens, implantes e sem *apps* ela tinha uma graça e encanto que cativava o rapaz. Os dois ficaram ali quietos e deixaram que uma onda de energia ruim passasse e se dissipasse como as ondas que vinham do mar.

No final da reunião entre os médicos e a agente, eles decidiram que o jovem tinha de saber o que poderia ser a causa de sua capacidade de acessar os *nanogeeks* das outras pessoas. De qualquer forma, se usasse as informações das pessoas e as expusesse, poderia cometer um ato de furto virtual. Isso era crime e sujeito a penalidades civis e criminais. Por outro lado, se as informações fossem usadas para rastrear negócios ilícitos e criminosos, essa espionagem poderia ser considerada um ato de heroísmo para aquela nação tão deteriorada pela corrupção. Então chegaram à conclusão que deixariam a decisão nas suas mãos e apoiariam-no.

A Agt. Verônica possuía um senso de justiça muito forte, isso estava enraizado desde o berço em sua família. Os doutores achavam que, por causa de sua doença crônica, Teo poderia ficar megalomaníaco e usar aquelas informações para os extremos, ou do bem ou o do mal. Teo já havia doado vinte bilhões de dólares, de contas em paraísos fiscais, de deputados e senadores da bancada ruralista, que estavam na festa, para ONG's e fundações que trabalhavam na recuperação de povos e ecossistemas e que lutavam também contra o agronegócio, isso dera início a uma revolução dentro de Carboxy e em todo o país. Esse ato era considerado pelos médicos de extremo perigo.

Teo foi chamado pela Agt. Verônica e levado aos médicos. O primeiro a expor a teoria do que poderia estar acontecendo foi Dr. Sílvio. Após isso, Dr. Celso disse a ele que tinha em suas mãos muitas informações importantes e com isso ele poderia mudar o destino de muitas pessoas. A Agt. Verônica o aconselhou a utilizar as informações da melhor maneira possível e teria seu apoio e de sua instituição, a PF, a levar todos aqueles criminosos que ele conseguira *hackear* para trás das grades.

Teo se sentiu um pouco confuso e pressionado, o que havia feito de forma tão natural, como um menino que levanta a saia de uma mulher para saber o que tem ali embaixo, agora eram consideradas informações ultrassecretas, que colocavam em jogo a estabilidade do poder do país. Ele ficou assustado e pediu para ficar só por alguns instantes.

Teo, ao caminhar pela praia, foi alcançado por Verônica.

– Teo! Eu trabalhei com seu pai! E ele tinha orgulho de ter um filho como você! Ele me disse que você sempre foi muito esforçado em realizar suas tarefas e disciplinado para aprender e fazer tudo da melhor forma possível! – disse a Agt. Verônica.

– Meu pai era o melhor exemplo a ser seguido! Ele sempre lutou pela justiça! Mas agora não está mais aqui com a gente! – disse Teo olhando para baixo. Após um segundo, ele olhou para os olhos da Agt. Verônica e perguntou: – Você sabe por que ele morreu?

A Agt. Verônica não podia mentir para aquele rapaz:

– Ele estava investigando um esquema de desvio de dinheiro do Banco Central para a Bells na compra de novos equipamentos de perfuração dos poços na cadeia Meso-Oceânica.

– Você acha que ele fora assassinado? – perguntou diretamente Teo.

– Não tenho certeza, mas o helicóptero era o mais moderno da nossa frota e somente vendo os arquivos do radar e comparando com alguns *apps* de vigilância a disparos aéreos é que poderíamos ter essa informação! – disse a agente.

– E onde estão essas informações? – pergunta o rapaz.

– Dentro do ICloud da PF e somente o ministro Munhoz tem acesso a ela! – disse a agente.

– Sabe se ele usa IBrain? – perguntou o rapaz.

– Sim, ele usa! – disse a agente.

Isso era uma esperança para que Teo descobrisse o que realmente havia acontecido com seu pai e o motivara a voltar para Carboxy e encontrar algumas respostas e calar alguns tormentos.

A segunda semana que passaram na reserva já estava chegando ao fim. Muitas dúvidas ainda pairavam sobre a cabeça de Teo. Por que ele não sentia mais os efeitos do lítio em seu corpo? Quando estava sendo medicado, sofria mais medos e ansiedades que naquele momento. Outra pergunta era, se eles estavam sendo perseguidos pelas forças militares, por que nenhum grupo havia chegado ali e os levados de volta para Carboxy?

Seriam essas pessoas, que ele conhecera há menos de duas semanas, confiáveis? Somente voltando para Carboxy e descobrindo a verdade sobre o desaparecimento do pai é que poderia saber quem realmente estava do seu lado.

A Agt. Verônica também tinha seus questionamentos. Por que todos de sua equipe tinham sido exterminados? Estaria a PF realmente ao seu lado? Por que nenhuma unidade fora enviada a seu resgate?

Walkíria estava se acostumando a viver naquele lugar e por ela só faltava sua filha ali e tudo estaria bem. Em poucos dias, ela se habituara a viver de forma simples e sem as vaidades que alimentavam seus negócios. Mas sabia que mais cedo ou mais tarde teria de voltar à realidade de Carboxy.

Eric, que perdera totalmente a memória, se sentia parte daquele lugar. Por sua cabeça, nunca se passaram os questionamentos de sua origem, ele estava satisfeito com a vida que ele acabara de descobrir ao lado da mulher que o transformara naquele homem completo. No entanto, as férias no paraíso estavam acabando e eles precisavam voltar a Carboxy.

42
De volta à cidade

Um dia antes da volta à megalópole, a vila promoveu uma festa de despedida. Na noite de lua cheia, a música e a boa comida marcaram a partida dos dois casais.

Todos os *nanogeeks* foram retirados do contêiner de chumbo e separados dos sais de carbonato que os envolviam. Esses sais foram dissolvidos em ácido clorídrico e reinjetados nos seus devidos usuários. Os IBrains não puderam ser reimplantados diretamente na reserva, pois estavam sem bateria. Somente na chegada a Carboxy é que poderiam voltar a funcionar, o mesmo acontecera com o ISkin10 de Teo.

Assim, sem os nanocomputadores, os quatro rumaram na noite adentro, em direção norte para Carboxy. A canoa seguia lentamente pela noite de mar calmo e sem vento. A Vila da Jureia, quase sem iluminação, foi desaparecendo no horizonte. Enquanto remava, a Agt. Verônica olhava de tempos em tempos para trás, sentia que aquela poderia ser a última vez que veria aquele lugar e as pessoas que tanto amava. Um leve aperto no peito a tocou. No entanto, sabia que sua missão de voltar a Carboxy era importante. Para Eric, aquela viagem era algo novo, ele se sentia muito feliz em estar ao lado de Verônica, mas ninguém o contara qual era sua profissão nem sua missão. A redescoberta de sua identidade poderia ser uma ameaça ao grupo.

A Agt. Verônica, mesmo tendo sentimentos por aquele homem, sabia que ele poderia despertar de volta para sua função inicial e acabar com eles, ela corria esse risco e se precavera para tal.

Na canoa, além dos pacotes com os *nanogeeks*, havia bolsas negras com as armas retiradas do submarino e algumas armas carregadas pela Agt. Verônica.

Teo remava pensando em como foram bons aqueles dias na reserva. Pôde descobrir sua sexualidade e desfrutar do prazer de dividir a vida com uma mulher, de se sentir querido e ser tocado. Sentia-se um homem pleno e sabia que teria muita responsabilidade pela frente.

Walkíria estava triste, pois já se sentia parte daquele lugar e a vida em Carboxy não fazia mais tanto sentido. Sentia saudade de sua filha e sabia que esse reencontro valeria a pena.

Na reserva, a rede de comunicação dos resistentes avisara aos grupos de Carboxy que os quatro amigos estavam voltando e isso era um sinal que algo aconteceria.

Depois de quase três horas de remadas, os quatro indivíduos aportaram próximo da antiga cidade de Cananeia no povoado de Ilha Comprida. Entre a ilha e o estuário havia próximo a um remanso uma pequena laguna às margens de um pequeno rio. Naquele lugar escuro, havia uma pequena montanha de dejetos, um sambaqui, uma área com pilhas e pilhas de conchas deixadas no local pelos moradores pré-históricos. Ao desembarcar da canoa, Teo pisou em algo que parecia um pedaço de pau, mas, ao apontar sua lanterna para aquele objeto, percebeu que era um pedaço de osso, um fêmur cortado perfeitamente ao meio. A Agt. Verônica observou o rapaz e disse:

— Você é um rapaz de sorte! Acabou de encontrar um registro arqueológico. Esse osso foi cortado para que os antigos habitantes pudessem comer o tutano do meio dele! Práticas canibalísticas dos Tupinambás, uma forma de se apoderar do conhecimento dos que viveram e morreram nesta região.

Teo não gostou muito da explicação macabra da agente e achou que aquilo pudesse ser um presságio de mau agouro. De certa forma, como os antigos Tupinambás, Teo também se apoderara da sabedoria dos outros invadindo seus *nanogeeks* e isso o entristecia.

Andaram por meia hora em meio a uma pequena trilha e puderam ver a parte velha da cidade. Aquele lugar era escuro, sombrio e cheio de ruínas de velhos armazéns e casarões. Eles estavam na borda de alcance do sistema Tesla e se caminhassem mais algumas centenas de metros, poderiam recarregar seus equipamentos.

Eric carregava uma das bolsas com as armas, enquanto a Agt. Verônica seguia à frente com outra pequena bolsa com armas leves.

Quando saíam de uma rua sem calçamento e adentravam na parte de paralelepípedos com um poste de iluminação a meia-luz, ouviram um alerta.

– Alto lá, Catarina! – disse uma voz masculina que vinha do lado de uma porta antiga de madeira apodrecida pela maresia.

A Agt. Verônica automaticamente abriu a bolsa que estava embaixo de seu braço e destravou a minimetralhadora Subuzi, que estava escondida. Os quatro pararam e uma criança veio em direção a eles. Um menino negro, com uns dez anos de idade, chegou perto deles e os identificou. O menino correu em direção ao escuro. Depois de alguns segundos, uma senhora com um chalé branco veio em direção a eles.

– Apressem-se! Vocês não podem ficar aqui por muito tempo! Retiramos as câmeras de monitoramento da rua, mas logo os drones voltarão!

Aquela anunciação seria o sinal do término da tranquilidade do grupo. Teo voltou a operar em seu estado de tensão normal. A Agt. Verônica pergunta:

– De quem são essas ordens?

A senhora responde:

– Veio da Jureia, dos resistentes!

A agente, ao ouvir a origem das notícias, ordenou que o grupo seguisse o menino, que corria por um labirinto de vielas escuras. O menino parou diante de um armazém sem portas e fez sinal para que eles entrassem. Os quatro se sentaram em uma mureta e se prepararam para colocar seus *nanogeeks* para funcionar. Com o aumento do sinal do sistema Tesla, puderam observar que os nanodrones e sensores acendiam pequenas luzes de varias tonalidades, estes estavam a ponto de sair do período de hibernação.

A Agt. Verônica olhou para Eric e disse:

– Aconteça o que acontecer, confie em seus instintos mais primitivos!

Eric a olhou sem entender aquele comentário. Após isso, ela o beijou. Teo e Walkíria também se olhavam fixos antes de começarem a deixar que seus equipamentos fossem inseridos em seus corpos. Em um rompante de felicidade, Teo disse:

– Te amo!

Walkíria nunca havia ouvido uma declaração dessas e ficou sem palavras.

– Ok, pessoal! Vamos nos reinserir no sistema e saber como o mundo tem se virado sem a gente! – disse a agente aos outros três.

Teo colocou sua lente de contato com o ISkin10 e ingeriu um líquido cheio de luzes com os nanodrones e nanossensores. Os outros três que possuíam o IBrain se ajudaram pingando colírios anestésicos em seus olhos e deixando que o nanocomputador fosse reinstalado em seu nervo óptico. A operação durara menos de cinco minutos. Seus nanodrones e sensores também foram ingeridos, via oral, com a ajuda de um líquido gelatinoso. Após dois minutos, os equipamentos começaram a ser religados.

Teo, que parara de se tratar com pílulas de Carbolitium, não teria mais o poder de interagir nos IBrains. No entanto, carregava consigo as 100 g de lítio que haviam retirado de seu corpo, se por acaso quisera novamente *hackear* os outros.

Um senhor de cabelos brancos carregando uma lamparina a gás apareceu no local.

– Olá, meus jovens! Eu me chamo Samuel e preciso da ajuda de vocês! Todos ficaram surpresos com aquela presença intrigante.

– Estamos passando por um período ruim em Carboxy! A desonestidade e o mal daqueles que nos governam chegaram a um ponto de intolerância geral. Não existe mais liberdade para que possamos viver sem a influência desses desonestos, desse sistema que nos governa como tiranos e transformam nossos cidadãos em escravos. Você, meu jovem, disse olhando para Teo, é o mensageiro de uma nova era para o povo de Carboxy. Você com sua bondade vai nos guiar para essa revolução do bem!

Teo olhou assustado para o velho. Não queria ser Messias de nada, mal tinha aprendido os prazeres do sexo e teria que se sacrificar por uma causa que nem mesmo sabia se era legitimamente dele.

– Acho que o senhor está me confundindo! – disse o rapaz.

– Não, não, meu filho! Viemos te monitorando há muito tempo, desde quando começara a trabalhar com seu avô na sapataria! Seu avô também é parte da resistência e se orgulha de você ser um rapaz bravo, justo e que tem nos ajudado em nossa causa!

– E o que teremos de fazer? – pergunta objetivamente a agente.

– Voltem para o centro de Carboxy e liderem os carboxianos para um levante popular. Entreguem às autoridades todas as provas de ilegalidades armazenadas nos IClouds de Teo e coloquem todos os políticos criminosos na cadeia – disse o velho.

– Falar isso é fácil! O sistema é totalmente corrupto e não vamos sobreviver se aplicarmos a justiça! – disse a agente.

– Vocês têm as provas e podem aplicar execuções sumárias e muitos estarão ao seu lado. Acredite! – disse o velho. – Ajam com o bom senso e fiquem do lado do bem!

A luz da lamparina que o velho carregava se apagou e ele desapareceu.

Os sistemas com total bateria começaram a ser iniciados. A Agt. Verônica segura uma faca e se aproxima de Eric. Ela não sabia qual seria a reação dele ao ter acesso ao seu sistema e obter todas as informações de quem ele realmente era. A agente fixa seus olhos nos olhos de Eric e, em meio aquela escuridão, observa uma luz que emana de seu próprio nanodrone que sobrevoa o rosto de Eric e o ilumina. Os olhos e as pálpebras de Eric tremulam com as informações que ele tem acesso. Todas as gravações de sua missão até o momento em que chegara à reserva são revistas de forma acelerada. Ele recupera sua memória com a ajuda das imagens e descobre que a mulher que ele amava era, na verdade, seu último alvo para o cumprimento de sua missão.

– Que dia é hoje? – pergunta Cap. Tiburcius à agente. Ele leva a mão à bolsa que contém as armas. Verônica, que está muito próxima dele, segura a faca na parte de trás de seu corpo e fica pronta para agir.

– Hoje é dia 23 de dezembro. Faz doze dias que ficamos longe de Carboxy! – disse Walkíria, que presenciava o casal se encarando na penumbra das luzes.

– Meu nome é José Tiburcius, capitão de cavalaria do Quinto Batalhão de Infantaria. Minha missão há doze dias era exterminar seu grupo, Agt. Verônica! E você era meu último alvo!

Ele segue com as mãos em direção à bolsa com as armas.

– Não faça isso! – diz a agente trêmula e pronta para cravar a faca em seu pescoço.

– Mas, como eu não completei a missão no tempo hábil, eu seria finalizado por conta do meu fracasso!

O capitão vasculha a bolsa para encontrar entre as armas o objeto de autofinalização dos insubordinados, então encontra a pequena ogiva em forma de granada oval que não apresentava nenhum sinal de funcionamento.

– Isso era para ter dado cabo a minha vida e agora vou destiná-lo ao seu verdadeiro dono! – disse o capitão se recordando de seu comandante. – Minha vida já não me pertence e agora vivo para ti! – falou Cap.

Tiburcius, reencontrando seu verdadeiro eu e se esquecendo daquele bom homem que fora artificialmente criado pela Agt. Verônica.

— Não, meu caro! Agora você é livre para fazer suas escolhas! Você não me pertence! — disse a agente, um pouco mais relaxada.

— Se posso escolher, quero lutar ao seu lado! — disse o capitão dando-lhe um beijo.

A agente relaxa de sua tensão, entrega-se ao beijo e deixa a faca cair ao chão.

— Pessoal, acho que teremos companhia em breve! — diz Teo olhando o céu movimentado por pequenas luzes verdes e vermelhas que circulam a poucos metros de altitude. Ele deixa seu nanodrone sobrevoar a cerca de 50 m de altura e com o auxílio da câmera infravermelha observa pequenos grupos a se aproximarem de todas as direções. Pela imagem e contagem do *app*, mais de cinquenta indivíduos vinham da direção norte e cerca de dez vinham da direção sul. Os indivíduos da região sul chegariam primeiro.

A Agt. Verônica passou algumas armas para o capitão e também carregou umas pistolas e metralhadoras. Ela se recusou a passar armas para os civis. Teo decidiu injetar uma grande quantidade de lítio em suas veias, pois assim poderia ajudar de alguma forma *hackeando* as máquinas daqueles que se aproximavam.

Eles não tinham a mínima noção de quem se aproximava, então decidiram esperar para saber o que aconteceria.

O pequeno grupo do sul era liderado por uma pequena mulher oriental que adentrou ao armazém somente com uma lanterna de *led* de alto alcance:

— Olá! Meu nome é Kaomi e vim para ajudá-los a chegar ao destino de vocês!

— Quem te enviou aqui? — pergunta Verônica.

— Somos parte da resistência e estamos aqui para ajudar, caso vocês queiram!

— Não precisamos envolver mais civis sem experiência de combate! Vocês não são necessários! – disse a agente observando as imagens enviadas por Teo ao seu IBrain. De acordo com a previsão de seu Orbit *app*, em menos de três minutos os soldados vindos do norte os alcançariam.

— Desculpe, Agt. Verônica! Mas a senhora está enganada sobre meu grupo. Temos treinamento paramilitar e estamos dispostos totalmente a obedecer ao seu comando – disse Kaomi com voz firme e séria.

— OK. Então ordene seus homens a abrir fogo a qualquer sinal de aproximação de grupos inimigos e leve-nos em direção ao norte. Qual é o caminho mais seguro? – pergunta a Agt. Verônica.

— Podemos usar alguns cavalos e irmos pela praia, assim podemos atravessar o estuário até a Ilha Comprida e depois os rios que aparecerão – disse Kaomi mostrando uma imagem de satélite impressa em um papel plastificado.

— Ok. Vamos então! – disse Verônica, seguindo Kaomi.

O grupo que estava fora do prédio ficou atento às ordens de Kaomi. Oito indivíduos do grupo ficaram para confrontar o grupo de cinquenta soldados que vinham pelo norte. Kaomi e o grupo correram em direção à praia para encontrar os cavalos que lá estavam. Depois de alguns minutos, logo ao alcançar os cavalos, tiros e pequenas explosões denunciavam o confronto de seus combatentes.

— Corram, temos que alcançar a laguna para despistar o rastro dos animais – disse Kaomi.

Como havia cerca de dez cavalos na praia, Kaomi espantou parte deles em direção ao sul com um de seus homens, e seguiu em direção ao norte com o grupo da Agt. Verônica. Após alguns minutos de cavalgada, eles chegam às margens da laguna. Kaomi saca dos alforjes *snorkels* para todos, inclusive *snorkels* para os cavalos. Ela coloca os equipamentos nos animais que não reagem agressivamente ao uso daquele estranho equipamento.

— Eles estão acostumados a fazer cavalgadas subaquáticas. Nós os apelidamos de cavalos-marinhos. Acho que eles até gostam disso! – explica a moça da resistência. Os cavalos adentram a água e sem fazer nenhum tipo de esforço, diferentemente do cavalgar em terra firme, movimentam suas patas na água e se deslocam em direção ao meio do canal. Os equipamentos e armas que não podiam ser molhados foram colocados em mochilas especiais e assim seguiu a travessia da Ilha Comprida para uma parte mais deserta de Cananeia.

Os nanodrones dos militares que voavam e acompanhavam os sinais infravermelhos dos cavalos e cavaleiros ficaram confusos ao perderem o rastro no momento em que eles submergiram ao mar, assim foram deslocados para acompanhar os cavalos que seguiam em direção oposta.

Depois de uma hora submersos e nadando em direção ao norte, cavalos e cavaleiros saíram em uma praia próxima a Peruíbe. Esse local já fazia parte de Carboxy. Ali o mar era poluído por efluentes químicos e domésticos, sem tratamento. A praia suja e cheia de lixo dera as boas-vindas a seus ilustres cidadãos. Os IBrains e ISkin10 já apresentavam grande carga e o lítio inserido por Teo já circulava em seu sistema sanguíneo e se concentrava em seu cérebro, possibilitando novamente sua capacidade de *hackear* os outros nanocomputadores. Reestabelecidas as conexões, Kaomi se despede agrupando seus cavalos e seguindo para o sul novamente.

– Espero que vocês consigam alcançar seus objetivos e que os esforços feitos pelo nosso povo não tenham sidos em vão! Boa viagem!

Ela gostaria de falar mais, dizer que talvez seus amigos, que ficaram para conter o grupo de assalto enviado para o encontro daquelas pessoas, deviam estar mortos naquele momento. E ela estava com raiva deles por esse motivo. Gostaria de dizer que não acreditava que eles poderiam fazer alguma coisa pela resistência, pois eram carboxianos inseridos em toda aquela estrutura de poder. Mas esse tipo de discurso não cabe a um mero soldado que segue ordens. "Não há direito de pensar quando fazemos parte de algo maior que nosso próprio ego, quando somos uma célula sobrevivente de um organismo tomado pelo câncer institucional, do sistema que nos governa." Kaomi seguiu sem ao menos deixar seus cavalos descansarem e sumiram de volta ao mar fétido.

Walkíria ficou deslumbrada ao verificar sua conta bancária com os depósitos da Apple. Depois que Teo lançou o Tuxido *app* em seu nome, ela já havia faturado mais de vinte milhões de dólares e sabia que, com essa quantia, poderia parar de trabalhar e viver uma boa vida em Miami, longe de Carboxy e de todos os problemas deste país. E, em um ataque de luxúria, revolta e estupidez, esqueceu de tudo que havia vivido nas duas últimas semanas e se rebelou:

– Pessoal, pra mim chega de tudo isso! Vou pegar minha filha e sumir daqui! Não tenho nada a ver com esse negócio de resistência, revolução... Meu negócio é vender cosméticos. Vou me mudar para Miami e largar esse inferno. Teo, você vem comigo?

Teo ficou assustado com aquele súbito e inoportuno discurso. Não conhecia esse lado materialista e despachado de Walkíria. Ele usou de seus poderes de *hacker* e viu a confortável situação bancária em que se encontrava sua, até então, namorada. E, mesmo sabendo que ele era o responsável pela nova fortuna da moça, não se sentiu no direito de intervir em sua repentina decisão. Ao perceber aquela atitude, notara que o encanto da moça, que ele conhecera na reserva, havia acabado. Aquela mulher ali era a verdadeira Walkíria, uma mulher inserida no sistema e dependente dele, uma mulher que compartilhava dos mesmos anseios e gostos de uma casta focada no consumo de produtos que embelezam as cascas e apodrecem o ser. Daquele momento em diante, ele percebeu que sua conexão com aquela mulher havia acabado.

– Eu fico, Walkíria! Não sei como nem por que me meti nessa história, mas há um sentimento dentro de mim dizendo para eu ir até o final! Boa sorte!

Assim, sem dizer adeus ou com um longo abraço, ou um longo beijo de amor de despedida, Teo virou as costas e ajudou a Agt. Verônica e Eric a colocar as mochilas e partiram para o norte caminhando. A Agt.

Verônica ordena que todos desliguem os *nanogeeks*, até que estejam em áreas mais centrais de Carboxy, onde o rastreamento dos seus IPs fosse camuflado com a ajuda de Teo. Mas Walkíria já estava cansada de obedecer a ordens e prefere entrar na rede e seguir seu próprio caminho. Ela teve um breve sentimento de arrependimento e de perda por aquele homem, que seria por fim sua redenção e a contemplação de algo que ela nunca experimentara, o amor. Mas, ao imaginar as tragédias que poderiam vir diante do enfrentamento de todo o sistema e observando sua conta bancária recheada, não titubeou em dar de ombros e dizer:

– Tudo bem, eu aceito sua indiferença! Boa sorte para vocês também!

Ela aciona seu Uber *app*, mas, em razão de sua distante localização das áreas centrais de Carboxy, somente um *selfdrive* da Google estava disponível e chegaria em doze minutos.

A Agt. Verônica e Eric não disseram nenhuma palavra ao observar o desfecho daquele relacionamento que fora intenso e de curto prazo. Eles somente tinham sido testemunhas do começo, meio e fim de um amor que não tinha nada para dar certo mesmo. Fazendo um breve julgamento, a Agt. Verônica observara que havia muito de imaturidade naquela mulher que estava sendo reinflada com seus nanocosméticos. Mas Verônica estava focada em procurar as respostas para toda aquela violência e repercussão da volta deles a Carboxy. O grupo se separa e ambos se despedem.

De um lado, os três seguem a pé e, naquele subúrbio de Carboxy, ficara Walkíria esperando seu transporte. Walkíria acessa seu Nany *app* e vê sua filha dormindo tranquila naquela manhã. Ela respira aliviada e sente o amor rebrotar em seu peito. Fica confusa com todos aqueles sentimentos e sente vontade de correr atrás dos três que a deixaram. Mas seu orgulho era muito forte para isso.

43
Ninguém presta

Walkíria acompanhava o *app* de chegada do Uber, faltava menos de dois minutos para o carro *selfdrive* da Google chegar. Mas, em menos de trinta segundos, ela escutou um forte estrondo no céu. Por detrás de uma montanha veio, diretamente ao seu encontro, um helicóptero do exército. Com a porta lateral aberta e uma metralhadora .30 mm apontada em sua direção. Foi impossível não ficar paralisada.

— Aqui é o comando geral do exército, deitada de cara no chão! – essas foram as ordens vindas de um megafone acoplado na parte de baixo da aeronave.

A metralhadora acompanhava o alvo mesmo com a movimentação da aeronave. Antes mesmo de pousar, desceram por cordas quatro soldados armados e prontos para um enfrentamento. Walkíria se sentira dentro de um filme de guerra, nunca imaginara que aquela cena poderia ser assustadora e ao mesmo tempo excitante. O último soldado a descer da corda se aproximou da mulher e a vestiu com um colete que prendia suas mãos. Ele acoplou o colete à corda e um guincho a soergueu direto para o helicóptero. Walkíria estava totalmente entregue àquela operação, por isso não reagiu a nenhum toque e somente obedeceu às ordens.

A operação durara menos de um minuto. Os militares esperavam encontrar todo o bando, mas depois de uma varredura nas imediações concluíram que a mulher estava sozinha, e assim a levaram pelo ar em direção ao QG do comando de Carboxy.

No voo em direção ao planalto, Walkíria pôde observar o quase nada que restara da Mata Atlântica que antes recobrira a encosta da Serra do Mar. Um mundo de barracos de favela cobria como uma colcha de retalhos toda a encosta, formando um mosaico de cores amarronzadas, reflexos das lajotas sem pintura ou caiação aos primeiros raios de sol. Walkíria se sentia assustada e não sabia da dimensão do problema que teria pela frente. Começou a temer o que aqueles homens poderiam fazer com ela.

– Então você é uma terrorista subversiva, né? Vai ver como é bom se meter com a gente! – gritou um dos militares que retirava o capacete, em meio ao vento e ao alto som das hélices da aeronave. Walkíria começou a sentir um frio na espinha e pensou em se jogar para fora do helicóptero, mas, como estava praticamente dentro de uma camisa de força e sentada em meio a dois soldados, nada pôde fazer.

Longe daquele local, Teo, a Agt. Verônica e Eric seguiam para o norte em direção às partes centrais de Carboxy. Teo estava separado a poucos minutos de Walkíria e sentia sua falta.

– Amor deve ser isso! O sentimento de falta constante de alguém que você acha que não é importante, até não poder ter mais por perto. Amor é a perda da maldita paz e do sossego daquele que te faz bem, mesmo às vezes cometendo o erro de tolas escolhas!

Teo pensou em voltar e correr em direção a Walkíria, mas a parte prática de seus pensamentos o dirigia ao caminho traçado pelos planos da Agt. Verônica e de toda aquela nova realidade que vivera até ali; era o certo a seguir. Ele começara a se sentir fortalecido e útil a uma causa que poderia ser maior que sua própria vida. Mas a dúvida ainda o acompanhava. Não sabia como havia tantas coincidências e acontecimentos que o fizeram estar agindo com aquelas outras pessoas.

– Qual é meu verdadeiro instinto, o pessoal ou o coletivo?– perguntava-se o rapaz.

Walkíria sentindo muito medo, e passada a letargia do pânico de ter sido raptada por aqueles homens, começou a deixar que seus instintos de sobrevivência a guiassem. Em meio àquela operação, os militares se esqueceram de ordenar à moça que desligasse seu IBrain. Walkíria se concentrou em reorganizar seu IBrain e conseguiu enviar uma mensagem de localização para Teo. Um dos soldados que estava sentado diante dela, ao perceber o olhar aéreo da moça focado ao nada, perguntou:

– Alguém desligou os *nanogeeks* dela?

Os quatros soldados se entreolharam e um deles gritou:

– Merda!

O soldado que estava a sua frente disparou um murro de direita direto no rosto da garota. Aquela pancada a fez perder a consciência por alguns segundos. Outro soldado veio com uma manta eletromagnética que disparava pequenos pulsos elétricos, o que provocava curtos circuitos nos nanodrones e nanocomputadores. Mas antes de perder a consciência Walkíria enviara a seguinte mensagem:

– Acabo de ser sequestrada por um grupo de militares que estão me levando para seu QG. Ajudem-me, por favor! Temo por minha vida!

As instruções da Agt. Verônica eram para que nenhum deles ligasse seus *nanogeeks* até estarem em um lugar seguro ou camuflados entre os carboxianos. Pela periferia que andavam, a Agt. Verônica temia que uma tentativa de localização de IPs fosse feita pelos seus inimigos. Assim, eles seriam facilmente localizados, pois pela simplicidade das pessoas que ali estavam, certamente ninguém teria condições de possuir recursos para comprar um IBrain. Mas em menos de dez minutos poderiam acessar o metrô do litoral, que os levaria em menos de quinze minutos para o centro de Carboxy e lá estariam totalmente inseridos no coração da megalópole. Com isso, a mensagem enviada por Walkíria não tinha previsão de chegada.

O helicóptero, após oito minutos de voo, pousou no antigo Palácio do governador, no antigo bairro do Ipiranga. Esse local agora era considerado o Quartel General dos Militares. Walkíria estava toda coberta com aquela malha metálica e mal podia ver entre as fibras do tecido, para onde estava sendo levada. Os soldados a amarraram em uma maca e a carregaram em direção a uma rampa que levava à parte inferior do antigo Palácio, local conhecido como calabouço. Ao apertar as amarras da maca, forçaram tanto seu peito que ela mal conseguia respirar.

Os soldados abriram uma sala escura com camas de ferro espalhadas por todas as partes, de formas aleatórias e a deixaram lá. Coberta com a manta metálica, a camisa de força e as amarras da maca e sentindo as descargas elétricas em seu corpo a cada segundo, o que fazia seus músculos se contraírem, provocando espasmos e seus batimentos cardíacos ficarem arrítmicos, ela já quase não conseguia suportar aquele sufoco. De tempos em tempos, as descargas paravam.

– Alguém me tira da daqui! – grita Walkíria em meio a um choro de desespero. – Preciso urinar!

Mesmo com o peito apertado, ela insistia em gritar. O tempo passava sem pressa, o desespero só aumentava. Em um misto de vergonha, alívio, medo e necessidade, ela não consegue mais controlar sua bexiga e urina na roupa. Com a volta das descargas elétricas em seu corpo, as partes molhadas pela urina e seus sais concentram os choques no vão de suas pernas, queimando internamente seu órgão sexual a cada descarga. Ela grita de dor e ninguém a acode. Walkíria desmaia de tanto sofrer.

No metrô, após dez minutos de viagem e adentrando a zona sul de Carboxy central, com o vagão lotado, Teo olha para a Agt. Verônica e ela dá o sinal para que ele ligue seu ISkin10 e tente *hackear* algum IP para que eles possam arquitetar os contatos e planos de ação.

Ao ligar seu ISkin10, Teo intercepta rapidamente um sinal de um IBrain de um judeu ortodoxo que está dependurado ao seu lado. Ele se insere em seu IBrain, tão rápido, que consegue visualizar sua tela em sua fronte, não dando tempo para que seu próprio IP fora identificado e localizado. Na primeira verificação, Teo foi direto ao seu WhatsApp e leu a breve mensagem de Walkíria.

– Temos de libertar Walkíria, antes de qualquer coisa! – diz Teo a Agt. Verônica.

– O que aconteceu com ela? – pergunta Eric.

– Ela foi raptada por militares que a levaram para o QG. Ela disse que sua vida corre risco! – finaliza Teo.

– Eu aposto que sim! – responde a Agt. Verônica.

– Temos de ir até lá e resgatá-la – disse firme Eric olhando diretamente nos olhos da Agt. Verônica.

Eric sabia os métodos de operação daquele grupo, pois era um deles. A vida da moça não tinha nenhum valor para aqueles cães do sistema. Fazê-la sofrer e matá-la aos poucos, fazia parte do prazer que a profissão os proporcionava. Após alguns meses no exército, era fácil se tornar um daqueles psicopatas com licença para matar, tudo isso com a tutela do estado e em nome da justiça e da honra de um país. A rotulagem de grupos inimigos, como comunistas e subversivos, servia para desumanizar o oponente e transformá-los em lixo vivo, e a limpeza estava a cargo dos soldados de baixa patente. Assim fora doutrinado e treinara seus subordinados.

A Agt. Verônica olha profundamente nos olhos de Teo e diz:

– Teo, sei que você não tem nenhum tipo de treinamento físico e mental para encarar essa missão, mas precisamos de sua ajuda. Você está preparado para isso?

Naquele instante, um filme de toda a sua vida passa em sua mente. Ele acessa todo o banco de dados de fotos de sua família e de seu pai que fora seu maior herói. Ele sempre estivera ao lado daquele homem que tinha muito conhecimento sobre táticas militares, paramilitares e ações terroristas. Ele sabia que sua vida tinha uma razão e aquele momento era crucial para dar um grande passo que mudaria a história de um país. Naquele instante, em meio a tantos sentimentos misturados como: amor, ódio, revolta, saudade, compaixão, medo e solidariedade, o menino mimado se transforma em homem e responde:

– Sim... Guerra é guerra!

Parte II
O presente era a chave do passado

44
La Jolla, Califórnia 2016

Vidjy, um menino de origem indiana, corre atrás de Teco, apelido do garoto brasileiro que usa grossos óculos para corrigir sua miopia. Ambos têm quatro anos de idade e seus pais observam aqueles inocentes a brincar ao longe. Sentado em um dos bancos do parque está o jovem Dr. Subogid, com seus quarenta anos ele se tornara chefe do laboratório para pesquisas de Alzheimer da UCSD (Universidade da Califórnia San Diego). Casado há cerca de dez anos, Subogid e Malu tinham dois filhos: Vidjy e Sinatra. O mais velho, Sinatra, não era fã de brincadeiras ao ar livre e preferia ficar em casa jogando videogame ou lendo algum livro.

Mas Subogid precisava de um pouco de tempo fora de seu *lab* para respirar um pouco de ar puro. Ali, no parque, ele conseguia acompanhar seu filho a brincar e revisar alguns artigos impressos para a revista de neurociência, onde era o editor-chefe. Cada minuto de sua vida parecia consumido por suas pesquisas. Ele quase não dormia, quase não comia. Quando tirava um cochilo, fazia em meio às leituras de artigos científicos. Mas, ali no parque, ele conseguia ficar desperto, ou tomava conta direito do filho ou Malu o escalpelava em casa. Ao seu lado, segurando uma bola de futebol, Hugo observava pacientemente o brincar de seu filho com o novo amiguinho. Hugo, sua esposa Sara e seu filho Teodoro haviam acabado de chegar a La Jolla. Para Hugo esse era um bom momento para arejar suas ideias e repensar sua carreira profissional. Após passar cerca de dois anos trabalhando como consultor interno da PF junto à secretaria de segurança pública do estado do Rio de Janeiro, ele realmente precisava de um tempo longe daquele caos de cartas marcadas. Quando Sara anunciara que poderia fazer parte de seu doutorado em políticas ambientais nos EUA, por um ano, e que gostaria que todos da família a acompanhassem, Hugo topou na hora. Isso lhe daria a oportunidade de umas férias longe do Brasil.

Mesmo depois de chegar, há cerca de um mês longe do Brasil, ele ainda não havia se adaptado ao fuso horário e seu semblante era de estar sempre sonolento e cansado. O frio do inverno da região sul da Califórnia não lhe molestava, pois crescera no Rio Grande do Sul, onde o inverno era muito mais rigoroso que ali. Como Sara passaria a maior parte do tempo na universidade, Hugo ficava com Teco a maior parte do dia, isso para ele era um prazer, pois nunca tivera tanta oportunidade de ficar perto de seu bebê, que já estava grande. Hugo não falava muito bem inglês e tinha muita vergonha de conversar com pessoas desconhecidas, por isso passava a maior parte do tempo só refletindo sobre sua vida no Brasil e segurando um livro na mão, para não parecer tão idiota ou mais idiota ainda.

Subogid já o vira algumas vezes por ali e, ao escutar as conversas em português, daquele pai com o filho, logo reconheceu aquele idioma melódico que o remetera às músicas do estilo bossa-nova. Subogid tinha o ouvido absoluto e conseguia tirar qualquer música no piano, menos o *Brazilian Jazz*, pois aqueles acordes de Tom Jobim de meio-tons precisavam de maiores estudos e atenção. Mas, ao perceber o português, ele resolveu falar com o estranho pai que agora frequentava o mesmo parque.

– Vocês são do Brasil? – pergunta Subogid, em inglês.

– Sim! Acabamos de nos mudar! – responde acanhadamente Hugo.

– Muito prazer! Meu nome é Subogid!

– Eu sou Hugo e o pequeno ali é Teco!

– O meu se chama Vidjy.

Dali em diante, a rotina dos passeios diários ao parque, naquelas manhãs das férias escolares do inverno, de apenas duas semanas, levaram ao encontro desses dois homens que possuíam ideais em comum, ao menos naqueles tempos. O comprometimento com a verdade, justiça e honestidade, além daquela última esperança de poder mudar o mundo, estimuladas pelas últimas gotas de hormônios e revoltas adolescentes que ainda lhe restavam, era exalado durante suas conversas.

Aos poucos, aqueles dois homens começaram a se tornar amigos. Logo, Hugo convidou a família de Subogid para um jantar em sua casa para apresentar as esposas. O jantar foi quase um fiasco total, pois não imaginava que os indianos eram vegetarianos e acabou cozinhando uma feijoada. Sua sorte é que havia farofas com vegetais, couve e arroz, o que encantou a Malu. Subogid não era muito tradicional ao hinduísmo, mesmo vindo da casta dos Brahmas, acabou experimentando a feijoada e adorou. Vidjy e Sinatra tinham o costume de comer com as mãos, o que surpreendeu Teco, que naturalmente disse:

– Vocês não sabem comer de colher?

Vidjy deu risada e não ficou nem um pouco acanhado com aquela pergunta indiscreta. Mas Malu ficou um pouco incomodada e pediu a seus filhos que usassem os talheres que estavam à mesa. Mas isso não deu certo, como não tinham o costume de usar aquelas ferramentas, acabaram esparramando comida por toda a mesa.

– Já chega, podem comer com as mãos mesmo! – disse Subogid aos meninos.

Todos riam com aquele simples choque cultural e os adultos riam ainda mais, graças ao consumo de algumas garrafas de vinho.

Sara comprara um piano na intenção de aprender a tocar, mas nunca o fizera, e Subogid ao ver o instrumento no canto da sala, pediu permissão para tocar. Ele pedia às pessoas que cantassem uma música e, sem ao menos conhecer previamente a melodia, já saia acompanhando. A atitude animada de Subogid ao tocar o piano trouxe uma grande alegria aquela noite. Era Natal, mas a família de Hugo não fazia mais festas nesta data, pois seu pai havia falecido dois anos antes, neste feriado. O peso da lembrança da morte do pai ainda não havia passado. Mas todos estavam felizes e os indianos não celebravam também o Natal. Então, o clima do feriado estava leve e tranquilo.

Após o jantar, as crianças ficaram a jogar videogame no quarto de Teco. As mulheres estavam na cozinha lavando a louça. Hugo estava isento deste trabalho, pois cozinhara todos os pratos. Na sala, Hugo e Subogid tomavam um vinho e observavam o craquear da madeira verde a arder no fogo da lareira.

– No meu país hoje, a maioria do povo está comemorando o Natal. Dos mais humildes aos mais ricos. Todos têm algo a dar uns aos outros! – disse Hugo olhando o fogo.

– No meu, poucas pessoas comemoram essa data, pois somos na maioria hinduístas! E somente as castas mais abastadas trocam presentes nessas datas, pois seguem a tradição do feriado cristão, o Natal é somente uma forma de consumo dos ricos por lá – disse Subogid.

– A maioria do povo indiano ainda é muito pobre! A riqueza do país é muito concentrada na casta dominante! – completa o médico indiano.

– No meu país, a riqueza também é muito concentrada, mas principalmente na classe política. Eles dominam tudo e são os maiores sócios em todos os empreendimentos, pois cobram os impostos mais caros do planeta – comenta Hugo.

– E a corrupção entre eles é tão grande que não se pode separar o joio do trigo! Mas eu ainda acredito que um dia esse sistema vai colapsar e será implodido de dentro pra fora. Assim, as riquezas serão repartidas de igual para igual.

– Sonhos comunistas em países capitalistas! Isso nunca dará certo! – disse Subogid.

– Pois é! Saímos de uma ditadura há cerca de trinta anos! Passamos pelo governo da direita, da extrema direita, do centro socialista neoliberal e, nos últimos 15 anos, por um governo de esquerda socialista vermelho, e sabe o que mudou? Nada. A elite está cada vez mais rica e mais atrelada ao poder do que nunca. E a classe média esfolada para pagar os luxos dos governantes! Meu sonho é ver isso mudar um dia. E quando estou no Brasil, essa é minha meta diária, investigar os crimes de lesa-pátria! – disse Hugo comovido, com a ajuda do álcool que consumia.

– Ações coletivas devem ser arquitetadas por um líder pensante. O que move a manada é um touro líder que é mais alto e vê melhor a distância! – disse Subogid ao perceber que o amigo tinha dentro de si um ideal. – Você estaria preparado para liderar uma mudança radical em seu país?

– Para ver os ladrões serem escorraçados? O povo menos humilhado? Sim, sacrificaria a minha própria vida para isso! – disse Hugo firmemente.

– Sacrificaria a vida de outros inocentes? Como a da sua própria família? – perguntou Subogid.

– Sim! Se isso trouxer o fim daquele sistema imoral! Sacrificaria! – afirmou o agente da PF.

– Planos como estes levam uma vida inteira para serem concluídos. Nós indianos fazemos planos tão a longo prazo que, às vezes, eles levam várias encarnações! – disse rindo Subogid.

– Se você morrer sem concluir seus planos, você volta depois em outra vida, o redescobre a certa altura do caminho e continua a tocá-los.

– Pois eu queria ter a paciência e a religiosidade que vocês têm. Eu não acredito que dê pra deixar tão a longo prazo essas metas. E eu quero libertar meu povo desta escravidão política ainda enquanto estiver vivo! – disse Hugo.

– Então conte comigo, eu também não sei o que nos espera depois do último suspiro! – disse Subogid.

Naquele momento, dois homens maduros de mais de quarenta anos, ambos estabilizados em suas carreiras profissionais, mas com muita garra para desmontar o *status quo* dos poderes, preestabelecidos por uma sociedade hipócrita, arquitetam planos mirabolantes e revolucionários no intuito de mudar a realidade de seus países subdesenvolvidos.

O Brasil fora escolhido como o laboratório. A teoria era que um indivíduo-chave, de uma sociedade, pode ser o estopim para a explosão de uma grande mudança. No entanto, esse indivíduo teria de ser puro e incorruptível pelo poder. Seria possível achar alguém com esse perfil? Esse era o desafio. Subogid e Hugo seriam os arquitetos das grandes mudanças. Isso poderia levar toda uma vida. E eles sabiam que não poderiam ser os atores principais dessas mudanças, pois para chegar aonde chegaram, haviam perdido a pureza e também, de certa forma, eram coniventes com a corrupção. Descobriram que não precisariam de outras encarnações para executá-los e sim de mais vidas, ou seja, vidas mais jovens. Assim seus filhos poderiam ser os agentes formadores de um mundo novo. A partir daquele momento, um pacto foi feito entre eles. E planos de ação começaram a ser traçados a longo prazo.

Naquela noite do Natal de 2016, como uma conjunção mágica de astros ao redor da Terra, a promessa selada por um compromisso maior do que imaginavam aqueles dois homens resultaria em uma convulsão social mais de 22 anos depois. E assim se sucederam os eventos pós-pacto.

O ano de 2017 transcorreu perfeitamente bem. Hugo teve tempo de ler todos os livros que sempre estiveram em sua lista de desejos, pois seu único trabalho era cuidar de Teco. Quando o menino estava na escola, ele tinha tempo de sobra para entender, de vários ângulos, qual a essência e os motivos que levavam o ser a buscar o poder dentro de sua comunidade e em uma ampla visão até chegarem as nações e as motivações para conquistar novos territórios e outros Estados. Hugo adorava aprender histórias por meio de narrativas romanceadas, pois sabia que só o amor era o motor das mudanças. Leu muito Tolstói, Pushkin, Gogol e, principalmente, Dostoiévsky. A Rússia havia sido palco da guinada de duas grandes guerras. As tropas napoleônicas e alemãs, ao invadi-la durante o inverno, foram dizimadas pelo frio e pela falta de proventos, pensados estrategicamente para enfraquecer o oponente, esse povo merecia atenção e respeito. A resiliência e destreza do povo russo deveriam ser estudadas.

Como também gostava de filosofia, teve tempo de ler e refletir sobre Nietzsche, o mais complexo pensador de todos os tempos, além de Bauman, um dos poucos filósofos vivos que conhecia e respeitava. Para entender a formação do pensamento coletivo do Novo Mundo, leu Eduardo Galeano, Darcy Ribeiro, Gilberto Freyre, João Guimarães Rosa, Nelson Rodrigues, Rubem Fonseca, Roberto Freire, Marcos Plínio e Lourenço Murtarelli.

Hugo, estando fora do seu país, conseguia ter um olhar integral àquela distância. Vivendo agora, sob uma cultura saxônica, percebeu o quanto o calor do povo brasileiro era dúbio. No Brasil, o que era bem comum, ou seja, sem dono, era utilizado sem respeito e exaurido.

No começo existiam os índios, estimados em cinco milhões de indivíduos, divididos em cerca de trezentos grupos. Com a chegada das expedições, no final do século quinze, o poderio bélico e os vírus trazidos pelos europeus levaram à dominação ou a extinção dos grupos indígenas que viviam mais próximos à costa brasileira. O Tratado de Tordesilhas, formulado pela igreja católica, que era a maior força política dentro do continente europeu naquela época, divide o Novo Mundo em duas partes e as concedeu a Espanha e Portugal. Os portugueses entregam o território aos nobres da corte, em sistemas de Capitanias Hereditárias, dando o direito à exploração de faixas territoriais a famílias ricas de Portugal e, em contrapartida, cobravam impostos dos bens produzidos ali. A estrutura de poder no Brasil começa com a posse de terras doadas, não importando se lá havia seres humanos ou não, pois os índios eram considerados pagãos pela igreja. Portanto, aqueles que não eram batizados por um correspondente de Deus na Terra eram considerados uma besta fera e poderiam ser subjugados como um animal qualquer, podendo até ser executados. Os novos donos da terra importaram escravos africanos, pois a tentativa de escravizar os indígenas nativos não foi bem-sucedida; esses, por conhecer melhor a região, escapavam ou enganavam os portugueses. Já os escravos africanos não tinham muita escolha, ou trabalhavam sob a tutela de seus donos brancos, ou ao fugir caíam em mãos dos nativos sanguinários e muitas vezes canibais. Nessa estrutura de poder, o sobrenome dos herdeiros das capitanias valia como documento de registro da terra e eram usados para empréstimos bancários que nunca seriam pagos. Com o passar dos tempos, as fazendas se transformaram em pequenos feudos onde a figura do coronel era como se fosse um rei, tendo o poder de julgar e executar a lei, imposta a todos os indivíduos sob seu domínio territorial.

Hoje em dia, entre todos os impostos, os rurais ainda são os menores ou simplesmente não são cobrados, assim como os das igrejas. No Brasil, as pessoas te perguntam: "Mas você é filho de quem?", como se seu *pedigree* lhe desse algum status, de acordo com seus antecedentes. Hugo lendo e juntando suas experiências pessoais montou um grande mosaico de ideias que poderiam ajudar a execução de seu plano de quebra das estruturas do poder. Ele não tinha nenhum sobrenome a zelar, seus avós eram imigrantes italianos que vieram para substituir a mão de obra escrava nos cafezais do interior de São Paulo. Uma das exigências dos ingleses que buscavam novos campos para suas máquinas e para o trabalho livre assalariado e a expansão do capitalismo. Essa pressão vinha de dívidas do reino de Portugal com a Rainha, pois esses salvaram toda a corte de Portugal das invasões napoleônicas, ajudando na transferência da corte para o Brasil no início do século XIX.

Hugo, portanto, não tinha compromisso nenhum em manter o *status quo* do poder oriundo das vassalagens dos coronéis. Seus avós eram anarquistas e não seguiam nenhum tipo de religião. Portanto, o poder da igreja não era bem-vindo em sua casa, desde os tempos de criança. Tudo que Hugo havia conquistado era com seu esforço próprio, por meio da meritocracia que tanto falava seu avô Luís. E se este não tivesse o mérito de conseguir nada em sua vida, tudo bem, isso não seria problema, o que importava era tentar ser feliz. Mas Hugo sabia que poderia fazer algo mais pelo povo. Sabia que a apatia, o medo e a falência de muitos eram fruto da falta de justiça. Ele tinha um pouco de inteligência para pensar e fazer os movimentos para mudar essa realidade.

45
Nos laboratórios da UCSD

Subogid estava escrevendo mais uma proposta para um financiamento de suas pesquisas de Alzheimer. Por mais que conseguisse centenas de milhares de dólares, sabia que aquele dinheiro não seria suficiente para pagar um ou dois bolsistas de pós-doutorado para ajudar por um ou dois anos em suas pesquisas. Fazia cinco anos que estava naquele laboratório e sabia que para uma grande revolução em suas pesquisas teria de dar um passo adiante de seus colegas. Os avanços em biotecnologia estavam bem abaixo do avanço de outros setores das indústrias da Califórnia. O Vale do Silício era muito mais próspero que o extremo sul da Califórnia. Ao tentar entender o porquê disso, Subogid percebeu que uma coisa faltava ali, a integração entre os profissionais de diferentes setores. As *startups* do Vale do Silício eram empresas que congregavam profissionais de diferentes áreas de conhecimento e diferentes campos tecnológicos, isso a fazia diferente. O conhecimento, mesmo de outros setores, pode ser rearranjado para que outras áreas consigam se beneficiar disso, pois todo cientista tem a mesma metodologia e procedimento para o desenvolvimento das pesquisas. Subogid então percebeu que existiam muito mais recursos financeiros para empresas ligadas à informática que à biotecnologia e começou a formular projetos na área de nanotecnologia médica. Assim, ele fundou sua própria *startup*, com alunos da computação e biotecnologia e arrumou bolsas de estudos para que esses mesmos funcionários fossem seus estudantes de mestrado e doutorado e começou a desenvolver tecnologias de nanossensores médicos, que monitoravam e liberavam substâncias químicas para o corpo dos pacientes.

Com essa nova patente, a Qualcomm, gigante na área de telecomunicações, por fazer chips para todas as empresas produtoras de *smartphones* do planeta, interessou-se pelos projetos desse professor indiano e começou a financiar pesquisas mais ousadas na área de implantes tecnológicos. Essa parceria entre o professor Subogid chamaria a atenção da Apple e da TWC que também se juntaram para financiar futuramente o que seria a revolução nas comunicações, a série de implantes tecnológicos conhecidos como ISkin.

Mas em 2016 a amizade de Subogid e Hugo ainda era pura e plena. O dinheiro, que futuramente viria a transformar a vida daquele professor, ainda não era vislumbrado por aqueles homens que queriam quebrar paradigmas.

Hugo discutia com Subogid as diretrizes para o direcionamento das novas pesquisas dos implantes. Na realidade, fora Hugo que teve a primeira ideia de transferir as telas dos *smartphones* para pequenas lentes de contatos. Isso auxiliaria na diminuição do tamanho dos equipamentos, sendo o primeiro passo para a implantação dos nanocomputadores direto no sistema nervoso cerebral, como seria o futuro do IBrain. Os dois homens trabalham com os cronogramas factíveis de evolução da ciência, e com a ajuda de uma modelagem estatística chegam à conclusão de que, em mais ou menos vinte anos, conseguiriam poder executar seus planos de mudanças profundas nas estruturas de poderes de seus países. A única coisa que os dois sempre concordaram em fazer, durante todo esse tempo, era que esse plano não poderia ser contado para ninguém, nem mesmo suas próprias esposas poderiam saber sobre ele. Hugo foi o primeiro a quebrar a promessa.

Os dois homens nomearam aquele plano secreto de Shiva. Assim, poderiam se comunicar sempre e falar de qualquer coisa, mas, quando falassem sobre Shiva, ficaria claro que esse era o sinal que estariam falando sobre o plano.

46
O começo da mudança

No final de 2017, a família de Hugo está prestes a voltar ao Brasil. Uma pequena festa de despedida foi feita entre os vizinhos mais próximos. Na ida ao aeroporto, Subogid se ofereceu a levar a família em sua velha *van*, no Brasil conhecida também como Kombi.

– Que Shiva esteja sempre conosco e que não nos esqueçamos nunca de nossas missões!

Os amigos se abraçaram e não se viriam por muitos e muitos anos. Mas a comunicação via *chats* era sempre constante.

Os anos correram como esperado. Hugo continuou sua carreira como agente especial da PF e foi galgando posições dentro da instituição. Fazia vista grossa para colegas que tinham atitudes não tanto ortodoxas e sucumbiam à corrupção. Mas não aceitava esse tipo de conduta para ele e seus agentes. As ofertas não paravam de bater a sua porta. Por não ser conivente com qualquer tipo de corrupção, ele fora isolado por muitos anos em um pequeno grupo que cuidava de assuntos e investigações que não davam margem a nenhum tipo de propina. Assim, Hugo investigava crimes como pedofilia cibernética, pequenos golpes de *hackers*, que fraudavam alguns *sites* de aluguéis de casas por temporada como Airbnb, e outros assuntos que não davam nenhum acesso a somas vultosas dominadas pela máfia. Isolado, Hugo criou um pequeno exército de profissionais comprometidos com a honestidade.

Em certo momento que toda a cúpula da PF estava comprometida com a máfia do poder político, houve a primeira convulsão social. O ano era 2020, com o colapso das redes de TV e a liberdade da internet, as notícias não eram postadas mais por jornalistas, e o monopólio das agências foi quebrado. Com o crescimento e popularização das redes sociais e o uso de *smartphones*, todos postavam qualquer tipo de imagens e eram livres para dizer o que queriam. Enganar o povo era cada vez mais difícil.

O primeiro poder a sucumbir foi o Judiciário. As pilhas quilométricas de processos, em que a pena prescreveria em cinco anos, eram a garantia de impunidade aos mafiosos do poder político. Contando com a morosidade do poder Judiciário, os políticos sabiam que seus golpes nunca chegariam a ser julgados pelo STF (Supremo Tribunal Federal) e assim recorriam em todas as instâncias até a chegada na grande cúpula do STF, que engavetava os processos. A perpetuação dos crimes dos colarinhos brancos tinha de acabar.

Um episódio foi marcante para isso. A PF sempre soubera de alguns esquemas envolvendo o tráfico de droga internacional com políticos. E em uma pequena operação conseguiu rastrear um carregamento de meia tonelada de cocaína que estava sendo enviado do Paraguai para o estado do Espírito Santo, em um helicóptero do filho de um deputado federal chamado Perrella do PDT (Partido Democrático Trabalhista). A droga seria entregue dentro de uma fazenda dos mesmos políticos. Assim, a PF deflagrou a operação para dar início à limpeza política. Mesmo com a cobertura na mídia, a apreensão da droga e da aeronave, os políticos saíram ilesos. A alegação fora que o piloto do helicóptero agira por si só e a droga não pertencia aos políticos. Após isso, alguns policiais civis começaram a denunciar livremente, pelos canais de mídia da internet, como o YouTube, todo os esquemas de tráfico comandados por políticos. E o nome mais recorrente do envolvimento com a máfia era o do senador Aécio Snows do PSDB (Partido Sociodemocrata Brasileiro). Notório consumidor compulsivo de cocaína, ele comandava o tráfico e tinha o apoio das facções criminosas mais importantes do país, com as quais negociava pessoalmente. Além de receber propinas de contratos no setor elétrico e energético.

Com a morte do policial investigador de Belo Horizonte conhecido como Arcanjo, o qual sempre o denunciara, houve uma revolta entre os policiais, e as provas do tráfico e de outros crimes de políticos foram sendo colocadas em redes sociais e canais abertos à mídia da internet. A população clamava pela aplicação da justiça. Assim, atos de justiçamento começaram a fazer parte do cotidiano das grandes cidades. Um caso servira de jurisprudência para a criação das execuções sumárias. Um cidadão de bem, que retirava seu filho de oito meses do banco de trás de seu veículo, fora abordado por dois meliantes armados. Estes eram negros e falavam um português com estranho sotaque. Os rapazes empurraram o pai de lado e, sem deixá-lo retirar o filho do carro, entraram no veículo e tentaram sair arrancando, mas os criminosos não sabiam dirigir carros automáticos e não conseguiram sair com o veículo. O pai, friamente, retira uma pistola automática da cintura e executa os ladrões. Toda a ação fora filmada por câmeras de segurança que estavam dentro do carro. Mais tarde constataram que o pai era um soldado da Polícia Militar, que, nos momentos de folga, fazia bico de motorista do Uber e, por isso, estava armado e sabia manusear armas de fogo. Os dois negros eram médicos cubanos, superexplorados pelos acordos entre o governo brasileiro e Cuba, que recolhia 80% de seus salários e enviava para o governo cubano, tentavam também fazer bicos em momentos de folga, assim usavam armas de brinquedo para assaltar moradores de bairros nobres da cidade. Não contavam que esses podiam também andar armados e responder às atitudes violentas. O vídeo viralizou e todos agora podiam andar armados. Se a execução fosse sumária e as provas fossem filmadas, o julgamento era feito de forma digital, a nova forma de acelerar os processos na justiça. Essa nova lei deu margem para que muitas execuções fossem feitas no país. A criminalidade chegou a níveis assustadores, cerca de mil execuções a cada cem mil habitantes, mas depois foi diminuindo à medida que a lei era aprimorada.

Os crimes de colarinho branco não prescreviam mais e tinham que ser julgados em força-tarefa, até, no máximo, cinco anos. O STF foi agilizado pela pressão popular depois que um cidadão, em um surto psicótico misturado à ânsia de justiça, executou um dos ministros, clamando por justiça. Ele fora em seguida executado por um agente federal que respondeu ao ataque do cidadão. Mas a morte de um dos ministros do STF serviu de exemplo para que os outros ministros aprovassem algumas mudanças estruturais dentro do sistema de julgamento do STF. O cidadão que executou o ministro se transformou em herói popular e mostrou que havia pessoas que se sacrificariam em nome do coletivo. Uma onda de terrorismo pairava no ar, o sacrifício em prol do coletivo em atos realizados por cidadãos que não tinham mais nada a perder naquela sociedade virou moda.

A dispersão de religiões ligadas ao novo tipo de islamismo alimentava esse tipo de atitude. Na mescla do fanatismo evangélico com o fanatismo islâmico nasceram as religiões híbridas, que pregavam a construção de um mundo fantástico povoado por virgens no paraíso. Se os fiéis fizessem algo em prol do povo oprimido nesta encarnação, seriam gratificados com o paraíso repleto das mais prazerosas companhias.

A bancada evangélica se associara aos novos líderes dos milhares de refugiados que tentavam se adequar à nova realidade do país onde fincariam raízes. Todo tipo de acordo fora feito para que essa nova força humana fora assimilada e adequada aos interesses políticos dos mantenedores do poder.

A situação política estava caótica e insuportável. A primeira mudança institucional na constituição foi feita em 2020 com a criação do quarto poder, o Poder Policial autônomo e independente, que auxiliou a agilização dos processos judiciais. Com base nessas atitudes, partidos do anseio popular, um grande sentimento de cidadania começou a tomar conta da população. O Agt. Hugo, que dirigia o setor de inteligência digital investigatória, ganhou prestígio ao coordenar e arquitetar o desenvolvimento do *software* de análises de imagens que seriam as provas cabais das execuções sumárias. Com o uso de grandes fazendas de processamento de dados, cruzavam bancos de dados de todos os arquivos livres da internet, da PF, da Receita Federal e até de câmeras filmadoras de seguranças privada e pública. Com o uso de modelagem estatística, chegavam à precisão dos motivos da execução e a apontavam se as justificativas fossem cabíveis. Se as informações dos bancos de dados chegassem a 95% de veracidade, a execução havia sido aceita pelo poder judiciário; caso contrário o executor responderia a processos criminais e a pena máxima chegava a pena de morte. No entanto, todas as penas tinham fiança, mesmo a pena de morte. No caso dessa pena máxima, a fiança era calculada com base na idade do executado, sua função profissional e sua estimativa de vida. Os valores variavam de bilhões de dólares, para a execução de políticos e empresários, até o valor mínimo de cinquenta mil dólares para a vida de um carboxiano imigrante de países em conflito, que agora vivia nos *carboxes*, sobrevivendo de bicos e pequenos furtos.

Mesmo com várias mudanças estruturais, políticas e legais, a casta do poder ainda se mantinham dando as cartas do baralho. Sempre achavam um subterfúgio legal para anular provas, subornar juízes, engavetar processos e eliminar adversários. Por mais que a tentativa de fazer uma limpeza geral tenha sido iniciada há mais de 20 anos, como anseio da população, os mafiosos se mantinham no poder.

Em 2038, o Agt. Hugo fora nomeado secretário geral da PF, ficando abaixo somente do ministro Munhoz, da Polícia Federal; agora unificada com as outras polícias e responsável por grande parte da execução da justiça. Hugo chegara ao maior degrau da PF que não era corruptível pelo sistema. Sabia que nunca chegaria a ministro, pois não pactuaria com os líderes do poder. De posse do conhecimento de todas as estruturas do poder e nuances do jogo, chegara a hora de executar seu plano Shiva.

– Olá, professor Sub!

Hugo nunca acertara em chamar o amigo indiano pelo nome certo e ficava com o encurtamento dele.

– Grande homem do Brasil! Como está a situação por aí? – indaga o indiano que há alguns anos já não tivera notícias do amigo.

– Estamos a ponto de conversar com Shiva! – disse seriamente Hugo.

Subogid para por um instante de ler notícias em seu IBrain, paralelamente com a conversa do WhatsApp do amigo. Ele já havia esquecido o pacto, as promessas e, na verdade, já não se importava com as mazelas da vida proletária dos cidadãos de seus países, ainda subdesenvolvidos.

– Cara, você ainda pensa nisso? Estamos velhos, meu caro. Já não temos mais a estâmina dos revolucionários! – alertava Subogid.

– Eu sei disso! Por isso usarei alguém muito mais esperto e mais jovem que eu: o Teo! – disse Hugo.

– Não faça isso! Nossos filhos não estão comprometidos com nossas loucuras e temo pela vida deles para seguir com essas tolas ideias adolescentes. Não podemos fazer isso com o pobre menino! – falou enfático Subogid.

– Ele está preparado! E terá a minha ajuda o tempo todo! Só preciso que você libere os códigos de segurança de um ISkin10 que daremos para ele. Assim, poderei monitorá-lo e influenciá-lo em suas decisões – pede ajuda Hugo ao velho amigo.

Subogid sabia que poderia confiar no amigo e se aquilo fosse para a nobre causa prometida no passado teria que ajudar.

– OK. Também tenho de te revelar uma pesquisa secreta que venho desenvolvendo, que poderá nos ajudar!

Subogid combina de se encontrar com Hugo para tratar de assuntos que só poderiam ser falados pessoalmente.

47
Revendo velhos amigos

Hugo então recebe um convite da UCSD para proferir uma palestra cujo tema era a segurança e o desenvolvimento de aplicativos de execução sumária usada pelo sistema judiciário brasileiro. Ele consegue uns dias de folga do trabalho na PF e vai para La Jolla, Califórnia, nos Estados Unidos da América. Como nessa viagem teria um tempo livre, levou a esposa.

Quando chegaram a La Jolla não acreditaram como aquela pequena cidade havia mudado em vinte anos. Não existiam mais as pequenas vilas de condomínios de pequenas casas, agora torres de vidro ocupavam os espaços das pequenas comunidades. A universidade havia sido invadida por milhares de asiáticos interessados em biotecnologia, nanocomputadores e nanodrones. O antigo Vale do Silício já não era à região mais próspera da Califórnia e milhares de *startups* traziam riquezas à região do extremo sul.

Mas ainda existiam as velhas mansões em frente à La Jolla Shores e agora a família de Subogid ocupava uma delas.

Hugo e a esposa ficaram impressionados com a beleza da vista daquela casa de vinte quartos. Construída em forma de um disco espacial, a casa estava localizada acima de um penhasco, em um terreno quase dentro da UCSD, e tinha 270º de visão ao mar; estar na sala era como se você estivesse flutuando acima do mar. Essa casa fora presente do dono da

Qualcomm ao pesquisador, pelos anos de dedicação aos projetos dos nanocomputadores e também porque ele tinha o costume de ir caminhando ao trabalho , pois naó gostava de dirigir. Assim, ele nunca poderia dar desculpas de que se atrasou com o trânsito a caminho do trabalho.

As mulheres deixaram os amigos a sós e foram conversar em uma das dez salas espalhadas nos três andares da casa.

– Isso aqui mais parece uma galeria de arte! – disse Hugo.

– Esse povo é meio megalomaníaco mesmo. Eu nunca construiria um negócio desses. Mas cavalo dado não se olha os dentes! – disse Subogid.

Os casais comeram um banquete ao estilo indiano, sem nenhum tipo de proteína animal, e depois foram relaxar na parte de fora da casa em frente à piscina.

Quando estavam afastados das mulheres, Subogid tocou no assunto que trouxera Hugo até ali.

– Então você quer implodir seu país!

– Precisamos de uma revolução real! As armas da justiça já não são suficientes para que o povo se liberte dos tiranos! Precisamos de algo mais efetivo!

– E você colocará em risco sua família? – pergunta Subogid.

– Tenho os melhores agentes treinados para assumir total controle da operação que tenho em mente! E o Teo será o executor!

– Como você tem certeza de que ele concordará com isso? – perguntou Subogid intrigado.

– Ele agirá por instinto e, quando necessitar de algum apoio, estaremos sempre por perto! Ele tem o coração puro e justo. Nunca nos trairia, pois eu sempre o ensinei sobre a nobreza dos bons e a justiça!

– Meu amigo, eu confio em você! E tenho trabalhado em um projeto secreto que pode te ajudar! – falou Subogid àquele homem obstinado a virar o jogo da corrupção de seu pobre rico país.

No outro dia, Subogid convida Hugo a conhecer seu novo laboratório de pesquisa. Os dois seguem por intermináveis corredores de vidro até chegarem ao final de um deles. Ali, eles passam por um jardim fechado e entram em uma nova ala. Lá apenas dois velhos pesquisadores chineses fazem o trabalho. Eles analisam dados de transmissão simultânea da tela do IBrain para o ISkin10, entre dois macacos chimpanzés.

– Pensei que a pesquisa com animais tivesse sido banida dos EUA! – exclama Hugo.

– Sim, mas aqui estamos em território chinês! – brinca o pesquisador, por conta da língua que era falada entre os pesquisadores.

– Aqui descobrimos que dados podem ser transmitidos de forma secreta entre os nanocomputadores. Em uma queixa de um novo usuário do ISkin10, que estava sob tratamento médico com lítio, descobrimos que o aumento da concentração desse metal na região cerebral eleva a capacidade de recepção dos sensores instalados nos nervos ópticos dos usuários do novo IBrain. Basta um usuário de ISkin se localizar a cerca de até vinte metros de um usuário de IBrain que todos os *apps* e arquivos poderão ser acessados. Tudo graças ao aumento do campo magnético influenciado pelo lítio – explicou Dr. Subogid, de forma bem simples, aquele complexo processo ao amigo leigo.

– Por isso, estamos retirando do mercado todas as velhas versões de ISkin. Se essa notícia chega ao mercado, nossa hegemonia será quebrada e podemos até colapsar todo o sistema seguro de transmissão de dados gerados pela Apple, Qualcomm e TWC.

– Mas isso poderá nos ajudar a ter acesso a milhares de informações de forma secreta! – deslumbrou Hugo.

– Ordenamos o *recall* em todo o mundo para o próximo mês. E em seu país isso é nosso maior medo, pois vocês ainda usam lítio para tratar enfermidades psíquicas! – explica Dr. Subogid.

– Você ainda não pode fazer isso, Sub! Preciso ainda de mais um ano para conseguir finalizar meu plano de ação! – disse aflito Hugo.

– Sem chance, estou segurando esses resultados há alguns meses e isso pode custar muito caro para mim. Até minha própria carreira!

– Ok! Por favor, me dê apenas seis meses? – implora Hugo.

— Por Shiva! Está bem! – concorda o doutor torcendo a cabeça. – Mas você confiaria totalmente em seu filho, depois que ele provasse desse poder e desse veneno? – pergunta Subogid.

— Não tenho nenhuma dúvida de que ele será capaz de tomar as melhores decisões quando estiver com esse poderio em suas mãos! – fala sem pestanejar Hugo.

— Então pode arquitetar seus planos, pois isso funciona! – encerra Subogid.

No último dia de descanso em La Jolla, Hugo já não se aguenta mais e acaba contando as novidades para a esposa. Ele conta detalhes da operação que vem planejando há vários anos, que envolvia o médico e pesquisador amigo, seus agentes da PF e, agora, por último, seu filho.

— Jamais você vai fazer isso! – disse a esposa.

— Ele já é um homem e saberá lidar com todas as dificuldades. Além disso, ele estará sendo vigiado todo o tempo por mim e pelos nossos melhores agentes – dizia Hugo, seguro de que nada daria errado.

— E você, como saberá que ele estará sempre sendo vigiado. Você será seu anjo da guarda? – pergunta a esposa.

— Sim, exatamente isso! Vou passar para o outro lado, estar com ele o tempo que for necessário e protegê-lo de tudo que virá! – disse seguro de si Hugo.

— Mas pra que isso? Vivemos bem, temos nossa família saudável, temos os filhos e temos até um pouco de dinheiro! – disse a esposa.

— Mas não estamos livres daqueles que espalham a miséria a nossa gente em nossas cidades. Dos corruptos que a cada dia enchem mais os bolsos de dinheiro que deveria ser empregado na melhoria de vida de nossa população! – disse exaltado Hugo.

— Mas isso não é problema seu! – disse a esposa.

— Claro que é problema meu! Eu dediquei toda a minha vida a combater esse tipo de atitude e agora estou mais próximo do que nunca para, finalmente, colocar um basta nisso tudo! – disse saindo caminhando na praia, pois preferia o silêncio a discutir com a esposa.

48
De volta à terrinha

Após selado os compromissos de ajuda secreta do Dr. Subogid, Hugo volta para casa brigado com a mulher. Ela desaprovava o que ele tinha em mente, mas não o contrariaria, pois sabia que Hugo amava seu filho e faria tudo para proteger seu rebento.

Hugo, apesar de ter excelentes agentes, confiava cegamente em apenas dois deles: a Agt. Verônica e a Agt. Sete, duas mulheres incrivelmente inteligentes e compromissadas com o trabalho. Ele dividiu todo o plano com a Agt. Sete, pois sabia que ela não o julgaria e ajudaria impecavelmente na execução de todas as suas ordens, sem questionamento e sem vacilo. Já a Agt. Verônica começara a apresentar um comportamento passional. Mesmo sendo altamente profissional, havia momentos em que ela se perdia em seus próprios pensamentos e lhe olhava com um olhar intrigante e tanto quanto apaixonado.

Hugo conhecera aquele tipo de olhar logo quando se apaixonara por sua esposa, inconfundível. E depois de um desses dias cheios, cansados do trabalho e reunidos em um *happy hour* no bar orgânico, depois que todos os outros agentes se retiraram do recinto, a Agt. Verônica se revelara. Ela disse que não conseguia mais ter um relacionamento somente profissional com Hugo e queria que ele a acompanhasse a sua casa. Hugo com a cabeça cheia de cachaça não pensou duas vezes em ir direto para os braços daquela jovem mulher.

Os dois chegaram ao apartamento da Agt. Verônica em menos de três minutos, pois ela morava muito próximo ao bar, eles se atracaram no elevador e foram se digladiando até a sala do pequeno apartamento. Transaram no chão como dois animais no cio. Hugo, com quase sessenta anos de idade, fazia tempo que não tinha uma *performance* tão excelente como naquela noite. Ele ficou feliz em saber que ainda podia saciar o desejo de uma mulher tão nova e atraente, mas não sentira amor, somente desejo de sexo. Já a Agt. Verônica estava apaixonada havia muito tempo por aquele coroa. Sua inteligência, dedicação, paciência com ela, carinho no tratamento, deixaram-na embriagada de amor. Mas, após aquela hora de prazer, ela sabia que não teria nenhuma chance daquele homem ser seu. Ela sabia que ele amava a esposa, a família e nunca desistiria disso por ela. Um misto de ciúme, abandono e solidão tomou conta da alma da Agt. Verônica daquele dia em diante. Até o redescobrimento do desejo e de uma paixão por Eric.

O Agt. Hugo, portanto, contava com a Agt. Verônica, mas por causa do repentino relacionamento entre os dois, jamais falaria de seus planos com a agente. Ele achava que o romance que viveram poderia colocar as decisões do coração da Agt. Verônica em confronto com as ordens de seu superior. No entanto, ainda achava que ela poderia ter uma missão secundária tão importante quanto; seria a guarda-costas de Teo quando ele não pudera estar presente.

Arquitetado todo o plano com a ajuda e o aval da Agt. Sete, chegara o momento de colocá-lo em ação. O primeiro ato seria a criação de um evento chamado entre eles de Fênix. Ele e a Agt. Sete teriam que desaparecer e operar na clandestinidade o desenrolar da missão. Assim, forjaram o acidente com o helicóptero na região da serra do mar perto de Ilha Bela. Primeiro foram até a ilha e, dentro do perímetro em que o campo magnético desabilitava o uso dos aparelhos, explodiram o helicóptero acima do mar em uma noite de chuvas torrenciais. A natureza ainda era a grande força a que muitos não tinham como controlar, portanto o risco de uma queda naquela noite era real, a própria torre de controle da capital avisara para que a aeronave abortasse a decolagem, o que fora propositalmente desrespeitado pelo Agt. Hugo com o pretexto de que a investigação em que estavam trabalhando era urgente. Os dois agentes haviam levado todos os equipamentos de mergulho no helicóptero e, pairando ao ar em uma altura de menos de dez metros, foi fácil vestir os equipamentos e se jogar ao mar. Com o uso de um controle remoto foram acionados os explosivos.

O Agt. Hugo, ao visitar o Dr. Subogid, recebera de presente um par de IBrain Iridium, que era acessado via satélite e não necessitava de redes locais de internet para operar, assim conseguia que seu IP fosse invisível em qualquer território. Esse tipo de equipamento era proibido para o uso em qualquer localização do globo, exceto por poucos agentes da CIA e do presidente dos EUA. Mas como o Dr. Subogid era o diretor dos técnicos que inventaram essas tecnologias, ele mantinha alguns aparelhos sob seu controle e sabia que isso seria essencial para o sucesso do plano de seu amigo.

A primeira parte do plano foi um sucesso. Ele conseguira destruir o helicóptero e, mesmo com as buscas dos corpos na manhã seguinte, nada pôde ser encontrado. A perícia alegara que um raio elétrico, com grande intensidade, poderia ter atingido a aeronave e explodido seu tanque.

O Agt. Hugo e a Agt. Sete seguiram com a segunda parte do plano, que era a de serem anônimos entre os carboxianos, monitorar seu filho Teo e armar uma cilada amorosa para ele. Assim conseguiram uns *carboxes* próximos do apartamento do próprio Agt. Hugo e sua família, no Brooklin, e como andavam sempre de máscaras, o reconhecimento facial deles seria impossível.

Hugo, após uma semana da explosão, voltou para casa. A esposa que já desconfiava da falsa morte do marido, não se assustou quando ele apareceu em uma noite de terça-feira. Ela estava se sentindo traída e disse que o odiava. Ele a beijou, mas ela não correspondera a seus carinhos.

– Eu preciso seguir com essa missão, não temos outra opção! É agora ou nunca que mudaremos o curso da história desse país! – assim falava o agente.

– Você nos fez de palhaço! Brincou com o pior sentimento que um ser humano pode ter, o da perda de um amor! Você está doente, Hugo! – assim gritava a mulher que se fizera ser ouvida pelos filhos. A esposa estava cansada daquele discurso e lutava para que ele mudasse de ideia e não envolvesse mais nenhum membro da família naquela maluquice toda. Hugo estava obcecado e não desistiria da missão por nada neste mundo.

A partir da primeira semana, após darem por encerradas as buscas dos corpos e tecnicamente declaradas suas mortes, eles começaram a monitorar a rotina daqueles que seriam as peças-chave para a continuação do plano.

Primeiro, ele teria de fazer com que Teo fosse diagnosticado com alguma enfermidade mental que necessitasse de um tratamento à base de lítio. Isso foi fácil, colocaram altas doses de óleos de cânabis em sua comida e como ele andava meio *down* pela falta de emprego, seria fácil se sentir deprimido. Sua mãe também teve papel importante para que os sentimentos do filho fossem negativos, pois sempre estava triste e obedecia ao marido de forma contrariada. O clima na casa ficou bem obscuro e ficar realmente doente naquele ambiente seria muito fácil. Com o alto consumo de essências alucinógenas foi fácil Teo começar a perder o contato com a realidade e sucumbir à depressão.

Em uma noite, quando altas doses da essência alucinógena foram colocadas no jantar de Teo, o Agt. Hugo vai até seu quarto e tenta uma comunicação.

– Filho, acorda! Tenho de falar com você! – diz seu pai interrompendo seu sono.

O menino não acorda e responde:

– Sai daqui! Você já morreu!

— Eu não morri e você vai ter de me ajudar a limpar esse país! — disse o agente.

Meio acordado, Teo grita:

— Sai daqui! Você já morreu! Sai!!!

Hugo sai pelo escuro e sua mãe vem acalmá-lo. A partir daquele dia, Teo ficava sem dormir e continuava tomando os alucinógenos misturados à comida. Um verdadeiro dano estava sendo criado na cabeça daquele menino. O Agt. Hugo, que conhecia táticas de torturas psicológicas, sabia que um ser humano, se privado do sono por mais de três dias, começava a apresentar distúrbios neurológicos. Assim, ele insistiu na tese de aparecer para o filho por mais alguns dias e assustá-lo para que não conseguisse dormir. Sua esposa também começara a apresentar distúrbios neurológicos com aquela tortura empregada à família.

Com um surto de perda da realidade no quinto dia de privação do sono, Teo fora atendido e medicado. O diagnóstico: estado maníaco-depressivo pós-traumático. Tratamento: um mês de Haldol e, posteriormente, um mês de tratamento com Rivotril e 1.800 mg de Carbolitium por toda a vida. O garoto era considerado bipolar, pois ouvia vozes e via pessoas mortas. Esse foi o diagnóstico do Dr. Luis.

Para incrementar a quantidade de lítio no organismo de Teo, o Agt. Hugo também começou a diluir o medicamento dentro da CBWS do rapaz, além de colocar em sua comida, que era enviada pela mãe. Dessa forma, o plano de bombar o organismo de Teo com lítio estava sendo perfeito.

Depois do surto psicótico forjado, veio a outra fase do plano. Teo seria enviado a trabalhar rotineiramente com seu avô. Isso lhe daria uma rotina estável e sem transtornos. Após três meses, o tratamento com antidepressivos acabou, agora somente o Carbolitium era ministrado em altas doses. E Teo seguia com seus horários constantes do trabalho para casa e de casa para o trabalho.

Os agentes começaram a monitorar Teo e seus horários e a montar um esquema de controle dos acontecimentos que o colocariam no centro dos eventos. A Agt. Sete, que era especialista em física quântica e computação, desenvolveu um *app* chamado Teocentrismo e associou várias informações vindas de outros *apps* para que um evento trágico, onde Teo seria o personagem central, se desenrolasse para que todo o movimento que precedia ao caos fosse formado. E esse movimento inicial seria o atentado ao soldado que carregava as drogas. Assim, a Agt. Sete programou o *app* Teocentrismo, e o Agt. Hugo arquitetou o plano de ação. Continuava drogando e sussurrando aos ouvidos de Teo e da Agt. Verônica, a quem começou a visitar semanalmente em encontros no velho bar orgânico.

Os eventos cronometrados no Teocentrismo *app* previam algumas lacunas temporais. No entanto, o evento do atentado teria de ser milimetricamente calculado.

Naquela sexta-feira do atentado da Marginal Pinheiros, o Agt. Hugo acompanhava o carregamento de drogas e a Agt. Sete acompanhava a aproximação de Teo a Walkíria do topo do Edifício Palace, onde vivia Walkíria. Eles sabiam que o procedimento de fogo naquela região, para coibir atos de assalto, era padrão. Então, cálculos de distância orbital, balística e posicionamento georreferenciado alimentavam um modelo estatístico da probabilidade do alvo ser acertado no exato momento que eles queriam. Trilhões de combinações foram modeladas para que as variáveis chegassem ao tempo certo do encontro da bala com a motocicleta do soldado. Esse *app* nunca poderia chegar ao mercado, pois tinha o poder de transformar planos de assassinatos em meros e corriqueiros fatos – aleatórios e acidentais –, isso destruiria todo o novo sistema de justiça rápida galgado na coleta de provas virtuais.

Walkíria fora escolhida por ser relativamente jovem, atraente e, principalmente, pela localização de seu endereço, pois os agentes sabiam que a posição do atirador teria de estar alinhada na direção da rua com a Marginal Pinheiros, pontos localizados dois quilômetros de distância entre eles.

49
Operação cupido

Com a escolha da mulher, um longo trabalho de "cupido" foi feito pelos dois agentes invisíveis. A Agt. Sete começou a frequentar o salão de Walkíria, consumir seus produtos e se aproximar como uma nova cliente e amiga. Assim pôde colher amostras dos perfumes e cosméticos que ela usava. A parte feromonal daquela fêmea da espécie humana também foi estudada. Os agentes conseguiram invadir o apartamento de Walkíria, enquanto ela não estava, e, com ajuda do Minilab *app*, extraíram todas as essências femininas de roupas sujas que encontravam. Calcinhas, sutiãs, biquínis, maiôs, camisolas, calças *leggings*, *lycra* e camisetas, tudo que estivera em contato com a pele daquela mulher foi amostrado.

O resultado: a combinação de um perfume único, quase inodoro, que era colocado todas as noites na fronha do travesseiro de Teo. O olfato era o gerador das memórias mais poderosas de todos os mamíferos, se Teo sentisse novamente o cheiro dessa mulher, em qualquer lugar, sentiria algum tipo de atração, um instinto maternal ou sexual o comoveria. Do outro lado, amostras dos feromônios exalados pelo corpo de Teo também foram coletados e amostrados, dessa vez, de forma mais fácil, pois o Agt. Hugo tinha total acesso à casa onde o filho morava. A essência do rapaz estudada, concentrada e espalhada pela cama de Walkíria, diariamente, durante 30 dias, foi a ferramenta mais eficaz para que um sentimento de amor à primeira vista fosse incorporado por aquela mulher.

Com a aproximação da Agt. Sete e a vendedora, as duas mulheres solteiras, sempre conversavam sobre os homens, bonitos, inteligentes, jovens e ricos. E enviando *posts* desse tipo de pessoas para o Tinder de Walkíria, a Agt. Sete sempre usava fotos retocadas de Teo para servir de modelo de possíveis desejos da outra mulher.

A parte da sincronização dos eventos é que seria a mais complexa. A primeira sincronização seria a que faria a aproximação do casal. Isso foi feito colocando nanodrones *bugs* nos dois para monitorar as rotinas semanais de cada um e ajustando os horários de saída do trabalho de Teo com o apoio do avô. A mãe de Teo dizia para o avô o exato horário em que Teo deveria sair do trabalho. O avô obedecia fielmente, pois sabia que Teo passava por algum tipo de tratamento psicológico e deveria ser acompanhado bem de perto pela mãe. Durante dois meses, os horários foram ajustados para que Teo sempre pegasse o mesmo vagão que Walkíria, que também tinha uma rotina precisa, principalmente nas sextas-feiras, quando chegava antes da filha dormir.

Por várias vezes, antes do ISkin10 ser instalado em Teo, os dois se esbarravam dentro do vagão. Nas primeiras vezes, nada acontecera, mas aos poucos alguns impulsos repentinos estavam os aproximando cada vez mais. Era como se as forças gravitacionais entre aqueles dois seres começassem a agir para que eles se atraíssem. Não havia uma lógica consciente, mas aos poucos eles foram ficando cada vez mais perto dentro do vagão. A Agt. Sete, que instalara os *bugs* preso no cabelo dos dois, pôde acompanhar em seu banco de dados do MovingMAP *app* a sobreposição de caminhos e o ponto de maior aproximação, sempre dentro do vagão 42. A ideia do feromônio e das essências corporais para aproximar as vítimas foi do Agt. Hugo, e mesmo a Agt. Sete não acreditando que poderia dar certo, obedeceu as ordens do superior, e parece que ele tinha razão. As aulas de biologia do Agt. Hugo, enfim, tiveram alguma utilidade naquele momento.

– Viva as ciências naturais! – brindou o Agt. Hugo com a Agt. Sete ao rever os caminhos daqueles dois indivíduos, predestinados a se amarem, pelo bem da nação.

50
Operação ativar o caos

Esta foi a operação mais difícil e mais longa de ser planejada na vida da Agt. Sete. Além de que estava colocando em risco a vida do filho de seu superior. Os precisos cálculos do Teocentrismo *app* montaram um cronograma milimétrico, juntando os pontos: o porto da balsa de Ilha Bela e o km 32 da Marginal Pinheiros; a sincronia de saída do casal do vagão 42 e a chegada ao Edifício Palace; e, finalmente, o alinhamento no momento exato de Teo com o ponto de choque do projétil do fuzil junto a motocicleta do Sgt. Vestrepo. No sistema de sincronismo, havia a ajuda extra dos sistemas de sinalização de faróis controlados pela central de trânsitos da PF. A Agt. Sete tinha os códigos de acesso ao comando central e controlaria todos os 505 semáforos entre os dois pontos, o que a permitiria fazer pequenos ajustes de acordo com a capacidade e perícia dos pilotos das motocicletas. Também havia o plano B final. Como a Agt. Sete pairava em um drone exatamente acima do prédio de Walkíria, ela também carregava um mesmo rifle de ataque que o do porteiro. Portanto sua posição, observada pelo sistema ortogonal de imagens de satélite, era exatamente a mesma do porteiro na portaria. Caso houvesse algum tipo de dessincronização entre os passos de Teo e o motociclista, ela poderia disparar seu próprio rifle que a culpa recairia sobre o porteiro.

A Agt. Sete acompanhava Teo desde a saída do metrô, por meio do *nanobug*. Um mês antes de a operação tomar volume, a agente, passando-se por funcionária da manutenção de armamentos da *franchising* Smith West, fizera uma inspeção nas armas da portaria do Edifício Palace e instalou um *malware* no sistema *lock* do rifle de longo alcance. Assim, não importaria o exato momento em que o porteiro apertasse o leve gatilho, ela é que teria o verdadeiro comando de fogo daquela arma. E o plano funcionou perfeitamente. Teo conseguira ter acesso às imagens do Locker *app* e conseguira desviar no exato momento do disparo. E para simplesmente cobrir 100% as chances de o porteiro errar seu alvo, a Agt. Sete sincronizou um segundo rifle carregado com um projétil de borracha, que seria disparado dez décimos de segundo antes do rifle do porteiro, com sua mira locada em Teo, o impacto não o mataria, mas seria suficientemente forte para derrubá-lo.

No dia do atentado ao soldado, o Agt. Hugo acompanhava a ação na Marginal com seu Bentley, por meio de seus contatos secretos, parceiros de negócio do Dr. Subogid, arranjara com que os soldados deixassem Ilha Bela, no exato momento previsto da décima sexta balsa do dia, que aportava precisamente às 4h30 da tarde em São Sebastião.

O Teocentrismo *app* era ajustado a cada segundo de acordo com as variáveis, velocidade de deslocamento dos corpos, previsão de alcance do Ponto X de encontro com a motocicleta. Os cálculos eram tão precisos que mediam as velocidades da motocicleta, os passos de Teo e a velocidade do projétil, como se fossem valores constantes, pois a cada milésimo de segundo um novo cálculo de ajuste necessitava ser feito. Essa rapidez de processamento só poderia ser feita usando uma Farm (fazendas com milhões de processadores, que juntos seriam capazes de processar, em tempo real, milhões de cálculos precisos em milionésimos de segundo). Para essa operação, a Agt. Sete confiara somente em um provedor daquele serviço, a Google Farm, e reservara esse supercomputador por toda aquela tarde de operação. Isso custaria o equivalente a um bilhão de dólares de serviço pelo uso da máquina por oito horas ininterruptas e exclusivas. A fatura foi cobrada no cartão de crédito corporativo do amigo bilionário de Hugo, Dr. Subogid. Quando o médico soube dos planos finais de Hugo e que a vida de Teo estaria em risco, o amigo se dispôs de todos seus contatos no mundo dos negócios e toda a sua fortuna para assegurar que nada daria errado naquela operação. Subogid tinha medo que um carma gigantesco fosse colocado em suas costas se algo de errado acontecesse com aquele inocente rapaz. Para isso, qualquer dinheiro deveria ser usado, pois como vinha da casta dos Brahmas, considerados os homens sagrados hindus, vindos diretamente da linhagem dos Deuses daquela religião, esse carma atrapalharia suas futuras reencarnações por milhares de anos e talvez até o rebaixando para voltar em outras espécies ainda muito mais inferiores que a dos seres humanos. Subogid, mesmo já ocidentalizado nos costumes, tinha receio que todo aquele sincretismo religioso, vindo de sua milenar cultura, fosse verdade, no fundo de seu ser, sempre temera abandonar de vez as práticas religiosas que o foram atribuídas por seu pai, por respeito a isso sabia que tinha de ser bom e generoso em todas as suas ações. Acreditava que se um dia gastasse uma fortuna para ajudar alguém que necessitava diretamente de seu apoio, de alguma forma, o universo o pagaria em dobro, seja no plano real ou astral.

No momento da operação de colisão da rota com o projétil e a motocicleta de Sgt. Vestrepo, tudo saíra perfeitamente como a Agt. Sete calculara. O controle do sistema do Locker *app*, que daria a ordem de disparo no gatilho do rifle, demorou somente um décimo de segundo para dar a sincronização perfeita para que o projétil do fuzil encontrasse a trajetória da moto do soldado que estava em sua velocidade máxima de 350 km/h. O porteiro nunca perceberia que, ao apertar o gatilho, a arma não responderia ao exato comando, pois como estava sendo assessorada pela função eletrônica, este comando poderia ter alguma espécie de atraso. Ele nunca imaginaria que, na verdade, o momento de disparo da arma estava sendo calculado exaustivamente pelo Farm da Google em várias horas ininterruptas de trabalho. O início do caos estava criado.

O Agt. Hugo estava contente e aliviado. Pela primeira vez colocara a vida de seu filho em risco e com o êxito da operação poderia minimizar o envolvimento do rapaz em momentos perigosos como aquele. Confiava plenamente na capacidade profissional da Agt. Sete, excelente em todas as funções. Aquele ser andrógeno de baixa estatura e com uma beleza inconfundível era a mais inteligente e confiável agente de todo seu plantel.

Os casos que se sucederam com o atentado do soldado na Marginal prosseguiram como imaginado pelo Agt. Hugo. As investigações foram comandadas pela Agt. Verônica e ele tinha certeza de que alguém do grupo seria esperto o bastante para conectar o envolvimento de Teo, mesmo parecendo que o evento fora totalmente aleatório. De alguma maneira, Teo deveria ser encontrado e ficaria sob a constante vigilância de sua colega de trabalho. O Agt. Hugo monitorou toda essa aproximação até eles sumirem na região de Cananeia. O que não estava no plano era a morte de seus melhores agentes. Também não estava no plano Teo agir de forma impulsiva. O agente tinha imaginado usar o filho somente na operação de provocar o acidente e causar a desestabilização entre as relações dos poderes em Carboxy. A explosão do Clube Pinheiros, o roubo de informações secretas dos bandidos políticos e a doação de bilhões para instituições que lutavam pelo povo eram algo muito maior que sonharia realizar tão rapidamente. Tudo estava fugindo ao controle. A ida de Teo àquela festa, com a nata da podridão nacional, não estava em nenhum de seus planos. Tão pouco sabia que seu filho era inteligente assim para *hackear* e colher as informações secretas de muitas daquelas pessoas. Não sabia que os ideais anarquistas, que era uma das bandeiras levantadas pelos seus antepassados, estavam presentes em seu filho. Era como se o gene de revolta e indignação estivesse impresso no DNA da família. Um misto de orgulho e medo tomou conta, pela primeira vez, dos pensamentos daquele jovem senhor.

O Agt. Hugo esperava o início de uma guerra com os representantes das Forças Armadas, pois o Gen. Bustamante era o braço forte do atual primeiro-ministro Snows. O Agt. Hugo não imaginava que os militares seriam capazes de agir com tanta frieza, fazendo uma guerra interna com os aliados, que, teoricamente, apoiavam as bases do mesmo sistema e asseguravam a ordem à nação. Na condição de agente morto não poderia se aproximar do ministro Munhoz e revelar seus planos, assim só poderia espionar ao máximo as ações de seu superior. Antes de desaparecer colocou vários *nanobugs* na sala do superior e nos poucos cabelos daquele calvo homem. Os *bugs* não durariam muito, mas monitorava suas ações ao máximo que pôde, pois tinha a certeza de que Munhoz faria qualquer tipo de acordo para se manter no poder da PF, mesmo que isso custasse a vida de qualquer um de seus agentes. De certa forma, a guerra que viria seria boa para seu plano de limpeza geral do país. Afinal de contas, "para se fazer omeletes, é necessário quebrar alguns ovos!".

Quando a Agt. Verônica se aproximou de Teo na festa, seu pai ficou aliviado, ele sabia que aquela mulher daria sua própria vida para proteger seu filho. A reação dos militares era esperada, mas não tão rápida como fora. O Agt. Hugo subestimara a destreza do inimigo e um sentido de impotência e descontrole o tocou quando a Agt. Lílian fora executada.

O general não sabia o que estava acontecendo. Se o pronunciamento e a revolta do ministro Munhoz quanto à resposta violenta que algum de seus subordinados tivera perseguindo e matando alguns dos agentes da PF eram verdadeiros. Se o ministro estivesse falando a verdade, a PF não seria responsável pelo atentado contra a vida do Sgt. Vestrepo.

– Quem poderia estar por trás deste plano de desestabilização entre as Forças Armadas e a PF? – perguntava-se o general estrategista.

Precisaria de tempo para investigar melhor. Mas pela forma como que esses agiam, com certeza eram poderosos, pois ninguém se meteria com ele sabendo de sua fama de aniquilar qualquer um que cruzasse seu caminho. Gen. Bustamante resolveu recuar e esperar o jogo esfriar. Mas as ordens dadas não poderiam ser abortadas, por questão de honra e para manter seu pulso de ferro, alguns morreriam, mas retroceder jamais. Perdera contato com o Cap. Tiburcius e a essa altura já o imaginava morto, mas não sabia se ele havia finalizado seu último alvo, que fugira para a área da Reserva da Jureia.

O plano seguira seu próprio curso, ou seja, tomara vida própria, pois o anseio do Agt. Hugo era compartido por muitos outros que tinham os mesmos ideais libertários e não tinham comprometimento nenhum com a grande mentira dos que mantinham o poder. O pavio da bomba que implodiria o sistema estava aceso. Os Agts. Hugo e Sete conseguiam monitorar o posicionamento de Teo, menos quando esse estava dentro de algum campo magnético ou fora da rede Tesla de alimentação das fontes de energia do *nanobug*. Quando Teo e as meninas foram para a região da Jureia, ele perdera o contato. Isso foi positivo, sabia que precisava de um tempo para tentar rearticular e repensar todo seu plano. O que era para acontecer em alguns anos, estava acontecendo em menos de 24 horas. O Agt. Hugo precisava rearquitetar toda aquela situação e o desaparecimento de Teo seria importante para isso. Ele designou a Agt. Sete a tomar conta da filha de Walkíria, pois se sentira responsável por envolver aquela pobre inocente em um jogo perigoso. Ao mesmo tempo que a Agt. Sete tomava conta de Naomi, ela monitoraria a volta de Walkíria, pois sabia que a coisa mais importante na vida daquela mulher, depois do dinheiro, era a vida da criança. Essa seria a missão mais difícil para a Agt. Sete, pois não tinha trato nenhum com crianças.

51
Threshold

Logo na manhã do sábado, véspera de Natal, jornais do mundo inteiro anunciavam um milagre no Brasil.

"Milagre de Natal – Políticos da bancada ruralista e suas empresas doam bilhões para as ONGs ambientalistas do mundo! Será que podemos crer novamente na humanidade?"

Essa era a manchete do *The New York Times* anunciando aquilo que seria mais tarde descoberto como o maior crime cibernético da história.

Assessores dos políticos começaram a ligar uns aos outros e logo na madrugada já haviam acordado a ministra Cátia. Ela pessoalmente começou a contatar os deputados e senadores que haviam tido seus nomes envolvidos em doações milionárias às ONGs e fundações preservacionistas.

– Que porra vocês fizeram? – esse era o tom daquela mulher baixa ao tratar seus pares.

Alguns dos aliados não respondiam às chamadas, pois ainda estavam em festas particulares com seu séquito de putas, traficantes e cafetões. O primeiro-ministro era um deles. Na fuga do incêndio, Snows aproveitara para encomendar uma festinha particular com as meninas mais novas que puderam ser encontradas na avenida Augusta, além de alguns travestis, indicados por seu agente especial de putaria, dono de empresa de *marketing* e ex-jogador de futebol, o Fenômeno.

O que fora considerado milagre pela mídia acabou favorecendo a imagem da ministra Cátia, que ganhou destaque como uma heroína nos noticiários da CNN. No entanto, ela tinha sido a única a não ter doado nenhum recurso às entidades filantrópicas que lutavam por causas ambientais. Mas levou a fama, pois estava encabeçando todos os políticos da bancada ruralista daquela época. Seus parceiros da Monsanto não gostaram nenhum pouco da ameaça aos negócios diante do empoderamento que os ambientalistas receberam. Ordenaram que nenhum tipo de venda imobiliária fosse feito a ala verde do país. Mas impedir que aqueles senhores corruptos negassem as ofertas em dinheiro vivo e "limpo" sobre aquelas áreas era impossível. Para rever o dinheiro roubado, muitos sucumbiriam à tentação e venderiam parte de suas terras.

Cátia estava enfurecida com a atitude de seus partidários. Aos poucos, começou a receber chamadas de seu grupo e todos contavam basicamente a mesma história. Eles não haviam feito as transferências ou doações e acreditavam que tinham sido vítimas de *hackers*.

A imprensa tentou ir atrás dos bancos internacionais e empresas de fachada para apurar o caso, mas como Cátia dizia: "isso é igual merda, quanto mais mexe, mais fede! Vamos colocar uma pedra nesse assunto!".

Os grandes meios de comunicação, comprados pelos políticos, não deram sequência às reportagens investigativas. O Ministério Público também não foi acionado, pois ninguém prestaria queixa de invasão de contas em bancos internacionais. Os bancos afirmavam que as transferências partiram dos próprios políticos, pois até então era impossível o uso de IPs de máquinas implantadas nos indivíduos por outros usuários. Aquele dinheiro sujo seria impossível de ser reclamado, seria uma piada se um dos políticos se sentisse ferido em seus direitos e reclamasse às cortes internacionais, seria como assinar o próprio atestado de ladrão profissional.

O líder da PF, ministro Munhoz, tentou iniciar uma investigação sobre o assunto, mas o primeiro-ministro Snows disse que isso não era assunto de sua pasta, por se tratar de entidades estrangeiras, somente a

Interpol poderia ser acionada e, além disso, quem garantia que as contas eram mesmas de empresários e políticos brasileiros? Mas o setor de serviços secretos da Agência Brasileira de Informações Nacionais (Abin), braço do antigo serviço nacional de informações, sob o comando do Ministério das Forças Armadas e submisso ao primeiro-ministro, iniciou uma investigação para buscar quem fora responsável por aquele crime cibernético que transferira mais de vinte bilhões de dólares às diversas contas das ONGs e fundações em menos de um minuto. Até o momento não haviam solucionado o problema.

Na sede de algumas ONGs, que funcionavam em fundo de quintais, em áreas isoladas do país, a notícia do depósito de milhões de dólares, da noite para o dia em suas contas, foi motivo de festa e alegria nessas comunidades carentes. Em Caravelas, no extremo sul da Bahia, Jacó, da ONG Movimento Vira-lata, recebera dez milhões. Isso daria para comprar de volta áreas de mangues utilizadas para a carcinicultura. Depois que o governo estadual abriu as concessões de exploração dos parques estaduais em 2020, muitas áreas de parques e de proteção ambiental foram transferidas ao setor privado em forma de processos licitatórios, onde as concessões durariam trinta anos. No entanto, após dez anos de intensa exploração, as áreas às margens do Rio Caravelas estavam totalmente degradadas e já não serviriam nem mesmo a criadouros de camarões importados da Malásia. Mesmo totalmente degradadas, seriam mantidas e subsidiadas por novos contratos de ajuda ao produtor rural e aos produtores de alimentos, mesmo que estes utilizassem o dinheiro para outros fins.

Mas agora seria diferente, o dinheiro doado pagaria bons advogados e faria com que processos fossem abertos para protestar contra essas atitudes levianas, e o repasse das concessões para as ONGs seriam mais rentáveis e rápidos naquele momento. Os baianos fizeram três dias de festa em Ponta de Areia para comemorar a retomada do que restara do mangue de Caravelas.

A WWF recebera a maior quantia das doações: um bilhão de dólares. Dinheiro que seria usado para comprar as imensas fazendas de latifundiários brasileiros, uma forma de devolver aquele dinheiro sujo para o país de origem, lembrando que a partir do momento que o dinheiro voltasse legalmente com a compra das fazendas, os latifundiários teriam de pagar impostos locais e não mais ficariam sendo movimentados por bancos especuladores internacionais.

Mas nem todo o dinheiro foi gasto com compra de terras. Algumas ONGs, com ideais revolucionários e libertadores, utilizaram milhões de dólares para a compra de armamento ilegal contrabandeados do Paraguai. Movimentos de luta armada pelo assentamento de pessoas na terra ressurgiram e recrutavam carboxianos para lutarem pela reforma agrária, um projeto que havia sido esquecido há a mais de vinte anos.

Com muito dinheiro destinado à retomada de áreas rurais, a especulação imobiliária era gigante. Os ruralistas supervalorizaram suas terras com o intuito de vender pouco por muito dinheiro e recuperar o recurso roubado de suas maracutaias com o governo. Mas muitos dos que se diziam fazendeiros e donos de terra não possuíam nenhum documento de prova de dono do imóvel. O caos tomou conta de cartórios de registros. Muitos deles eram incendiados pelos próprios fazendeiros para que, depois da queima de qualquer prova de propriedade, alegassem posse da terra, forjando certidões falsas sem registros civis. A maioria da terra não tinha nenhum tipo de registro oficial. Anos e anos de uso do lugar deram o direito ao usucapião, contestável em todas as instâncias. Os bancos que sempre financiavam empréstimos agrícolas fizeram vista grossa a documentos, mesmo assim emprestavam o dinheiro sem nenhuma garantia de retorno, confiavam só na palavra. Isso dava margem ao pagamento ou não das dívidas. Os fazendeiros sempre causaram prejuízos aos cofres públicos, e o Banco Central sempre perdoava as dívidas.

Mas dinheiro agora não era problema. A maioria dos administradores de ONGs e fundações tinha algo que os políticos nunca tiveram: decência e comprometimento com suas causas. Se havia ainda algum tipo de ser humano que não se entregava a corrupção, eram esses profissionais. Talvez por nunca antes lidarem com somas tão vultosas, não haviam sido contaminados por tal sentimento de poder que vinha com os pacotes de notas verdes. A responsabilidade com a causa era maior que o desejo de enriquecer. No entanto, alguns diretores de fundações se corromperam e desapareceram com as doações. Mas a maioria ficou firme com a causa, mesmo que a origem do recurso fosse contestável.

"No final, ladrão que rouba ladrão tem cem anos de perdão!", assim pensava Teo.

No outro dia, ao descobrir pelos grandes jornais que uma grande onda de doações abastou as ONGs e fundações preservacionistas, o Gen. Bustamante começou a montar um quebra-cabeças e relacionou esse levante popular com esses baderneiros que queriam instruir o povo a lutar por seus direitos.

– Malditos comunistas melancias!

O general temia o poder do dinheiro injetado naqueles grupos, pois com a terra, aquele povo adquiriu sentimentos mais patriotas que o seu. O general decide então contatar seu, até então, inimigo, mas como sempre fora um ótimo estrategista, sabia que, às vezes, seu inimigo deveria ser seu aliado, em uma nova luta, juntos seriam mais fortes.

– Ministro, se não foi o senhor quem deu a ordem de derrubada de meu homem, quem o senhor acha que poderia ter sido? – pergunta o general com voz calma e serena.

O ministro da PF, Agt. Munhoz, estava um tanto apreensivo pelos acontecimentos da noite anterior e responde:

– General, estamos diante de algum tipo de força para a destruição da nossa nação. Isso deve ser coisa de grupos externos, pois sabemos que essa gente, que está aí hoje se fortalecendo com o roubo do dinheiro dos nossos líderes, é gente do mal. Devem ser os comunistas! Só esses dariam dinheiro pra pobre!

— Essa ordem pra roubar o dinheiro dos ruralistas deve ter partido de um desses resistentes, o que o senhor acha? — tentava ser mais objetivo o general.

— Pode ser, mas esse bando de acéfalos jamais teria acesso a uma tecnologia superior que pudesse *hackear* e adentrar até os bancos suíços! — responde Munhoz.

— Algo está me cheirando muito mal, ministro! Deve ter algum mercenário aí lutando pra nos colocar um contra o outro! Provocar uma cortina de fumaça e agir em surdina! — disse o general.

— Bom, da minha parte, vamos estar alertas. Pode ter certeza de que não ordenarei nenhum tipo de ação contra os seus! — disse o ministro sem demonstrar nenhuma dúvida.

— Da minha também! Mas não quero saber de nenhum dos seus invadindo meus territórios! Passar bem, ministro!

Assim termina mais durão a comunicação aquele militar.

Em nenhum momento, o general disse que um de seus soldados havia ido ao encalço de alguns de seus agentes. Sabia que se falasse isso exporia seu lado mais vingativo e, de certa forma, estaria quebrando aquela possível trégua. O general desconfiava que a PF estava por trás daquela operação, pois se haviam agentes deles fugindo para o sul, em direção a uma reserva extrativista, era sinal que estariam envolvidos. Mas o general não podia abrir o jogo e falar que a essa altura todos os agentes que participaram da operação de derrubada de Sgt. Vestrepo já deveriam estar mortos, o ministro teria de saber por seus próprios meios. Não podia confessar que mandara executá-los, isso seria como uma declaração de guerra formal e colocaria sua cabeça a prêmio. O primeiro-ministro nunca admitiria esse comportamento autônomo e ele perderia o cargo.

Do outro lado, o ministro Munhoz não tinha conhecimento de todas as operações secretas de dentro da sua própria instituição. Com a morte de seu primeiro secretário, Agt. Hugo, a hierarquia dentro da PF ficou desestabilizada, seus subordinados sabiam que ele operava de forma não muito ortodoxa e era subordinado ao primeiro-ministro. Mas isso era parte do trabalho, pois, mesmo a PF sendo uma autarquia autônoma de poder, seu cargo de confiança era indicação do primeiro-ministro. Ele era ministro por indicação, e não por eleição interna da PF, pois todos sabiam que o Agt. Hugo seria o sucessor direto por mérito daquela cadeira. Até o desaparecimento do Agt. Hugo poderia ter sido obra do atual ministro Munhoz, desconfiavam alguns dos agentes. A PF estava desarticulada e, para Munhoz, algo dizia que isso era parte de algum jogo para seu enfraquecimento e sua derrubada. "Mas quem quer isso?", perguntava-se o ministro. Sabia que o último inimigo interno da corporação estava morto há seis meses e não via nenhuma nova liderança brotar entre os agentes desde então. Sabia que todos gostavam da Agt. Verônica, mas ela não tinha liderança nenhuma. E, diante da perseguição de alguns grupos militares das Forças Armadas sobre seu pequeno grupo de agentes, sabia que a Agt. Verônica estaria finalizada a este momento, pois a perda de comunicação indicava que algo errado havia acontecido com a última integrante do grupo. Isso, de certa forma, o confortava, pois sabia que era um problema a menos em seu caminho.

Uma grande instabilidade tomou conta de Carboxy depois do incêndio do Clube Pinheiros. Os carboxianos que moravam dentro do sistema de água pluvial nos arredores da avenida Faria Lima tiveram de deixar o local. Com o fogo, havia o risco de explosão das galerias, onde o acúmulo de gases inflamáveis era constante, em razão do vazamento de tanques de combustíveis, de antigos autopostos do local. Uma multidão de carboxianos, que era invisível nas ruas daquela nobre parte da cidade, agora se acumulava pela superfície e era enxotada como gado para as áreas suburbanas. Uma marcha de milhares de carboxianos era acompanhada pelos batedores da PF em direção à parte sul. Aqueles que viviam das migalhas dos ricos moradores dos Jardins e Alto de Pinheiros teriam de pastar em outras áreas.

Parte III
Epílogo

52
De volta à revolta

A Agt. Sete brincava com Naomi, filha de cinco anos de Walkíria – ela nunca havia cuidado de uma criança na vida. Imaginava que bebês eram como animais de estimação e subestimava a inteligência daqueles pequenos seres. No começo foi estranho ter de responder, a todo momento, às perguntas da menina que só queria saber da sua mãe. Mas depois começaram a se divertir como duas crianças. Sete era muito disciplinada e séria. Mas Naomi quebrou o gelo da agente e tirava até gargalhadas daquele outro ser. Aqueles momentos para Sete eram de extrema felicidade, nunca imaginara que um dia ela também fora uma criança. Não tinha lembranças de sua infância. Só lembrava de quando estava em uma escola já com sete anos. Por isso, seu nome era Sete.

A vida de Sete sempre fora muito dura, criada em um orfanato em meio a muitos carboxianos, seu destino seria a miséria das ruas após completar a maioridade, aos dezesseis anos. Mas fora adotada por um casal transgênero e assim teve a total liberdade de se transformar em quem era hoje. Até seu próprio nome ela escolheu: Sete. Gostava da sonoridade da palavra e da praticidade de ter um só caractere para completar as lacunas dos formulários. Era sempre a mais rápida a completar cabeçalhos de provas e isso lhe dava vantagens na hora de escrever as respostas. Sempre sentira a necessidade de ser a melhor e mais rápida em tudo que fazia. Isso a destacava dos demais. Isso fazia com que as pessoas prestassem atenção nela. Tinha a necessidade de se sentir admirada para se sentir viva. Isso lhe transformara no ser forte que sempre sonhara se tornar.

Sua família a admirava por ser tão obstinada e tão perfeccionista em tudo que fazia. Agora, estar com aquela garotinha de cinco anos era como se parte de sua infância fosse resgatada e ela se reencontrasse com as memórias que tivera antes dos sete anos. Sete emprestou aqueles momentos para enxertar boas memórias em um vácuo de sentimentos em seu passado. Agora ela se sentia mais completa e mais feliz.

Em um breve momento de volta à realidade, seu MovingMAP *app* deu por alguns instantes a localização de Walkíria e de Teo. A Agt. Sete imediatamente contatou o Agt. Hugo, que estava em sua casa se reconciliando há duas semanas com sua esposa. Durante esse período, o Agt. Hugo teve a oportunidade de explicar tudo o que estava acontecendo para Nadir e para a filha. Dizia que o sumiço de Teo era por uma boa causa e ele estava sendo bem cuidado por uma de suas melhores agentes.

A Agt. Sete passou o *app* de localização e todas as informações para seu superior. O Agt. Hugo estava intrigado por acompanhar o distanciamento entre os dois pontos, logo após adentrarem as áreas de recarga Tesla.

Os sinais de Walkíria rapidamente pararam de ser captados, uma grande interferência poderia ter desabilitado seu *nanobug*.

— Isso está me cheirando mal! – comenta a Agt. Sete com seu superior.

— Vamos nos aproximar deles e saber o que se passa! – ordena a Agt. Hugo.

Os dois agentes invisíveis, que estavam em *standby* por duas semanas, combinam de se encontrar no metrô e ir em direção ao único sinal captado, vindo do *nanobug* de Teo.

O sinal, que vinha em direção norte, mudou de rota e agora ia em direção leste. Após dez minutos, o Agt. Hugo percebeu que o final daquela linha secundária do metrô levava direto ao antigo Palácio do governador. O famoso ninho de cobras e quartel general do exército.

– Não acredito que eles planejam qualquer tipo de missão lá dentro! – comenta o Agt. Hugo, agora junto à Agt. Sete.

Durante o caminho, a Agt. Verônica contata os resistentes que se propuseram a ajudar. Em meia hora, um exército de carboxianos armados, com as verbas destinadas a fundações que repassaram a antigos movimentos sociais, como o Movimento dos Sem Terra e dos Sem Tetos, se aglomeraria a poucas quadras do Palácio. Mas Agt. Verônica, Eric e Teo estavam aflitos com a situação de Walkíria.

– Não podemos esperar mais. Walkíria pode estar sendo torturada nesse minuto! – falava impaciente Teo.

– Calma, Teo! Não podemos simplesmente invadir aquele local. Temos de ter um plano! – exclamou a Agt. Verônica.

– Eu tenho um plano! – disse Eric que agora agia mais como Cap. Tiburcius e conhecia as instalações daquele lugar.

– Posso passar pelos portões de entrada levando vocês dois como se fossem meus prisioneiros. E ainda tenho um presentinho pessoal para entregar ao general. Cap. Tiburcius não havia esquecido de sua missão e havia trazido sua ogiva cheia de explosivos que estava implantada em seu corpo. Ele acessou o aparelho que tinha a forma de um ovo grande, acertou o sistema mecânico com seu relógio de pulso e com a ajuda de um líquido viscoso o engoliu. Esses movimentos foram feitos de forma tão natural, e durante a checagem de equipamentos, que ninguém notou que Cap. Tiburcius armara e engolira o explosivo.

A Agt. Verônica estava apreensiva com a forma com que aquele homem mudara em poucas horas. Ao adentrar em Carboxy, parecia que aquela doce criatura que ela conhecera na Jureia não existia mais.

– Eric, o que você pretende fazer?

– Vou acabar com aquele maldito que sempre me escravizou e sempre tirou vantagens de seus subalternos. Vou matar aquele homem!

Cap. Tiburcius estava com o coração cheio de ódio e tudo que havia aprendido sobre o amor não importava mais. Ele tinha a alma de guerreiros, estes não têm tempo para amores e poesias.

– Mas e nós? Uma hora essas missões vão acabar e poderemos desfrutar de um tempo juntos! – falava a Agt. Verônica mesmo sabendo que a lógica dos soldados já havia assumido a mente de Eric.

– O que era para acontecer entre nós já aconteceu, sejamos francos e sigamos com o plano de libertação dos carboxianos. Assim, ao menos, nossas vidas não serão em vão! – completou o Cap. Tiburcius.

A Agt. Verônica o segurou pelos ombros e o beijou como se fosse a última vez. Ela sabia que o homem estava focado em acabar com a vida daquele tirano e faria qualquer coisa para isso, até mesmo colocar a sua própria vida em jogo.

A Agt. Verônica e Teo foram algemados e caminharam sob a escolta do Cap. Tiburcius até a entrada do QG. Com a identificação registrada no sistema de entrada na corporação, Gen. Bustamante não acreditou no que vira. Ali, direto em seu quartel, chegava o soldado desaparecido por mais de quatorze dias. Para ele era como se um morto-vivo estivesse chegando, pois a ogiva que havia sido implantada em seu sistema digestivo, que somente uma cirurgia seria capaz de removê-la, deveria ter explodido havia muito tempo. Mas isso não acontecera. No momento em que Cap. Tiburcius desembarcara na praia da Jureia, todos os sistemas implantados em seu corpo sofreram curto-circuitos. A ogiva sofrera uma pane na parte elétrica e não explodira em seu interior. Seu sistema digital havia sido desativado, e o sistema mecânico não havia sido configurado. Portanto, ela não explodira em seu hospedeiro e, durante os dias que estava em coma, fora removida pelo Dr. Celso na Vila da Jureia.

O Cap. Tiburcius passou tranquilo entre os guardas e foi direto ao calabouço deixar seus presos. Havia uma cela logo no começo daquele porão. Ele combinou com os outros dois que, quando ouvissem um sinal, eles deveriam sair da sela, que seria aberta automaticamente e poderiam procurar por Walkíria.

Logo chegaram soldados armados que renderam Cap. Tiburcius e o levaram direto ao general. Rendido, pelos outros guardas, que usaram mantas eletromagnéticas para impedir o uso de qualquer dispositivo eletrônico, o capitão foi arrastado até a sala do general.

– Que surpresa, capitão! Pensei que o senhor já havia terminado sua missão! – perguntou ironicamente o Gen. Bustamante.

Os guardas prenderam o capitão em uma alta e antiga cadeira de madeira. Para isso usaram apenas dois lacres de plásticos em cada mão. O general dispensou os guardas para que pudesse falar a sós com o capitão.

– Infelizmente, levou mais tempo do que eu dispunha, senhor! Mas a missão está cumprida! Não exterminei o último elemento, mas a trouxe para que o senhor mesmo a execute. Agora se o senhor me soltar e tirar essa cobertinha de cima de mim eu ficaria mais agradecido. Afinal de contas, não está tão frio por aqui! – falou ironicamente o capitão que tomava choques a cada segundo por conta daquele equipamento que disparava pequenos pulsos elétricos em sua pele.

– Pobre capitão, não vai me contar como o senhor se safou do dispositivo que carregavas dentro de ti? – perguntou o general intrigado.

– Não sei do que o senhor está falando! Cumpri minha missão com algum atraso, mas foi o que deu pra ser feito! – disse o capitão.

– E quem é o outro rapaz que está com a agente? – pergunta o general se aproximando do capitão que se retorcia a cada impulso elétrico em seu corpo com o aumento da carga elétrica da manta.

– Ele é o mensageiro de um novo tempo, senhor. Onde não existirão mais tiranos miseráveis como você! Seu maldito! – falou baixo o capitão, fazendo com que o general se aproximasse para escutar o que saía de sua boca.

O general chegou mais perto do capitão segurando um antigo *tablet*, que operava um nanodrone. O nanodrone foi introduzido dentro das calças do capitão, ele pôde acompanhar o caminho deste até encontrar a ogiva. O visor digital já não operava mais. No entanto, o mecanismo mecânico apresentava seu som característico e o microfone do nanodrone pode acompanhar seus últimos tique-taques.

– Te vejo no inferno, general! – essas foram as últimas palavras do capitão.

– Caralho, meu! – essas foram as últimas palavras do general.

O general não teve tempo de se afastar do Cap. Tiburcius e os dois se espalharam em centenas de pedaços dentro daquela elegante sala do antigo Palácio do governo. Não houve nenhuma possibilidade dos nanodrones do *app* médico do capitão rejuntar seus órgãos dilacerados em meio aos escombros do Palácio. O general, avesso à tecnologia, nunca havia implantado nenhum tipo de nanocomputador ou nanodrone. Os corpos se espalharam de tal forma que não poderiam mais ser rearranjados.

Do calabouço do Palácio sentiu-se um tremor e o alto som da explosão. Poeiras caíram sob os olhos dos prisioneiros. Esse deveria ser o sinal que Cap. Tiburcius havia combinado. No entanto, as grades não foram abertas.

Sirenes foram acionadas. Parte do antigo prédio desmoronara com a explosão e um incêndio começara na cozinha. Todos corriam pensando que o ataque vinha da parte externa do prédio ou de algum drone aéreo. Muitos dos militares saíram às ruas.

A Agt. Verônica sabia que aquela explosão significava o fim de Eric e um nó na garganta a impediu de chorar. Ela só queria fugir dali e tentar achar seu companheiro, mas a cela não se abriu e a fumaça começava a chegar até eles.

Na confusão, os Agts. Sete e Hugo adentraram ao Palácio. Usavam uniformes parecidos com os dos militares e puderam se camuflar entre os outros. O pânico era geral, pois quando se mata um comandante os subalternos não sabem o que fazer. Não havia voz de comando em meio ao caos.

Os agentes foram instintivamente ao calabouço, pois sabiam que aquele lugar era para onde os prisioneiros eram levados. Com os rostos cobertos e em meio a fumaça, encontraram a cela com a Agt. Verônica e Teo.

O Agt. Hugo colocou um microexplosivo na fechadura.

– Afastem-se para o canto!

A explosão foi pequena e controlada, não chamando a atenção de ninguém que estava ali.

Eles recolheram os dois presos. Teo, sem entender direito o que estava acontecendo, disse:

– Espera! Temos de buscar a Walkíria!

A Agt. Sete ficou de guarda na frente da entrada do calabouço, enquanto os outros três adentraram a escuridão. Ao passar por todas as celas, chegaram em uma salinha com algumas macas e camas de ferro e lá puderam encontrar Walkíria coberta com a manta metálica. Ela estava imóvel, silenciosa e amarrada.

– Não! – gritou Teo ao vê-la daquele jeito. Ele acelerou e a arrancou daquele lugar. Ao tocá-la, percebera que o corpo estava frio e sem nenhum sinal de vida. Todos os sistemas médicos dos *apps* foram acionados. Mas já era tarde demais. Walkíria morrera havia cerca de vinte minutos em razão de uma arritmia causada pelos choques elétricos e, por fim, uma parada cardíaca. Teo chorava de forma descontrolada. A Agt. Verônica não sabia o que fazer:

– Temos de sair daqui! – disse o Agt. Hugo.

Teo pegou o corpo de Walkíria no colo e assim todos foram em direção à saída do calabouço.

Lá fora, barulhos de tiros foram ouvidos ao longe. Os resistentes decidiram entrar em confronto com os militares e tomar o lugar. A quantidade de resistentes era dez vezes superior à dos militares. Esses fugiram por não saber o que fazer, não receberam nenhuma ordem e a decisão de correr e evitar um confronto era a mais sábia. Os revoltosos invadiram os jardins do Palácio, que já estava quase todo tomado pelo fogo.

Os bombeiros foram autorizados a adentrar ao Palácio e ajudar a apagar o fogo. No comando dos rebeldes estava a mesma mulher japonesa que ajudara Teo e a Agt. Verônica a adentrar a Carboxy.

Ao saírem do calabouço, os agentes foram detidos e assim tiveram de retirar suas máscaras. Teo estava em choque. Com o corpo de Walkíria no colo, pode ver em meio aquela confusão um rosto familiar, o de seu pai. Demorou alguns segundos para ter a certeza de que aquele rosto era mesmo de seu pai. Atônito ele se aproximou do Agt. Hugo. Alguns revoltosos que estavam por perto se afastaram com a ordem de Kaomi. Teo mesmo carregando Walkíria nos braços encostou a cabeça no ombro de seu pai e chorou. Um misto de alegria do reencontro e a tristeza da morte de Walkíria confundia a todos os sentimentos daquele jovem. Sentia que teria um colapso nervoso novamente. Mas não havia tempo para uma perda da consciência e fuga da realidade naquela hora.

– Meu filho, não posso explicar tudo agora, mas temos de sair daqui antes que o reforço chegue – disse o Agt. Hugo.

Ao virar em direção à Agt. Verônica, o Agt. Hugo toma um tapa na cara.

– Seu filho da puta! Por que você desapareceu e fez todo mundo sofrer assim? – disse a Agt. Verônica que, em seguida, lhe deu um abraço.

– Vamos sair daqui para evitar mais mortes desnecessárias! – disse a líder dos resistentes.

O estopim da revolução havia sido aceso e os acontecimentos a seguir iriam levá-los à real mudança daquela nação e da realidade de Carboxy.

Os agentes e os resistentes logo sumiram pelos canais de águas pluviais da avenida Ipiranga.

Já em um local mais afastado do Palácio, os resistentes foram se espalhando e agora ficariam em prontidão para seguir na operação de tomada popular do poder. Aquelas pessoas estavam preparadas a dar suas vidas em nome daquela causa.

O Agt. Hugo começou a explicar tudo a Teo. Desde o tempo em que viviam em La Jolla, onde ele, aos seis anos, brincava com o amigo Vidjy, até as estratégias de desenvolvimento dos equipamentos biotecnológicos que dariam condição de ele obter as habilidades de entrar em outros sistemas, altamente seguros, como assim eram julgados até então.

– Desculpe se eu fiz isso com você, meu filho! Mas você era a única pessoa que agiria como eu previa! – disse o Agt. Hugo ao filho.

Teo estava assustado e catatônico. A morte de Walkíria o deixara com um sentimento de frieza no peito que nunca experimentara.

– Você não tem escrúpulos, meu pai! Você ajudou a matar a única mulher a quem eu realmente amei nessa vida. Você não merece mais meu respeito!

Teo se afasta e vai chorar em um canto. A Agt. Sete segue atrás para prover a segurança do rapaz. A sós, a Agt. Verônica pôde se abrir com o Agt. Hugo:

– Você causou muito dano em nossa vida! Você deixou que nossos amigos morressem naquela estúpida operação que não tinha nenhum fim nobre!

– Mas é claro que tinha! Sem o envolvimento de Teo com Walkíria e o incidente na Marginal, não teríamos como desenvolver a operação de captura das informações na festa e, agora, poder colocar todo esse império fascista aos nossos pés! – disse exaltado o Agt. Hugo.

– Não, você não tem caráter e moral para seguir com esse plano. Você já manchou sua dignidade com todas as mortes que provocou. Nada justifica o uso de uma vida para a tomada do poder. Não há vitória quando derramamos o sangue de outro ser humano, mesmo que ele seja chamado de nosso inimigo. Não há justiça quando um tirano não é julgado, e sim executado. Você já não é mais um agente da PF, e sim um megalomaníaco em busca do poder!

– Não é nada disso, Verônica! Tudo que eu fiz nessa vida foi pensando em tirar o país das presas dessas víboras que estão perpetuadas no comando desta nação! E até aqui tudo está dando certo! Falta pouco para podermos destituir todos que se julgam donos de tudo e de todos!

— Você não passa de mais um deles que, assim que tiver a chance de tomar o poder, agirá exatamente como eles agem, subjugando seus subalternos e os tratando como inferiores. Tenho pena de ti, meu amigo!

A Agt. Verônica se afasta e padece na dor de suas perdas. Em duas semanas, conseguira esquecer o que sentia pelo Agt. Hugo e se envolver inteiramente, pela primeira vez em sua vida com Eric, o homem a quem ajudou a moldar e a ver desabrochar em seu peito a forma do mais puro amor, uma mistura de maternidade e amante, coisa que ela queria que acontecesse entre ela e o Agt. Hugo, mas que nunca seria possível por toda bagagem daquele homem. Com Eric foi diferente, era muito simples, sincero e verdadeiro. Agora aquele homem tinha dado a vida por ela e uma causa. Ela tinha uma dívida de sangue com ele, no fundo de seu peito sabia que as argumentações do Agt. Hugo eram válidas e também sabia que a justiça era corruptível e o poder dos chefes de estado era quase impossível de se destituir. O plano do Agt. Hugo de implodir o sistema com o roubo de informações feito pelo seu filho era a única forma de botar abaixo aquele sistema. Ela engoliu todos seus dramas e seus sentimentos pessoais e voltou a ser a profissional dedicada que sempre fora. Naquele momento, a Agt. Verônica sentira que seu amor morrera e permitiu que algumas lágrimas escorressem de seus olhos. E uma grande dor de estômago tomou conta dela, fazendo com que se sentisse um tanto enjoada e vomitasse. O resultado da dor seria a constatação, mais tarde, de uma gravidez.

— Não há tempo para descanso! — deu a voz de comando o Agt. Hugo.

— Teo, preciso que você transfira para meu ICloud todos os dados bancários de todos aqueles vermes que estavam na festa! — ordenou seu pai. — Vamos limpar as contas desses bandidos e desmontar todo o sistema de corrupção deste país!

— Então era isso, meu pai! Você só quer saber da grana daqueles ratos? — disse Teo, irado.

— Dinheiro é poder, meu filho, e sem dinheiro eles não terão como manter a estrutura que os sustentam. Sem dinheiro, não conseguirão pagar a máfia, que é mais bandida que eles. Assim terão de pagar com a própria vida àqueles outros vermes! – disse o Agt. Hugo.

Teo estava confuso, algo ali não lhe convencia que seu pai estava com boas intenções naquela missão.

— Para que você quer ter acesso ao dinheiro, pai?

O Agt. Hugo o olha e diz:

— Vamos transferir o dinheiro para um fundo de subsídios populares, para todos os tipos de projeto ligados à ajuda humanitária e à reconstituição das áreas verdes deste país, além de devolver os direitos a pequenos proprietários de terra e devolver as terras indígenas – falou em um discurso superficial e simplório o Agt. Hugo.

— Mas o senhor não tem nenhum tipo de conhecimento nessa área! Eu vou fazer a mesma coisa que fiz da última vez, vou distribuir o dinheiro de todos aqueles vagabundos para fundações e ONGs ligadas à preservação e à conservação do meio ambiente!

— Não, filho, agora estamos falando de muito dinheiro e eu quero ser o gestor disso! – falou o Agt. Hugo.

— Então é isso! Você quer o dinheiro para poder barganhar como os donos do poder? – indagou a Agt. Verônica.

— Você quer entrar no esquema, pai? Quer ressurgir das trevas como um novo *player* do jogo do poder? Era esse seu fabuloso plano de quase vinte anos? – pergunta ironicamente Teo.

O Agt. Hugo não respondeu à pergunta.

— Teo, me respeite e me envie todos os arquivos agora! – ordenou o Agt. Hugo.

— Não, meu pai! Não vou seguir mais suas ordens e ser apenas um peão do seu jogo de xadrez! – disse Teo se sentindo mais forte do que seu herói e mentor.

– Teo, não temos tempo para esse tipo de atitude infantil, ou você me dê esses arquivos ou...

– Ou você me mata como matou a todos os outros que te ajudaram a chegar até aqui? Você é um parasita como todos aqueles que sempre enganaram o povo, usando de sua influência e conhecimento para chegar até onde chegou. E agora se fingindo de morto quer roubar a todos e viver com uma nova identidade em outro país!

Nesse momento, Teo já havia verificado com seu ISkin10 todos os arquivos que seu pai possuía em seu IBrain. E encontrara uma nova identidade norte-americana, com novos dados pessoais, todos esquentados com a ajuda do amigo e Dr. Subogid.

Esse era o plano B que o Agt. Hugo tinha traçado, caso nada mais desse certo. Como já havia sido considerado um homem morto, ninguém mais o procuraria pelo planeta. Assim poderia desfrutar da nacionalidade de um país digno após essa sua última operação e, com certeza, alimentava em seus planos utilizar parte daqueles recursos, que agora estavam armazenados com Teo, para desfrutar de uma boa aposentadoria longe dali. Mas com o passar do tempo havia percebido que sem sua dignidade nada faria sentido e resolveu voltar para casa e explicar todo o plano a sua mulher e assim chegara até ali.

– Não, filho! Eu só quero salvar o povo desses terroristas do poder. Por favor, me ajude só mais uma vez! – disse Hugo com olhar firme e sincero focado ao filho.

Teo não sabia mais em quem confiar e o que fazer. Mas seu pai ainda era para ele um exemplo de vida e resolveu dar mais uma chance àquele homem que o colocara no mundo.

Compartilhou todos os arquivos secretos que estava em seu ICloud com seu pai. Em menos de cinco segundos, o agente teve acesso a todas as contas em paraísos fiscais, de muitos políticos, empresários e mafiosos. Ao tentar transferir o dinheiro para diferentes contas que ele mesmo havia aberto, também em paraísos fiscais, o Agt. Hugo percebe que muitas das contas dos bandidos haviam sido fechadas ou as senhas não davam acesso. A conclusão que chegara fora que, com as notícias das transferências de cerca de vinte bilhões de dólares para fundações e ONGs, logo após a festa, muitos daqueles desonestos cavalheiros sabiam que deveriam tomar algumas medidas para impedir que outras transações fossem feitas. Se houvessem *hackers* naquele dia e naquele lugar que roubaram informações de vários dos colegas que estavam ali, o restante deveria reconfigurar senhas e contas. Mas essa manobra foi em vão. Uma vez acessado todos os IBrain daquelas pessoas na festa, Teo desenvolveu um sistema de autoupload a toda alteração de arquivos. Assim, manteve os originais em outro ICloud. Dando a seu pai acesso a um banco de dados não atualizado.

– Algo errado está acontecendo aqui! Não consigo ter acesso às contas dos meliantes! – disse, estranhando seu pai.

Aquilo faria com que uma nova estratégia fosse formulada pelo Agt. Hugo. Agora ele teria que dividir os planos de ação com os demais e não subjugar seus familiares e companheiros da PF que ali estavam ao seu lado.

53
Uma nova lição estava no ar

Não há nada mais revoltoso do que ter sua inteligência subjugada por aquele que se julgue superior aos seus próprios anseios. No momento em que a luta por uma causa é levada adiante, por aqueles que se dizem comovidos por ela, mas que, no entanto, nunca pertenceram àquela classe ou vivenciaram na pele a situação do oprimido, a causa se torna falsa. Assim como políticos profissionais, que defendem causas operárias sem nunca terem sido operários. Aqueles que levantam bandeiras contra o trabalho escravo, mas que nunca trabalharam sem ser pagos ou não pagam seus trabalhadores de forma digna. Assim eram os políticos em seus comportamentos. Esses imorais, traidores de seus próprios princípios, dissimuladores, salafrários e hipócritas. Há centenas de maus adjetivos para se referir a esse tipo de ser humano. São falsários de uma ética que só funciona da boca para fora. Infelizmente, esse é um comportamento comum e da natureza humana. Mudamos de opinião, crenças, princípios e conceitos a toda hora. Mudamos para melhor ou pior, depende somente da ocasião. Só depende do ponto de vista. Se colocar na pele do outro, é tentar entender que a dor causada por você, de forma insensível, é também o combustível do espírito da revolta e da luta pela liberdade do outro.

Com a morte de Walkíria, Teo estava arrasado. Mesmo tendo tanto poder em suas mãos, não conseguira prever quão bárbaros poderiam ser aqueles que trabalhavam para o outro lado. As Forças Armadas agiam sob o comando do primeiro-ministro e não sofriam nenhuma retaliação quando cometiam atos de extrema violência. Em Carboxy não existiam representantes dos direitos humanos e a violência vinda das forças do poder era simplesmente ignorada pela grande mídia, que suportava o sistema. Teo se sentira abandonado e traído por todos. Nenhuma daquelas causas era legitimamente sua. Duas semanas atrás, ele só queria ter a chance de conquistar um emprego de arquiteto, nada mais. Não poderia ser um mártir, que seu pai laboratorialmente criara. Odiava estar dentro dele mesmo e só queria sumir dali.

A Agt. Verônica sentia o mesmo, mas ela ainda vislumbrava um pouco de esperança. Haviam chegado até ali e as vidas perdidas não poderiam ser em vão.

– Vamos, Teo! Temos de lutar até o fim! Vamos apoiar seu pai!

– Mas será que ele realmente quer que algo mude ou já foi contaminado pela ganância que supre a vida dos poderosos? – perguntou Teo de forma racional, sem deixar que seus sentimentos de filho interferissem em seus pensamentos.

– Teremos de descobrir isso com seus atos!

A Agt. Verônica abraça o amigo e se consola com a cabeça em seus ombros. Juntos haviam passado por diversos momentos e aquela amizade também era fonte de inspiração para que fossem adiante.

– Não devemos perder a esperança de que a bondade existe, sim, nos corações de todos os homens! – diz a Agt. Verônica pensando que, mesmo Eric cometendo um ato de extrema estupidez, isso justificaria uma interpretação positiva.

Verônica percebera que naquela guerra nunca existiriam vencedores, mas lutar era o que valia a existência dos que têm alma de guerreiro.

Teo e Verônica foram ao encontro do Agt. Hugo.

– Ok, quais são os planos? – pergunta a Agt. Verônica.

– Os resistentes estão prontos para agir a qualquer momento, eles estão dispostos a lutar e não temem que o sangue dos dois lados seja derramado. O primeiro-ministro também está pronto para dar ordem às Forças Armadas para coibir e aniquilar qualquer tentativa de revolta armada, ele subestima o poderio bélico dos resistentes. Temos de fazer algo para impedir esse confronto e assegurar que haja um acordo entre as lideranças populares da resistência e o governo – disse o Agt. Hugo.

– Não haverá acordo com o governo! Eles já sinalizaram que manterão o poder a qualquer preço! – disse Kaomi que falava em nome das lideranças dos resistentes.

– Ok! Então o plano será a desarticulação do sistema e o desmembramento das forças do poder, assim evitaremos o confronto direto e enfraqueceremos os inimigos – disse o Agt. Hugo.

– Então vamos ter de agir no centro do sistema nervoso do poder. E como faremos isso? – perguntou a Agt. Verônica.

– Vamos ter de ir direto ao primeiro-ministro! – respondeu o Agt. Hugo.

– Eu sei como! – replicou Teo.

Acessando diretamente aos arquivos profissionais e pessoais do primeiro-ministro localizou um encontro pessoal entre o primeiro-ministro Snows e um grupo de amigos mafiosos de Fritz. Isso seria perfeito, pois os encontros de Snow e Fritz eram secretos, apesar de serem sempre cercados de muita segurança.

– Como você tem acesso aos dados recentes do primeiro-ministro? – perguntou o Agt. Hugo.

– Eu consegui instalar *spyware*s nos IBrain quando os acessei – disse Teo.

O Agt. Hugo, de posse daquela informação, soube que Teo não contara a verdade para ele sobre os dados das contas secretas que estavam em seu ICloud.

— Meu filho, você tem em que confiar em mim! Me dê os arquivos e assim economizaremos tempo e vidas!

— O senhor terá de fazer por merecer! E também temos de dar uma chance à paz e tentar convencer os legítimos representantes do povo, que agora estão no poder, a fazer uma trégua e agir em nome do povo!

Teo ainda tinha uma leve esperança de que algum sentimento bom existia dentro da alma daqueles que representavam o poder, que de alguma forma tinha alguma legitimidade.

A Agt. Verônica apoiou a ideia de Teo, mesmo intuindo que aquela aproximação para a tentativa de uma negociação pacífica fosse utópica. O mesmo sentimento tinha Kaomi. Ela sabia que o primeiro-ministro e os mafiosos jamais aceitariam qualquer tipo de acordo. Mas como Teo estava com todas as cartas na manga, eles tinham a obrigação de dar o suporte àquele jovem rapaz que agora se apresentava como uma liderança e uma nova esperança para o país.

— Ok. Tenho de admitir que essa é a decisão mais coerente e mais perto daquilo que chamamos de justiça — respondeu o Agt. Hugo. — Vamos ao encontro desses senhores!

Naquela mesma noite, Fritz havia convidado o primeiro-ministro para um jantar de negócios em sua casa. Estavam montando um plano de ajuda mútua, pois sabiam que o povo iniciara um movimento de êxodo urbano, e o crescimento das células independentes era uma ameaça aos negócios dos industriais e empresários que agiam na nação. Isso não era nada bom para nenhum deles. Não podiam admitir que as pessoas, em posse de pequenas propriedades, fossem capazes de produzir seus próprios alimentos e sua própria energia e ainda ter uma vida saudável, pois não ficariam mais doentes nem necessitariam dos venenos disfarçados de remédios das indústrias farmacêuticas. Ou das drogas vendidas nas esquinas que minimizavam a dura existência dos carboxianos, proporcionado-lhes o êxtase dos prazeres alucinógenos.

Essa nova estrutura, que estava crescendo em menos de duas semanas, estava desestabilizando o poder, e a pressão externa era grande para que o *status quo* fosse mantido. Isso era para o próprio bem das elites que governavam o país, pois sabiam que mesmo a ameaça de uma guerra civil ainda era muito melhor e mais fácil de enfrentar do que uma guerra contra os verdadeiros tiranos do poder, toda a indústria multinacional que era dona dos suprimentos de petróleo, alimentos, fármacos e outras drogas ilícitas. Esses sim não tolerariam que seus lucros fossem diminuídos, esses realmente davam medo de serem enfrentados, porque viriam com o apoio de toda a Águia Imortal cobrar seus investimentos.

Os políticos, o primeiro-ministro e os mafiosos estavam acuados, precisavam reagir antes que o poder popular crescesse ou uma possível invasão externa acontecesse. E aquela reunião de menos de dez pessoas poderia dar as diretrizes e o rumo para que a ordem fosse restabelecida em Carboxy e por todo o país.

Com a descoberta da reunião secreta, não foi difícil para Teo, os agentes e alguns resistentes encontrar uma forma de ter acesso à mansão de Fritz e conseguir se aproximar daqueles senhores. Disfarçados de representantes do buffet, que serviriam o banquete naquela noite, eles adentraram ao forte esquema de segurança da mansão, portando todas as credenciais para passar sem nenhum problema pela segurança. Havia tantos guardas e seguranças pessoais que ninguém seria louco de tentar um acesso àquela área.

Mas lá estava aquele pequeno grupo. Teo, a Agt. Verônica, a Agt. Sete, o Agt. Hugo, Kaomi e seu melhor amigo da resistência Bob, um jovem e atlético rapaz. Esses seis indivíduos seriam os responsáveis pelo banquete e tentariam um acordo pacífico com aqueles senhores.

Enquanto a Agt. Verônica dirigia a *van* do restaurante que providenciaria o banquete, Teo, ao seu lado, seguia *hackeando* todos os IBrains dos seguranças e liberando os sistemas de identificação. Ao chegar até a cozinha, começaram a montar os pratos que já estavam prontos. Os verdadeiros cozinheiros e mordomos que trabalhariam naquela noite foram sequestrados e estavam sob o controle dos resistentes. Eles não apresentaram nenhum tipo de reação, pois sabiam que não sofreriam nenhuma violência e, na verdade, também eram simpatizantes daquele movimento.

Cínthia, a filha de Fritz que sempre estava atenta a qualquer tipo de movimentação e sempre era a responsável pela segurança do pai, adentrou a cozinha. Ela olhou a movimentação e com seu *app* de identificação checou a identidade de todos eles, fazendo um escaneamento do rosto e retina de cada um. Ao checar a identidade falsa de Teo, percebeu algo de familiar em seu rosto. Mas não quis ir a fundo naquela investigação, pois, ao perceber a presença da Agt. Sete, uma sensação de desejo provocara seus mais primitivos instintos.

A Agt. Sete fizera uma pesquisa sobre a vida pessoal de Cínthia e sabia que sua libido era muito grande. De posse dessa informação, havia combinado várias essências de feromônios e colocado em sua própria pele. Sabia que, se ela se tornasse atraente aos sentidos de Cínthia, teria controle da situação, e aquela principal cão de guarda estaria dominada. A Agt. Verônica havia contado que o principal obstáculo para chegar ao encontro daqueles homens era essa mulher. Portanto, a missão da Agt. Sete era neutralizar Cínthia, e nada melhor que usar a maior fraqueza dela, o sexo casual. Cínthia ficou fascinada com a beleza andrógena de Sete e foi logo a convidando para conhecer a galeria de arte privada que ela possuía, era uma mistura de objetos de tortura medievais da época da inquisição e obras sacras barrocas e renascentistas, tudo que mais excitava aquela mulher.

Com Cínthia fora do caminho, seria fácil adentrar a sala de jantar. Com os convidados sentados à mesa a portas fechadas, os agentes foram se adentrando com as bandejas e os pratos principais.

Teo ao adentrar a sala acessou o IBrain de todos os presentes e desativou todas as conexões de internet. Assim, ninguém poderia chamar ajuda externa daquele local. Os convidados de Fritz não perceberam que seus IBrains estavam desativados da rede, pois a conversa da mesa era séria e exigia muita atenção.

Quando todos estavam sentados à mesa e aquele pequeno grupo acabara de montar o *buffet* com a comida e começavam a servir os pratos, o Agt. Hugo se aproximou de Fritz e de Snows, que se sentara a sua direita.

– Olá, senhores! – disse o Agt. Hugo.

– Olá, Hugo! Como tens passado? E como anda a sua missão? – perguntou o primeiro-ministro.

Nesse instante, Kaomi e seu fiel companheiro apontaram as armas para o Agt. Hugo. Ele fez sinal para que ela e o outro resistente as abaixassem.

A Agt. Verônica e Teo ficaram paralisados por alguns segundos com aquele reconhecimento mútuo dos canalhas.

– Vou muito bem, senhor! E aqui está a pessoa de quem eu havia falado. Aquele que tem todas as informações sobre os senhores e todos os seus esquemas para manter o sistema! – disse o Agt. Hugo.

– Então podemos queimar esse arquivo vivo! – disse sorrindo Fritz. – Assim nosso acordo estará feito!

– Não é tão fácil assim, meu senhor. O rapaz instalou mecanismos de espionagens dentro de seus IBrains e teve acesso novamente a todas as informações de que os senhores possuem. Assim, ele já desarticulou toda a rede de poder dos senhores – disse o Agt. Hugo.

Desesperados, todos que estavam à mesa tentaram acessar seus arquivos pessoais e contas de bancos no exterior. Os arquivos pessoais puderam ser acessados, mas as contas, sem chances, pois estavam bloqueados os acessos à rede.

– Menino, não sei como você consegue fazer isso! Mas vou te nomear para meu ministro da defesa e você terá o poder de controlar toda a segurança dessa nação. Sua arma é a mais poderosa que eu já vi, acho que a chamam de inteligência superior! – riu Snows.

– Obrigado, senhor, mas não quero um trabalho no seu governo. Quero somente que o senhor acabe com o subsídio aos produtos agrícolas, realize uma reforma agrária e devolva as terras indígenas. Daí para frente, a gente se vira sozinho! – disse trêmulo Teo ao falar diretamente com aquele senhor tão poderoso.

– Parece brincadeira! Um fedelho desses querer tratar de interesses multinacionais assim de uma forma tão clara e simplória. O povo tem de ficar no seu devido lugar! Não existe direito para que os pobres se tornem donos de terras. Pobre é a graxa que lubrifica as engrenagens deste país! Sem essa gente, não há produção de riqueza para que possamos viver assim, de forma confortável e em ordem! Por isso te digo, junte-se a nós ou será eliminado – disse Snows.

– Vim para fazer esse acordo justo e honesto. Ou o senhor aceita esses termos ou nunca mais terão acesso a seu sujo dinheiro! – disse Teo.

– Não há acordo, meu filho! Você não pode nos ameaçar e sair impune disso. Temos todo o sistema legislativo, executivo e judiciário em nossas mãos e o quarto poder, aqui representado por Hugo, jamais nos trairá. Hugo você será o novo ministro da PF, pois, assim que terminar esse jantar, o Agt. Munhoz será executado e você tomará seu lugar. Agora acabe com esse guri. Seja qual for o poder que esse menino tem, destrua-o! – ordenou Snows.

– Isso não será possível, senhor! – disse o Agt. Hugo olhando diretamente nos olhos de Teo. – Esse rapaz é meu filho e ele tem toda a razão por estar aqui reivindicando os direitos do povo. Ou o senhor aceita esses termos ou...

O Agt. Hugo não pôde acabar de colocar os termos de um acordo entre Snows e a resistência quando sentiu uma grande dor em suas costas.

Fritz, velho mafioso que sempre fora, sempre carregava uma pistola Glock em sua cintura e, aproveitando do momento de distração daqueles que ouviam aquele discurso, disparou nas costas do Agt. Hugo. Kaomi e seu companheiro logo dispararam contra o senhor Fritz. Esse recebera alguns tiros direto em sua cabeça e não resistira aos ferimentos.

Aquele discurso do senhor Snows estava sendo gravado e transmitido diretamente a todos os resistentes que tinham acesso ao Twitter de Kaomi, que filmava a ação. Logo, aquelas cenas e palavras se espalhariam por todas as partes, o que levaria a renúncia do primeiro-ministro.

Teo segurava seu pai, que fora alvejado pelas costas. Os outros políticos e mafiosos que estavam por ali tentaram correr, mas foram parados pelas armas apontadas pela agente e pelos resistentes.

Havia a expectativa de que os seguranças que estavam do lado de fora iniciassem um combate, mas, ao escutarem uma leve batida na porta, perceberam que a identificação era da Agt. Sete. Ela havia aniquilado as dezenas de homens que estavam do lado de fora daquela sala. De um a um, ela os imobilizara e os algemara. Era realmente um fenômeno nas artes marciais, assim nenhum sangue fora derramado. A não ser de Fritz e do Agt. Hugo. E quanto à Cínthia, depois de uma sessão de espancamento e de múltiplos orgasmos, foi sedada e visitava agora o mundo de Morpheus.

— E agora, pai? O que devo fazer? — pergunta Teo, agoniado ao ver seu pai sofrendo.

— Faça sempre o que seu coração mandar, meu filho. Seu instinto é do bem e você saberá como agir!

O Agt. Hugo mal termina a frase e desmaia nos braços de Teo.

Hugo tomara um tiro na coluna e seus *apps* médicos trabalhavam para reparar os danos. Ele poderia sobreviver, mas teria algumas sequelas.

Do lado de fora da mansão, agentes da PF chegavam de todos os modos, por terra e por ar. A Agt. Verônica colocara o comando a par dos acontecimentos e com segurança transferiu, sob algemas, os políticos e mafiosos que ali estavam.

O Agt. Hugo fora transferido direto a um centro médico de operações neurológicas. Lá, fora hospitalizado, operado e, após uma semana no centro de reabilitação, conheceria o Sgt. Vestrepo, que continuava em recuperação.

O primeiro-ministro ficara detido por algumas horas, mas, como tinha imunidade parlamentar, logo fora solto. No entanto, depois que seu vídeo com declarações impopulares fora distribuído na rede, ele perdeu o apoio dos outros políticos que tentavam se agarrar à última tábua de salvação do poder. Assim, muitos de seus aliados iniciaram um processo de *impeachment* e ele perdeu o apoio do congresso e do senado, que convocaram novas eleições indiretas.

O ministro da PF, Agt. Munhoz, fora realmente assassinado naquela mesma noite. Um acordo com mercenários feito entre Snows e Fritz não dera a chance de mudar aquela ordem já dada, pois, com a morte de Fritz, o poder seria transferido a um novo mafioso, mas, até que isso fosse resolvido, todas as ordens dadas deveriam ser cumpridas.

Com o afastamento médico do Agt. Hugo, a Agt. Verônica fora indicada para ser a ministra interina da PF até que ele se recuperasse completamente.

Teo, ao ter acesso a todas as contas daquele grupo de políticos corruptos e mafiosos, distribuiu todos aqueles recursos entre as fundações e ONGs que atuavam em ações sociais.

Com o enfraquecimento da bancada rural, a ministra do agronegócio Cátia articulou uma maneira de ser a nova ministra no então extinto Ministério do Meio Ambiente, que agoraZ seria reaberto.

Teo sofrera muito com a perda de Walkíria e, ao conhecer Naomi, sua filha de cinco anos, resolve se aproximar da criança. Naomi foi adotada pela Agt. Sete, e uma forma de carinho cresceu entre Teo e Sete.

As ruas de Carboxy, repletas de carros, aos poucos foram sendo limpas e reurbanizadas. Os carboxianos que viviam próximos a seus locais de trabalho foram aos poucos migrando para o interior, onde as condições de trabalho e os salários eram melhores que o da capital. Novos programas de reassentamento rural com fundos para a produção de pequena escala foram fomentados pelo governo, com verbas vindas das fundações e das ONGs. A falta de recursos temporária do governo fez com que o dinheiro reinjetado na economia, por meio do terceiro setor, girasse a economia com o uso do dinheiro que há muito tempo havia sido expatriado e agora voltava em forma de fundos sociais.

O país passava agora por um movimento nunca antes imaginado, uma reconstrução verde começava ali nos arredores de Carboxy. As imensas áreas que antes serviam para monocultura foram reconquistadas e reflorestadas. As grandes áreas verdes privadas de alguns ricos foram tombadas pelo estado e de lá eram extraídas as sementes para que uma nova floresta fosse criada. Vários bancos genéticos vendiam o sequenciamento de espécies extintas naquelas regiões tropicais, assim, graças à biotecnologia, muitos animais começaram a reocupar as áreas nativas do país.

A economia tornou-se verde. As velhas multinacionais, com seus produtos suportados por derivados do petróleo, produtos químicos das indústrias de agrotóxicos e todo esse setor condenado à extinção, com as novas práticas estabelecidas no país, foram desaparecendo.

Os cidadãos não mais viviam sob a opressão do medo e da violência das grandes cidades. As pequenas comunidades foram se estruturando para receber pessoas que tinham os mesmos interesses e anseios. A vida começara a se tornar alegre novamente.

O ar de Carboxy começara a se tornar respirável, sem nenhum tipo de filtros. Os carros, movidos a motores com explosão de combustíveis fósseis, foram substituídos, aos poucos, por carros elétricos, que recebiam energia diretamente de painéis solares.

Os resistentes, com suas células autônomas, desenvolveram projetos de transferência de tecnologia para todos os que queriam viver de forma livre das contas mensais.

Depois de um ano, Carboxy não existia mais. O grande cinturão urbano que abrangia as grandes cidades do sudeste foi se desmembrando, e as pequenas cidades com áreas verdes ao redor foram se formando.

A agrofloresta, baseada na rearquitetura da produção rural de comida orgânica, foi o tiro de misericórdia à última multinacional, Monsanto, que ainda tinham agentes infiltrados no governo e que tentavam reverter aquela revolução verde. Mas a força e o clamor popular por mudanças ainda eram muito fortes para uma possível reação.

O país sonhado por grandes homens, pensadores do passado, como: Dom Pedro II, Visconde de Mauá, Assis Chateaubriand, Monteiro Lobato, Juscelino Kubistchek, Paulo Freire, Lair Ribeiro, entre outros, de o país se transformar em uma nação livre dos interesses obscuros externos, de criar uma identidade própria e integrada ao respeito aos seus povos e a sua natureza, nesse momento havia se tornado realidade.

– Ganhamos a guerra! – assim disse Teo ao encontrar a Agt. Verônica em sua cerimônia de posse do ministério da PF.

Assim se passariam aqueles anos de paz e de reconstrução da identidade. No entanto, em meio ao Viaduto do Chá, em pleno centro histórico de São Paulo, uma fila de carros, antiga residência de alguns carboxianos, fora ali deixada, para que a população sempre se lembrasse daqueles tempos de miséria humana.

Teo finalmente trocou seu ISkin10 por um IBrain e, por livre e espontânea vontade, voltou a trabalhar com seu avô na antiga sapataria. O que não durou muito, pois seus projetos de arquitetura de células autônomas foram contratados por uma fundação internacional, e assim conseguiria viver de sua real profissão: a arquitetura.

GRÁFICA PAYM
Tel. [11] 4392-3344
paym@graficapaym.com.br